新潮文庫

銀嶺の人

上巻

新田次郎著

銀《ぎん》嶺《れい》の人

上巻

第一章　泣かない子

強い南風がつめたかった。それよりも風と共に吹きつけて来る雪のほうが気になった。霧が視界を消した。

彼女は横岳《よこだけ》の稜線《りようせん》で立止った。こんな筈《はず》はないと思った。昨夜、行者小屋でラジオの気象放送を聞いて描いた天気図にも異常はなかったし、天気予報も格別に悪くなるようなことを報じてはいなかった。ではいったいなぜ、突然南風が強くなり、雪が降りだしたのであろうか。

（一般に冬の八ヶ岳は西風が強い）

と、どの本にも書いてあった。確かに、彼女が、行者小屋から中岳《なかだけ》を経て、赤岳《あかだけ》の頂上に立ったときには西風が吹いていた。天気もよかった。だから天気が急変したという事実よりも、それに裏切られたことが彼女にはこたえた。彼女は周囲の誰よりも上手にしかも速く天気図を描くことができたし、それによる天気の見とおしも、いままで期待はずれということはなかった。今度は見事に予想がはずれたがラジオで聞いた天気予報も、特に悪くなるようには云《い》ってはいなかったのだから彼女の見当はずれだったことにはならない。

気象庁さえ、この急変には気付いていなかったのだとあきらめればいいのだが、彼女は、豹変《ひょうへん》した冷たい顔には、それほど寛容ではなく、こうなったら、風にも吹雪にも簡単に負けたくはないと思いこんでいた。

これがほんとうの冬山の顔だというならば、その顔をじっくりと見たいと思った。声を聞きたかった。体温も測ってやりたかったし、脈搏《みゃくはく》も知りたかった。

横岳は瘦《や》せ尾根である。夏期においても、一歩々々に神経を使うところだった。冬は、氷と雪に覆《おお》われている。尾根筋は部分的に堅氷に閉ざされていた。

彼女が靴底に付けたアイゼンの爪《つめ》は堅氷に突き刺さったというよりも、乗ったという感じだった。彼女が難所にさしかかったからと云って、風が一時的に止《や》むということはなかった。風はほとんど連続的に背後から彼女を押していた。

彼女はできるだけ重心を下げるために背を低くした。前かがみになると、風はルックザックの底を突いた。

山の頂を吹く風は水平ではなく、或《あ》る角度を以《もっ》て吹き上げるものだということは知っていたが、現実にその恐ろしさを知らされたのは、強風にルックザックの底を押されたときだった。下から突き上げられると、頭を先にして転倒するおそれがあるから、それにこたえようとする。つまり、彼女は、背後に向って押し返すような力を働かせねばならなかった。

一定風速の追い風ならば風にもたれかかればよい。少なくともそんな気持でいても、まずまず心配はなかったが、それが強風の場合は吹き飛ばされまいと耐えている自分自身の力によって、風が止んだ瞬間うしろ向きにおし倒される心配があった。

横岳は素直《すなお》に延びた尾根ではなかった。ところどころに岩峰があり、それらには、信仰登山の盛んだった昔から、いちいち仏教にちなんだ名がつけられていた。

風は、それらの岩峰に当って、いちじるしく流れの様相を変えた。風下《かざしも》には、複雑な渦流が生じ、そこにはあらゆる方向の風が荒々しく存在した。

強風がひとたび乱流化すると始末に負えなかった。

風は前方から或《あ》るいは後方から、時によると、側面から彼女を押し倒そうとした。

吹雪が彼女の雪眼鏡《ゴッグル》に覆いをしようとした。そうしなくとも、ほとんど視界はゼロに近い状況だったが、彼女の防風衣（ウインドヤッケ）の頭巾《フード》の隙間《すきま》を埋めようとして執拗《しつよう》に吹きつけて来る雪は邪魔だった。厳密に云えば彼女にとって、冬山の経験は初めてではなかった。しかし、冬山で吹雪に遇《あ》ったことはなかった。三、〇〇〇メートル級の稜線の吹雪の怖さは知らなかった。

彼女は裏切り行為をした天気を許すことはできなかった。だから天気に参りましたと頭を下げたくはなかった。天気に対して、降参したくない気持が前進を強いた。

〈横岳の稜線さえ通過したら、後はたいしたことはないのよ〉

彼女は、八ヶ岳山麓《さんろく》の行者小屋まで同行して来た小林和江の言葉を思い出していた。小林和江は彼女の大学の先輩で、八ヶ岳の地理にくわしかった。その小林和江は深雪の中を行者小屋まで来る途中で、右足を軽く捻挫《ねんざ》した。

長い長い単調な登り道にあきあきしたころ、雪道は針葉樹林帯に入り、そこにちょっとした沢を渡るところがあった。彼女はその下り坂で滑って転んだのである。なんでもないようなところで、なんの変哲もない転び方をしたのに和江は怪我《けが》をしたのである。行者小屋まではどうやら行きつくことはできたが登山は無理だった。

行者小屋には女性を交えたパーティーがいた。男性たちは翌朝、阿弥陀《あみだ》岳に登る予定であり、女性たちはそこから引き返すことになっていた。

〈ひとりでもいいから冬期南八ヶ岳縦走をやって見たいわ〉

彼女が小林和江にそう云った瞬間、それは決定的なものとなってはねかえった。

〈おやりなさいよ、女流登山家駒井淑子《こまいとしこ》さんの山歴に退却という言葉があってはならないわ。勿論《もちろん》、敗退などという不名誉を負って帰ることがあろう筈がないものね。私のことならもう心配しなくてもいいことよ、皆さんと一緒に引き揚げるから〉

和江はそう云った。引き止めるかと思っていた和江がおやりなさいと云った言葉の中には、幾分かの皮肉が含まれていた。駒井淑子が、女流登山家という云い方をひどく嫌っているのを知り切っていながら、この場でそれを云ったのは、やはり、捻挫した友人を他のパーティーにまかせて、自分だけでも冬山に入ろうとする彼女に対する批判だった。

〈小林さん、あなたの捻挫は、女流登山家という言葉を私に投げつけるほど重傷ではないわよ、そうではないかしら〉

駒井淑子は云うべきことはちゃんと云った。

〈あなたは女流登山家という言葉を意識しているから、それにこだわるんじゃあないの、私は私の起したアクシデントに私自身で責任を取るだけのことよ、捻挫がどの程度のものか、そんなことは問題にはしていないつもりよ。あなたはあなたでやればいいの……〉

最後をぷっつり切ったとき、二人の気持は完全に離れていた。

（和江さんの前で、縦走すると云い切った以上、多少の無理を押してもやらねばならない）

彼女はそのように自分に云い聞かせていながらも、吹雪が激しくなって、一歩々々に全力を挙げねばならなくなると、和江との言葉のいさかいなどにこだわってはおられなくなり、そういうことよりも、如何《いか》にしてこの危険な場を乗り切るかを懸命になって考えた。

稜線を一歩踏みはずせばまず生命はないものと思わねばならない。

彼女は、夏の間にこのルートを通ったことがあったが、その経験は今のところ、なんの役にも立たないほど場違いの感じがした。

（夏山と冬山とは別なものだ）

と、登山の教科書には書いてある。その教科書通りに未知なる山がそこにあり、それは思いもかけないように荒々しいものであっても、いまさら、どうにもならないことだった。

風が息をついた。急に温度が上ったようにさえ思われるほど、やわらかいものが彼女を包む。

霧に切れ目ができ、左手前方に突き出したような岩頭が見えた。その岩頭の形と、距離によって——霧は完全に霽《は》れてはいないから目測による距離は曖昧《あいまい》だったが——彼女は、それが大同心峰であることを確認した。夏ならば主峰から尾根伝いに三十分もあれば往復できるところにあるのだが、今はその通路となる瘠《や》せ尾根は氷雪の稜線となっていた。

霧が再び濃くなり、暴風雪となった。

彼女は、その白い岩頭を大同心峰の頂だと確認したとき、それまで持ち続けていた、山に対する自信のようなものを一瞬にして消失した。彼女は既に横岳の主稜線は突破して、そろそろ下り坂にかかるころだと思っていた。彼女は、距離にしてはさほどの差はないにしても、頭の中の地図と時間に狂いが生じ、現在位置を誤っていたことにショックを感じた。この状況では当然であったが、彼女にはそれが当然とは思われず、このごくありふれた錯誤が、次に来るべきものを予想させた。

横岳の主稜尾根は瘠せ尾根で危険だったが、道を誤ることはなかった。だが、そこを過ぎて下り坂にかかり、更に硫黄《いおう》岳への鞍部《コル》に至った場合のことを考えた。夏ならばお花畑に覆われた広い場所だったが、今は雪に埋まった雪原である。

(大ダルミあたりで方向を誤り、下山ルートが発見できなかったら、どうしたらよいだろうか)

彼女は硫黄岳小屋が冬期間は雪に埋没されているということを本で読んで知っていた。

午後の一時を過ぎていた。

そのまま進んで硫黄岳から、夏沢乗越《のっこし》を経て、赤岳鉱泉に向うべきか、このまま、廻れ右をして、再び横岳の主稜尾根を強風に正対しながら戻って、行者小屋に行き着くべきかをきめる時であった。

身体《からだ》は強風に吹かれたがためにかなり消耗していた。完全な防寒具をつけていたにもかかわらず、風は体温を低下させた。手足の指先の感覚が失われつつあった。岩を背に風を避けながら、なにか食べようかと思ったが、食事を摂《と》っておられるような状態ではなかった。

（冬山において最も恐ろしいものは風である）ことはよく知っていた。体感温度が風速一メートル増すごとに一度ずつ低下することも知っていた。山の気温が零下何度であるということよりも、風速が何メートルあるかということのほうが肉体にとって重大であることも知っていた。風速を二〇メートルとし、気温を零下十度と仮定すれば、体感温度は零下三十度であるという簡単な暗算によってすらも、そのままの状態を長く続けることは危険だった。

彼女は、硫黄岳の方へ眼をやった。どちらを向いても濃い霧でなにも見えないし、夏道は雪にかくされていた。

地図と磁石によって方向を決めるなどということは、この吹雪の中ではでき得ることではなかった。

（それに私はひとり……）

と思ったとき彼女は和江の顔をちらっと思い浮べた。引き返すことが和江が云った敗退につながるかどうかは別として、冬山縦走を主張した彼女にとって、あまり名誉なことではなかった。だからと云って、このまま前進して吹雪の中で道を失って遭難に追いこまれた場合は、和江にそれ見なさいと笑われることになる。

彼女は、比較的冷静だった。前進か後退かを、自分自身で客観的に決定しようとした。

彼女は遭難という言葉を女流登山家という言葉と同様に嫌っていた。山における遭難という言葉には、なにかしら、合理性が欠けているような気がした。起るべくして起った結果だとしたら、それこそ敗北以外のなにものでもなかった。遭難という言葉には言いわけに近い逃げの姿勢が感じられた。だから嫌いだった。

遭難という言葉が思い浮んだとき彼女は前進を断念した。

彼女は廻れ右をして強風に正対した。

起伏の多い瘠せた岩稜の一つ一つの岩峰の根をたどるような歩き方をしながら、まともに強風を受けると呼吸の根さえ止められそうになっても、それはもう覚悟の上のことだと自分自身を納得させた。

暴風雪と正対しながら一歩々々をより確実にもと来た方向にもどして行けば、やがて、横岳の稜線は終り、赤岳の鞍部《コル》へ向う下り坂になる。その坂を下り切ったところに、右側(西側)におりる道があるのだ。夏には鎖がかかっていた。深雪に埋もれていたとしてもその場所を見逃すようなことはないだろうし、そこをしばらく降りて行けば、必ずや行者小屋行きの道を発見できるだろう。下へおりればおりるほど風は弱くなる。

彼女はそのように考えながら歩いていた。

*

横岳と赤岳の鞍部に出たことは確実だったが、行者小屋への道が分らなかった。濃い霧に閉じこめられた山頂では地形の比較ができなかったし、行者小屋への下降点にかけられた鎖は雪に埋もれて見えなかった。西側の急斜面は雪面に風のブラッシュがかけられ、雪の絶壁を形成していた。その斜面に足を踏みこむことはできそうもなかった。濃霧の為《ため》に下が見えないから危険で足が出なかった。

このあたりだという感覚だけで、行動はできなかった。

彼女は時計を見た。午後の三時である。意外に時間は経過していた。たとえ、行者小屋への下降点を発見したとしても、そこから行者小屋までの途中で道を失うことも考えられたし、夜になることも念頭に置かねばならなかった。そうなった場合は石室小屋に避難して一夜を明かそうと考えていた。

石室小屋は横岳と赤岳の鞍部にあった。何時間か前に近くを通ったが、この小屋へ泊ることなど考えてはいなかったから、その存在を確認せずに通り過ぎた。遠くの景色にみとれていたのか或いはそこを通り過ぎるとき、突風が起り、それに気を配っていて、見過したのか、山霧の一団が目に覆いをしたのかもしれない。夏の八ヶ岳縦走の折、見掛けた覚えはあったが、現在の状態については、雪に埋没されてはいないという一般的なことしか知らなかった。

(石室小屋は冬期間を通じて雪に埋没されることはない。内部は雪が吹きこんでいて、快適なところとは云えないが避難所としては充分である)

と案内書に書かれてあった文句を思い浮べた。

彼女は冬山でビバーク（仮泊）したことはなかったが、一応その準備はして来ていた。必要品はルックザックの中に詰めこまれていた。

彼女は石室小屋を探した。鞍部《コル》は狭い場所だからすぐ石室小屋に行き当るだろうと思っていたが、その石室小屋が見つからないのである。一寸先が見えないような濃霧だった。霧の中を歩き廻っていると、いきなり足下に絶壁を思わせる空間が現われたり、雪庇《せっぴ》の上を歩いていたりした。落ちついて、落ちついてと自分自身に云い聞かせていても、胸の動悸《どうき》を押えることはできなかった。

迷ったという気持が彼女を不安におとし入れた。横岳と赤岳の鞍部だと思っているそこが、そうではないように思われる。途中で尾根をそれてしまったのかもしれないという心配もあった。

彼女は心に落ちつけ落ちつけと号令を掛けながら、頭の中にある案内書を読みかえし、頭の中にひろげたままになっている地図を見た。夏山のときの経験を思いかえしてみた。道を間違えたとは思われなかった。

赤岳と横岳の鞍部にいることは間違いなかった。そう広くない鞍部だから、探せば必ず石室小屋はある筈《はず》だ。眼と鼻の先にあるのかもしれない。霧が邪魔しているだけのことなのだ。

彼女は眼前の霧を追い払うかのようにピッケルを振った。濃い霧の奥に、動く影のようなものが見えた。人の影だとはっきり断定はできなかった。霧の濃淡の境目にできた虚像かそれとも——。

彼女は幻視を見たとは思いたくなかった。しかし、見なかったと否定もできなかった。幻視を見るような状態に立ち至ってはいないのだと、自分を叱《しか》っても、霧の奥に動いた物への恐怖から逃れることはできなかった。

(ひょっとしたら私と同じように吹雪の中に道を迷った登山者が、石室小屋を探しているのかもしれない)

そんなことをふと考えたが、それは、人が居て欲しいという期待であって、何等の根拠はなかった。暮から正月にかけての休日には、かなりの人数がこのあたりを通ったであろう。しかし、その時期を過ぎたいまごろ、このあたりをうろつく者はいないだろう。

霧の中に浮んだ影は一つだった。

(一人でこの吹雪の中を歩き廻る者はよほどのおろか者だ)

と彼女は影を含めて自分に云《い》った。天気が崩れ出したとき、いそいで、下山してしまえばよかったのだ。しかしそれほど悔いてはいなかった。どうにもならないことにくよくよしたくなかった。今は早急に次の手段を取らねばならない。小屋が見つからないときまれば、雪洞を掘らねばならなかった。その経験はなかったが、本で読んだ知識があった。こういうときには、時間的にそれをしなければならないものだと思いこんでいた。しかし、その吹きっさらしの尾根には、雪洞を掘れるような場所はなかった。強いて掘るとするならば、稜線《りようせん》をはずさねばならない。それはまことに危険なことであった。

雪洞を掘るという目的のために、雪洞を掘るにふさわしい場所を探し始めたとき彼女はやや落着きを取戻していた。

彼女は雪のことだけを考えながら、ほとんど這《は》い廻るようにして歩いた。西風が強いために、稜線の西と東では雪の状態が違っていた。

彼女はやや積雪量の多い場所に行き当った。雪の傾斜面に沿って歩いて見て、その場に横穴を掘れば、どうにか一夜はしのげそうな気がした。

彼女は風下に廻ってピッケルをふるった。スコップは持っていなかった。ピッケルだけで雪洞を掘るということは至難のことのように思われた。おそらく、雪洞ができないうちに夜を迎えるだろう。気温は急速に下降していた。夜になって吹きさらしの中にいることなどできなかった。

彼女は雪洞を掘ることを止めた。

丁度彼女が、横岳の岩稜を縦走中に、進むべきか退《ひ》くべきかを考えたように、この危機をどうして離脱したらよいかを考えた。いよいよ追いつめられたのだと思うと、かえって気持が落ちついた。小屋は無い、雪洞も掘れないと決って、霧の奥にどす黒い夜を望見したとき彼女の度胸は据わった。小屋は必ずある。もう一度心を落着けて探すことだ。

彼女は居直った気持でピッケルを思い切って斜め横にさしこんだ。そのピッケルの先に手応《てごた》えがあった。ピッケルの先になにかが当ったのである。石のような感じだった。

彼女はピッケルを抜き取り、続け様に何回か雪面を、いろいろの角度から突いた。ピッケルの石突《いしづき》に当ったものの形がやや判明して来た。

(なにかの陰にできた雪の吹き溜《だま》りかしら)

その考えが浮んだとき彼女は、危うく大きな声で叫ぶところだった。その石突の先に当ったものこそ石室小屋の壁ではないだろうか。

彼女は数分後に石室小屋を発見した。おそらくその近くを何度か通ったであろう。わざわざ石室小屋を避けるようにして歩いていたのかもしれない。

小屋の中まで風は吹きこんでは来なかった。内部は半ば雪に埋もれていたが、風によって奪い去られていた熱量がここではほっとするほど暖かい感じとなって彼女に返還された。

助かったと思った。彼女は雪眼鏡をはずし、石室小屋の内部の暗さに馴《な》れるために、しばらくはそのままの姿勢で立っていた。暗闇《くらやみ》の中になにかがあった。それは吹きこんで積っている雪とは異質のものに思われた。心の中で恐怖がうごめいた。彼女は思わずピッケルを握った。

それは動いた。人であろうと思ったが、人だとはっきり確かめられるほど暗さに眼が馴れてはいなかった。

彼女は、一歩、二歩と戸口の方へ下った。うごめくものが立上ったら、外へ逃げ出そうと思った。半開きになったまま、雪と氷に埋まっている戸に彼女のルックザックが当った。

彼女は自らのルックザックに激励されたように立直った。彼女はかまえていたピッケルを雪の中に立て、闇に向って呼びかけた。

「どなたですか」

「ああ」

という深い溜息《ためいき》に似た声が聞えた。男の声のようではなかった。

「どなたですの」

「若林美佐子です」

その声が返って来たとき、駒井淑子の眼もようやく闇に馴れた。雪の上に大きなルックザックをおろして、その上に腰かけている登山者の姿をおぼろげながら認めることができた。

「私は駒井淑子です。あなたもお一人なんですか」

相手が姓名を名乗ったから彼女も姓名を告げた。

あなたもと云ったのは、自分が一人だということを相手に知らせるためだった。

「はい」

と彼女は答えた。

淑子は美佐子の傍にルックザックをおろして、手っ取り早く、なぜこうなったかを美佐子に話してから美佐子の話を聞こうとした。

美佐子が、何処《どこ》を何時に出発して、どういうルートをたどって此処《ここ》まで来たのか、どの辺で天気の急変に逢《あ》い、赤岳を越えて石室小屋に逃げこんだのか、そのくわしいことを聞きたかったが、美佐子が云ったのは、

「真教寺尾根《しんきょうじおね》を登って来ました」

という一言《ひとこと》でしかなかった。

淑子にはもの足らなかった。美佐子がなにかの理由でわざと云わないのだと思えないことはなかった。もしそうならば強いて訊《たず》ねることもない。淑子はそのことにはそれ以上こだわるまいと自分に云い聞かせていた。

二人には夜をひかえての仕事があった。寝る場所を作ることと、食事の用意であった。二人はそれぞれのルックザックを開いて必要なものをそこに出した。

雪を掻《か》きのけて、ツェルトザックを張り、その中で携帯用石油焜炉《こんろ》を使って湯をわかした。そういうことになると淑子より美佐子のほうが機敏であり要領がよかった。馴れていた。美佐子は夕食を用意しているときも必要なことしか云わなかったが、身体はよく動いた。二人のビバークのためにもっとも快適な夜を迎えようとしている美佐子を見ていると、淑子は、美佐子の無口をなんらかの理由による沈黙と思ったのは誤解であることに気がついた。

美佐子は、石室小屋の隅にあった半分破れたシートをうまく利用して、入口の隙間《すきま》をふさいだ。そのようなこまごましたことをする美佐子の行為には思いやりに似たやさしさが覗《のぞ》いていた。

ビニールのシートの上にエヤーマットを置き、その上に寝袋（シュラーフザック）を二つ並べて敷いたとき、淑子はこれでどうやら夜を迎えることができると思った。持って来た衣類はすべて身につけて、寝袋にもぐりこめば、あとはじっとして朝を待つしか用はなかった。

風の音が気になった。ローソクを消してからの真の暗黒も彼女にとって生れて初めての経験であった。直《す》ぐそばに美佐子がいることさえも、暗さに塗りつぶされてしまいそうで不安だった。

「私はあの深い霧の奥に、あなたの動く姿を見かけたとき幻視だと思ったわ」

淑子は美佐子に話しかけた。せめて眠るまでは話していたい気持だった。

「私もやはりそう思いました」

美佐子の声は、淑子の問い掛けを待っていたかのように即座に返って来た。

「あなたも見たの……すると、お互いに霧をとおして認め合っていたのね」

なぜ声を掛けようとしなかったのだろうかと淑子は思った。おそらく美佐子も、自分と同じような不安定な精神状態だったに違いない。

「私は石室小屋をずいぶん長い時間、探したような気がしたけれど、時間的にはそれほどではなかったらしいわ、あなたはすぐこの小屋が見つかったの」

「いいえ、私も探し廻りました。いくら探しても見当らないから雪洞を掘ろうかと思っていたとき偶然に入口に出たのです」

「そうなの、なにもかも同じね」

と淑子は云ってしまってから、なにもかも同じと云っても、二人が単独行だったことと、石室小屋を探すのに骨が折れたということ以外に、二人のどこがどう似ているかは未《いま》だになにも分ってはいないのだと思った。

美佐子は淑子の問いに対して答えるだけで彼女の方から話しかけるようなことは一度もなかった。

(このひとはほんとうに無口なのね)

淑子は夜に向って大きな眼を開いた。無口の美佐子は奥深い人柄にも思えた——なにか寄りつきがたくも思われた。どっちにしても、一方通行の会話になり勝ちな、その雰囲気《ふんいき》は淑子にはなじめないような気がした。

美佐子が眠った様子はなかった。やはり美佐子は自分と同じように大きな目を明いて、夜を見詰めて、なにかを考えているだろう。

淑子は、石室小屋がなぜ探し出せなかったかをもう一度考え直してみた。赤岳と横岳の鞍部は幅が狭く、長さも短い、云うならば猫の額のようなところだった。いくら霧が深くても、そのほぼ中央にある小屋が探し出せないなんてことはない。誰かにこの話をしても信じられないと云うに違いない。しかもその猫の額を長い時間彷徨《ほうこう》したのだ。彼女の心臓はその間中不安定な動悸を打ち続けていた。

(長い時間探し廻っていよいよだめだとあきらめかけたとき……)

ピッケルを雪の中に斜めにさしこんで石室小屋の壁を探し出したのだが、いったいその時間はどのくらいだったであろうか。気持では一時間半ぐらい探し廻っていたように感じていたが、実際は、五分か十分のことかもしれない。

(時間を私から奪ったものは、恐怖かしら)

こういうことが、遭難の前提として起るのではないかとさえ考えられる。さっき美佐子も、小屋を探し廻ったと云った。彼女が、その間の時間をどれほどの長さに感じていたか聞いてみたかったが、なにか、その結果が自分をひどくみじめなものにするようで、言葉に出せなかった。

＊

淑子は寝袋の中で窮屈な寝返りを打った。寒さと疲労が同時に彼女を襲った。彼女はできるかぎり身を縮めてやがて浅い眠りに入って行った。明け方近くの寒さで一度は目を覚ましたが、また眠った。物音で目を覚ますと、既に美佐子は起き上ってラジオ天気図を描いていた。

槍《やり》のように磨ぎすました鉛筆を使っていた。小さな天気図記号の一つ一つが丁寧に書きこまれ、細い等圧線がなめらかな曲線を以《もっ》て描かれていた。

淑子はその天気図を一目見て、美佐子がラジオ天気図にかなり熟達していることを知った。

「どうかしら」

淑子は天気図を覗きこんで云った。

「さあ」

美佐子は首を傾《かし》げた。前線が日本列島南部を走っていた。大陸高気圧の勢力は弱い。日本海に小さな低気圧があった。はっきりしない天気模様だった。

「この高気圧が張り出せば、なにもかもすっきりするわ」

と淑子は云った。大陸高気圧が勢力を張るようになれば、西高東低の冬型の天気図になる。そうなると、この辺では西風の強い快晴の日が続くことになる筈だった。そうなるのがあたり前で、あれほど昨夜吹いたのに、まだ天気が恢復《かいふく》しないこと自体が変則的だと彼女は考えていた。

「ね、美佐子さん、おそくとも明日は晴れるわよ」

だが、美佐子は淑子の顔をちらっと見ただけでそれには答えず、再び天気図に目を落した。

「明日もだめかしら」

と淑子が強いて問い掛けると、美佐子は、

「分らないわ」

と小さい声で云った。

美佐子が入口の方に顔を向けたとき、彼女の顔がはっきりと見えた。面長な日本人形を見るような顔立ちだった。きれいなひとだと淑子は思った。多分年齢は自分とそう違わないだろう。どこの山岳会に属しているのか、山歴は何年かもまだ聞いてはいなかったが、彼女の山道具から推測すると、かなりの年月を山に費やして来たひとのようだった。

美佐子はコッヘルを持って立上ると、黙って外へ出て行った。おそらくきれいな雪をそれに詰めこんで来て湯を沸かすつもりに違いない。

淑子は美佐子が戸口を出たとき、背を伸ばしたのを見た。

(背が高いひとだわ)

まるでバレリーナのように足が長い人だとも思った。

淑子は、彼女のルックザックから、食べられるかぎりのものを全部そこに並べながら、若林美佐子という女流登山家について想像してみた。淑子は山岳関係の雑誌や本はたいてい読んでいた。女流登山家という名称は嫌いだが、女流登山家として名のあるひとの多くは知っているつもりだった。その人の名を知らなくとも、厳冬の八ヶ岳を単独縦走するくらいの女ならば、その噂《うわさ》ぐらいは聞いている筈だった。

（美佐子さんが、あのような無口な人ではなくて、なんでも話してくれる人ならば、彼女のすべては昨夜のうちに分っていたのに）

美佐子について未だになにも知らないことは、淑子にしてみると、訊《き》いてはいけないという遠慮もあったが、それ以上に畏怖《いふ》があった。

〈なんでも同じね〉

と、きのうこの小屋で初めて言葉を交わしたけれど、時間が経過して行くにつれて彼女と自分とはなにからなにまで違うような気がしてならなかった。

（あなたはいったい誰なの、なぜ女一人でこの冬の八ヶ岳なんかに来たの）

と訊きたかった。しかし、それを訊くにはまず、自分自身から、すべてを明らかにする必要があった。そうした上で、彼女の身の上話を聞こうと思えば聞かれないこともなかろう。淑子は風の音を聞きながら、そんなことを考えていた。

雪を取って来た美佐子はそれをバーナーに掛けると、そこに並べてある淑子の食糧品に目をつけた。美佐子は、窺《うかが》うような目をちょっと淑子に向けたあとで、懐中ノートを取り出すと、そこに並べてある食品類を書き込み、そして、なぜそんなことをするのだろうと思っている淑子の前に、ためらい勝ちにそのノートを開いたままさし出した。ヘッドランプの光がそれに当った。

美佐子は二人の持っている食糧をリストアップしたのである。それは食糧の共同管理を示唆《しさ》するものであり、石室小屋の滞在が長期化することを意味していた。

淑子は急いでそれに目を通した。二人の携行食糧を合計してから、さてそれを何等分するかが問題だった。

「どうなさるつもり」

と淑子は訊いた。

「ラジオ天気図や、天気予報に、はっきりと天気恢復のきざしが現われるまでは、一日の食糧は全体の十分の一にしたらどうかしら」

美佐子はそのときはっきりと云《い》った。

「十分の一と云うと……」

淑子は唖然《あぜん》とした。一日にチョコレートのかけら一つとパン一片というようなことになる。それで生きていられるだろうか。

「まるで遭難したようね」

淑子は、遭難という嫌なことばを使った。遭難もしないのに、なぜ遭難の真似《まね》ごとをしなければならないのだろうか。だからと云って淑子はその美佐子の提案に反対すべきなにものも持ってはいなかった。

二人はごく少量の食べ物を口に入れ、少量の湯を口にして、シュラーフザックの中に入った。

「待つだけしか仕事はないのかしら」

「話すことがあるわ、でも私は口下手だから、聞き役だけになってしまいそうね、ごめんなさい」

「しゃべるとお腹《なか》が減るわ」

「あなたには特別配給をいたしましょう」

と美佐子は云った。

淑子はおやというような顔で美佐子の方を見た。その軽快な言葉のやり取りをそのまま続けたいと思った。しかし、美佐子はそれからはほとんど口をきかなかった。

(やはり私自身がなにものであるかを知らせないかぎり、彼女の固い口を開かせることはできない)

しかし、考えて見ると、美佐子のことをなにからなにまで知る必要もないし、自分のことを彼女に話す義務もない。こういう時は、黙って寝ていればいいのだ。

淑子は眼を閉じた。

吹雪の音を子守歌のように聞きながら眠り続けるのは、寒いことを除けば、苦もなく楽もなかった。しかし、その夜を迎え、更にその翌日を同じように過すと、淑子には黙って寝ていることが我慢ならなくなった。天気図には依然として前線が停滞していた。天気恢復の様子はなかった。

「私はスキーに行くと云って家を出て来たのよ。そろそろ家で心配するころだわ」

淑子はひとりごとのようにつぶやいてから、隣の寝袋の中で、じっとしたまま、ほとんど動かない美佐子に声を掛けた。

「私が、なぜ山なんか好きになったのか話しましょうか」

淑子はそう云ってから、それはすこぶる押しつけがましい云い方だと思った。

美佐子は答えるかわりに、淑子の方を向いて頷《うなず》いた。動きははっきりしているけれど表情までは見えなかった。

「私がなぜ山なんか好きになったか話したら、あなたも、なぜ山に魅せられたかを話して下さるわね」

しかし、美佐子はそれには答えなかった。拒絶ではなく、躊躇《ちゅうちょ》しているのだということは、美佐子がよく聞き取れないほどの声で、でも……と洩《も》らした一語から窺われた。

「美佐子さん、あなたが云いたくなければ云わなくてもいいのよ、私はあなたに交換条件を求めようとしているのではないの、私はいまなにか話したいのよ、話していないと不安なのよ」

天気はよくなりそうになかった。このままでもう二、三日過ぎれば、空腹のあまり動けなくなるに違いない。食糧の節約を始めて以来の飢えは耐えがたいものがあった。それに日が経《た》つにしたがって身体《からだ》全体に食いこむように迫って来る寒さはさけ難いものとなっていた。

空腹と寒さから逃れるためには、気持を現在の状態からそらすことだった。遭難したのではないと自分に云い聞かせながらも、遭難したと同じような目に逢《あ》っている自分に、今の状態を忘れさせることだった。

(私は身の上話なんて時代的な言葉に酔おうとしているのかしら)

淑子は心の中で自嘲《じちよう》した。しかし、ひとたび淑子が話し出すと、なんのよどみもなくそれは流れた。

＊

淑子は気の強い少女だった。彼女の周辺にいる者のことごとくの眼が彼女に集中していないと不満だった。勉強も遊びも口論も時には喧嘩《けんか》も彼女が中心でなければ承知できなかった。

彼女は幼稚園のころからその傾向を示し、小学生になると、彼女らしいその性格が固定されたようだった。

彼女は自分より強い者に対しては徹底的に抗《さか》らい、自分より弱い者はかばってやった。クラスの中になにかもめごとがあると彼女が乗り出して裁いた。彼女以外の者が口出しすることを許さなかった。

小学校一、二年生のころは男女を含めて総当りの時代だった。学校という戦いの場で鎬《しのぎ》を削り、勝った者は一段ずつ階段を登って行き、そこでより強い相手と戦わねばならなかった。どちらかというと知能より体力がものを云った。しかし、小学校三年生になると、知能と体力が共に秀《ひい》でていないと、ボスの位置にはつけなかった。

彼女は身体も大きく、勉強もずば抜けてよくできた。両親は共に医師であった。母は自宅で眼科医院を経営し、父は大学の医学部で教鞭《きょうべん》をとっていた。淑子はこの恵まれた家庭の長女として生れ、なに不自由なく育って来ていた。

彼女が気が強くて、ボス的な地位にいないと満足しないのは、おそらく、彼女の家庭環境にあるだろうというPTAでの批判があったけれど、少なくとも淑子の場合、それに該当するふしはなかった。

彼女は、いわゆるわがままな子供ではなかった。自己の欲望を満足させるために、自己中心主義を押し通そうというのではなかった。彼女にとっては眼の上のこぶ的存在が邪魔だった。常に先に立ちたいし、上位にいたかった。自己の能力の限界において、その確証を握りたかった。

小学校三年生のときのことである。勉強は彼女に次いで二位だったが、ばか力の強い五郎が校庭に丸を書いて、

〈おい、おれと相撲して勝てたら、なんでもやらあ〉

と云った。それまでに五郎はクラスのほとんどをこの手で薙《な》ぎ倒していた。

〈ほんとうになんでも貰《もら》えるの〉

と淑子は云った。

〈勝ったらだ。おれに勝ったらなんでもやろう〉

〈ようし、ではゲンマン〉

彼女は五郎と指をからませて、約束をしてから、棒切れで描いた土俵の隅に立った。

級友たちが、そのまわりを取囲んだ。わいわいはやし立てた。

〈男と女が相撲を取るなんておかしいぞ〉

と云った子がいた。隣のクラスの男の子だった。淑子は、そのひやかしを許さなかった。彼女は、その青白い顔をした男の子の胸倉を両手で力いっぱい突き飛ばした。

五郎は、淑子が見せた強力な突きの一手を見て、これは、簡単には倒せないぞと思ったらしい。彼は場所を変えて、四股《しこ》を踏んだ。行司はいなかった。

なんとなく向い合って、なんとなく二人はぶっつかって行った。二人の両手がはげしくからみ合った。五郎は彼女の突きの手をもっぱら警戒しているようだった。

彼女は一歩下った。彼女が突然退いたので、五郎は、付けこもうとして前に出た。

その五郎の腹の辺りを目がけて彼女は頭突きをくらわせた。五郎はひとたまりもなくひっくり返った。

〈その運動靴をよこしなさい〉

と彼女は五郎に云った。

〈これ……困るなあ〉

しかし彼女は許さなかった。

〈だってなんでもくれると云ったでしょう〉

五郎は理窟《りくつ》に負けて、運動靴を脱いだ。淑子は他人の履き古した運動靴なんか欲しくはなかった。それを要求したのは、五郎に自己の敗北を身にしみて納得させるためだった。五郎は跣《はだし》で家に帰ってこのことを父母に告げた。淑子の家へ抗議の電話があった。

〈なぜそんなことをしたの〉

淑子の母が訊いた。

〈だって、五郎君は弱い癖に生意気だもん〉

淑子は平然としていた。

小学校四年生になった。転校して来た辰夫《たつお》がクラスのボスに成り上ろうとしていた。いち早く五郎は辰夫の家来になった。

淑子は辰夫のやり方を黙って見ていた。なにもかも粗雑だった。力は強いが勉強の方は中だった。ボスとしてクラスを取りしきるには総合力量が不足だった。女生徒の支持が少なかった。

淑子は辰夫を無視した。こんな子は相手にするほどのこともないと思っていた。だが、辰夫の方は淑子に対して、ことあるごとに、攻撃的態度を取った。

〈おい、トシコ、女のくせに生意気だぞ〉

辰夫はいっぱしのよたもののように彼女を校庭の桜の木の下に連れて来て云った。彼の子分どもが彼女を取囲んだ。

〈生意気だから、どうだっていうのよ〉

口では誰も彼女にかなわないことを辰夫は知らなかった。辰夫はたちまち、彼女に云い負かされた。

〈ふん、なんだ、木登りもできないくせに〉

辰夫は淑子に云い負かされた逃場をそんなところに持って行った。

〈できるの、木登り？〉

淑子はあちこちに脂《やに》が出ている桜の幹と辰夫とを見較《みくら》べながら云った。

〈てっぺんまでだって登れるさ〉

辰夫は力んでみせた。淑子はすぐさまその言葉尻《じり》をとらえて、辰夫を桜の木へ追い上げようとした。辰夫は威張った手前もあるのでなんとかして、二メートルほどよじ登り、木の股《また》にまたがった。どうだ、女なんかには登れないだろうと毒づいた。しかしその辰夫も彼女が桜の木に抱きついて登り出したのを見ると顔色を変えた。彼女のほうが、はるかに登り方がうまかったからである。

彼女は木の股にまたがっている辰夫の足を引張って云った。

〈さあ、木のてっぺんまで登ってよ、もし登らないなら、引きずり落してしまうわよ〉

足をつかまれた辰夫は淑子を恐怖の目で見詰めた。辰夫にはそれ以上登る自信はなかった。辰夫は登れと云って足を引張る淑子の攻撃についに負けて泣き出した。この場合泣く以外に自分を守る方法はないと思った。辰夫が泣いたことによって勝負はついた。彼女はそれ以上辰夫を攻めようとはせずそのままよじ登り、そろそろ赤味がかった桜の実がついた小枝を口にくわえて降りて来た。それは、女王の象徴のようにつややかに輝いていた。

彼女には戦うべき相手が居なくなった。彼女の命令によってクラスは動いた。なにごとも彼女の賛成がなければできないし、なにをやっても指揮棒を握るのは彼女だった。

女王の座に変革が迫ったのは四年生から五年生に移る間際《まぎわ》だった。このころから女生徒たちは、なにかというとかたまり合って、こそこそと話し合うようになり、意識ったが、まもなく学級の中心にみどりが座をしめるようになった。みどりは勉強がよくできるおとなしい可愛《かわい》い顔をした子であった。他人と争うようなことはなかった。いつも笑顔を浮べていた。男の子にも女の子にも親切だった。みんなに好かれていた。みどりは、自ら人気の中心になろうとしたことはなかった。そのような野心のある子ではないのに、周囲の者が彼女の傍に近寄って行った。あきらかに彼女の前で恭順を示すかのごとき態度を取る者もいた。

淑子はみどりを意識したが、みどりを敵対視しなかった。淑子もまたみどりに好感を持っていたからである。だが結果的に女王の座がみどりに奪われて行くのを見ているのはつらかった。

淑子は女王の座を誰にも譲りたくはなかった。みどりは可愛い容貌《ようぼう》をしていた。しかし淑子もその点ではみどり以上に美貌に生れついていた。淑子は二重まぶたの大きな眼をしていた。鼻も高かった。そろそろ、自分の容姿について自覚しはじめるようになった淑子には、みどりの人気が彼女の容貌だけではないことを知った。みどりの人気は彼女の内部から発するものであった。その違いに淑子は対処すべき術《すべ》を知らなかった。なにもかもみどりと同じようにやれば、人気を取り戻せるかもしれないと考えたが、淑子の自尊心がそれを許さなかった。

二月にしては暖かい日であった。

淑子とみどりは肩を並べて二階の窓から校庭を眺めていた。

〈こうしていると、ふと飛び降りてみたいような気持にならない？〉

とみどりが云《い》った。そんな気持になったことはないと淑子は答えようとしてみどりの顔を見ながら、淑子は、もしかすると、みどりは、私をけしかけて、ここから飛び降りをさせようと考えているのかもしれないと思った。みどりはそんな悪だくみを思いつくような子ではないと信じていたが、みどりの云い出し方が突然だったので、淑子は一瞬そのように邪推した。

〈高いところから下を見ると怖いけれど、どうやら飛び降りることができそうなところにいると、やたらに飛び降りたくなるのよ、へんな子でしょうわたし〉

と云ってみどりは笑った。

みどりのこのませた云いっぷりが女の子たちを引きつける魅力になっているのだなと淑子は思った。しかしたとえそうだと分っていてもそのみどりに腹立たしさや嫌みを感じないのはなぜだろうか。みどりの笑顔の魔術にかかっているのだろうか。

〈ここからでは駄目よ。怪《け》我《が》するわ。でも屋根伝いにあそこまで行って、一年生の教室の屋根から、砂場へ飛び降りることならできそうよ〉

淑子はその場所を指し示しながら云った。

〈考えて見るだけでいいのよ、それをすればきっと怪我をするし、先生に叱《しか》られるわ〉

みどりは、そう云ってから、突然、淑子のほうへ向き直って、

〈淑子さん、あなた、そんなこと考えているのじゃあ、ないでしょうね、もしそうだとしたら私が悪いのよ。私が妙なことを云い出したからいけないのよ〉

みどりは涙声になった。

女王の座につこうとしているみどりが泣き声を出したので周囲に人が集まった。なにか淑子がみどりに意地悪をしたように見えた。みどりはそうではないことを説明しようとしたが、それは簡単ではなかった。生徒たちは、二人の女王が、屋根から飛び降りることができるかどうかということで云い争いをしたのだと単純に解釈した。

〈それなら、それができるかどうかやればいいじゃあないか〉

多くの目はそう云っていた。

淑子は二階の窓から一階の屋根へ降りた。決心したらもう振り向くようなことはしなかった。屋根伝いに、砂場の上に出て覗《のぞ》いて見たが、飛び降りるにしては高すぎた。だが、飛び降りる怖さよりも、すごすご引き返す自分のみじめな姿を想像すると、

やはり飛び降りるべきだと思った。

彼女は屋根の端に立った。生徒たちや先生たちの声がした。止《や》めろ、止めなさいと怒鳴る担任教師の声がした。だが彼女はやめるつもりはなかった。彼女は腹いっぱい空気を吸いこんだ。気持を楽にするつもりと、いくらかでも身体を軽くするにはそうしたほうがいいと思ったからである。

彼女は飛んだ。

落下の途中で、彼女は、女王の座は確実にみどりに奪われたのだと思った。

＊

淑子は泣かない子供だった。屋根から飛び降りたときしたたかお尻を打ったが泣かなかった。先生に叱られても泣かなかったし、両親にその非を諄々《じゆんじゆん》とさとされても泣顔を見せようとはしなかった。

彼女は自分のしたことはあくまでも正しいと考えていた。だから、その結果がどう出たにしても、めそめそすることはなかった。

彼女は小学校を終ると同時にミッションスクールに入れられた。中学、高校、大学へと進学する女ばかりの学校だった。

女の子は女らしく育てようという両親の願いが、彼女をそのようなコースへ進ませることになったのだ。

彼女はどちらを見ても女ばかりの学校に籍を置くようになると見掛けはおとなしくなった。しかし、彼女の本来の気の強さは依然として変ってはいなかった。小学校時代のように軽々しく表に出ないだけのことであった。

中学生になっても彼女はやはり女王の座にいたかった。そうなるには、まず第一に勉強ができなければならなかった。そして、第二には級友たちの人気を得なければならなかった。人気を得ることがいかにむずかしいかは、小学校五年、六年のときに充分に知らされていた。すべてにおいて、淑子の方がみどりよりも勝《すぐ》れていたのにもかかわらず、女王の座をみどりに譲らざるを得なかったのは、みどりの方が人気取りの技術を身につけていたからだった。

しかし中学生になって、周囲がすべて女ばかりになると、絶対的な人気を得るということは、きわめてむずかしくなり、幾人かのボス的存在があっても、クラスに君臨する女王はいなくなった。

女の子どうしの交際はむずかしかった。なんとなく素直ではなく、裏が感じられた。意地悪さが意地悪さを感じさせないように、交錯しながら通用した。少女達はそのような智恵《ちえ》を常に持っていた。

淑子はそういうことが嫌いだった。面と向って讃《ほ》めて、陰で悪口を云うような、少女たちとのつき合いはやり切れなくなった。人気を得るために、そのような少女を味方につけるくらいならば、強いて女王の座を狙《ねら》うこともなかった。ボスの座も欲しくはなかった。

しかし、彼女が少女たちのグループの動きに関心を示さなくなると、かえって外部の方で彼女のことを気にした。彼女のところに相談に来たり、誘いがあったりした。

彼女はいつの間にか一方のボスに担《かつ》ぎ上げられ、ねちねちした少女たちとの交際を強いられた。

彼女は、自分がなぜ女の学校へ行かねばならなくなったのか、時々考えることがあった。

そんなとき彼女は両親がよく使う女らしいいい子という言葉を頭に浮べた。男だから男らしい子、女だから女らしい子と分けられることが不服だった。男の子も女の子も能力において差が認められないのに、なぜ、男の子と女の子を区別して考えねばならないのだろうか。

夏休みになると彼女は父や二人の妹たちと共に箱根の仙石原の別荘で一夏を暮した。

母の貴代は開業医だから、土曜、日曜しか来られなかった。

父の重造は山歩きが好きだった。仙石原の別荘から金時山に登って、乙女《おとめ》峠を通って帰って来るというコースをよく歩いた。彼女は父より先に歩いた。先に行き過ぎては引返して来て、父と並んでしばらく歩き、また先を行った。

そのような歩き方をするものでないことを父に教わっても、父の足の遅さにはついてはいけなかった。もの足りなさが残った。

或《あ》る朝、彼女は朝食前に家を出て、金時山往復をやってのけ、朝露にびっしょり濡《ぬ》れて帰って来た。彼女を見て重造はそれまでになく真剣な顔で叱った。

〈女のひとり歩きは絶対にやってはならぬ〉

父がなにを云おうとしているのか彼女にはよく分っていた。彼女は素直に父に詫《わ》びた。詫びながら彼女は、その朝のすがすがしい感動に浸っていた。彼女は全力を出して、金時山へ行って来たのである。誰にも気兼ねせず、思う存分歩いて来たあとの充実感はなにものにもまして貴重なものに感じられた。

箱根にプールがあった。

彼女は水泳に熱中した。泳いで泳いで泳ぎまくって、とうとう動けなくなった。妹たちの知らせで迎えに来た父に背負われて家に帰って彼女は寝かされた。父はなにも云わなかった。枕《まくら》もとに婆《ばあ》やがつき添っていた。彼女は母が嫁に来たとき母の実家からついて来た女だった。

〈倒れるまで泳ぐなんて立派なものだわ、でもね、死んじゃったらなんにもならないからね〉

と婆やは云った。

婆やが、淑子の頑張りぶりを讃めてくれたことが淑子には嬉《うれ》しかった。この人だけは私の理解者だと思った。

〈明日中には、きっとあのひとに負けないようになるわ〉

あのひとというのは、たまたまそのプールで知り合った同じ歳《とし》の少女のことであった。

中学二年の暮から正月にかけての休みを利用して淑子は父と共にスキーに出掛けた。越後《えちご》湯沢の駅に降り立つと吹雪だった。駅から二キロの道を二人は宿まで歩いた。重造は、初めて出会《でくわ》した吹雪に淑子が驚いて、心配そうな顔をしたり、泣きごとをいうようなことがあるだろうと思っていた。少なくとも、不安な表情を彼に向けて、パパ大丈夫なの、ぐらいのことは云うだろうと思っていた。

彼女は雪を見て小犬のようにはしゃいだ。吹雪に対しても、いささかも心配そうな顔を見せなかった。まるで、雪の申し子のように、たえず頬を輝かせ、歌を歌っていた。宿までの吹雪の道がもの足りなそうにも見えた。

〈淑子は雪が好きなんだね〉

その重造の言葉に淑子は、

〈雪よりも雪の山が好きだわ〉

と答えた。吹雪で山は見えなかったが、彼女の心の中には雪の山が概念として入りこんでいた。

翌朝から彼女は気が狂ったように滑った。ほとんど休むことを知らなかった。昼食時間の休憩もろくろく取らずにゲレンデに出て行った。彼女の目は朝起きたときから日が暮れるまで輝き続けていた。重造がすこしは休みなさいと云っても、聞かなかった。急斜面を橇《そり》に乗って走り出したような勢いだった。容易な手段では止めることはできそうもなかった。重造は、淑子のその異常な熱し方に不安を覚えた。彼は将来を心配した。その重造の心配は翌年志賀高原の熊《くま》の湯へ一家揃《そろ》ってスキーにでかけた折に事実となって現われた。

その日、午後遅くなって吹雪になったので、スキー客はほとんど宿に引き揚げたが、彼女は最後までゲレンデに残った。気がついたときは濃霧となっており、夜の訪れとともに彼女は帰路を失った。

宿では一人だけ帰らぬ彼女のために、捜索隊を出した。

彼女は宿からそう遠くないところの吹き溜《だま》りに、彼女のスキーをスコップがわりにしてせっせと雪洞を掘っていた。帰路を失ったと判断したとき、彼女はそこを動かず、自分の生命を守るべき雪洞を掘って救助隊を待とうとしたのである。以前にそのようにして助かった人があったという話を聞いていたから、それを真似《まね》たのであった。彼女の年齢にしてはとうてい想像できそうもないほどの落着きぶりだった。

彼女は熱中すると、とことんまで走り続けた。だが、理性が彼女に声を掛けたときは、ぴたりと行動を停止した。淑子はこのときも涙なぞ見せなかった。

同じ年の、三月、彼女の一家は揃って、八方尾根へスキーにでかけた。比較的よい天気が続いたので彼女は滑りまくった。最後の日は風が無く天気がよかった。彼女は昼食時間もおしんで滑った。翌日は東京へ帰ることになっていたからである。

午後三時ころ彼女はゲレンデで倒れた。無茶苦茶に滑り過ぎて日射病になったのである。スキー場で日射病になる例はそれほど多くはなかった。彼女は早速ホテルに運びこまれたが大事を取って、貴代がつきそって、自動車で東京へ帰ることにした。

淑子は自動車の中でよく眠った。東京の自宅について自動車を降りるときよく見ると、彼女はホテルのスリッパを履いたままだった。

＊

淑子は高校生になったとき、それまで彼女の頭の中にあった女王の座がいかにばかげたものであるかを知った。

彼女はどうでもいいようなことを重大視したり、つまらぬことにこだわったり、他人の服装や容姿にばかり気を取られている同級生に愛想が尽きた。特に親しい友人もないし、さりとて喧嘩《けんか》相手になるような友人もなかった。クラブ活動には参加したが、彼女の情熱を沸き立たせるようなものはなかった。文学研究会に入ったことがある。云わば読書会のようなもので、みんなで読後感を語り合うような会だった。

彼女らしい性格が出たのはこの会に籍を置いていた初期のころだった。彼女は手当り次第に濫読《らんどく》した。小説に興味を感じたこともあったが、文学研究会の会員の誰よりも、多く本を読んでいるという確証を自分自身の力で得たかったからである。だが、これはそう長くは続かなかった。頭が痛くなるほど本を読んでも、得られるものはそれほど多くはなかった。読後に共通して感じ取られるものは、それぞれの文学に伏在する虚構のむなしさのようなものだった。彼女を揺り動かすような真実を、小説の中から発見することは困難だった。

高校二年になると、そのまま女だけの大学へ進学する昇学組と女の園から抜け出て、他の大学へ進もうとする進学組とに分れた。進学組は全体の三分の一ほどだったが、総じて成績のよい者がこれに加わった。進学組は受験準備に入った。

彼女は女の学校から離れるために勉強した。

女だけの学校ともいよいよおさらばができると思うと勉強に精が出た。希望の大学が二、三、頭に浮び上っていた。勿論《もちろん》男女共学の総合大学であった。彼女は理科系よりも文科系に進みたいと思っていた。彼女は語学が得意だった。母の貴代もそうしてやりたいと思っていたが、いよいよ進学の目標を決定しなければならない段階で、重造は、貴代が卒業した日本女子医大へ入学をすすめた。

〈また女ばっかりの大学……〉

と淑子は難色を示したが、重造がなぜ淑子が女子医大へ進学しなければならないか、その理由について説くと、結局は承知した。

淑子は、妹たちに較《くら》べて、お父さん子だった。子供のときから父を見習い、父の云うことをなんでも聞いていた。父を尊敬してもいた。その父がそうしろと云ったことに強いては反対しなかった。

女だけの大学だと云っても、医学という専門過程を学ぶのだから、他の女子大学とは根本的に違うのだと説明する父の言葉の中に彼女は進学の意義を認めていた。また医者になれば、他人に尊敬されるし、経済的にも安定することを、両親を通してよく知っていた淑子は、身を入れて勉強できる大学のうちでもっとも身近な存在であるという、重造の言葉をそのまま受取った。

〈淑子、ほんとにそれでいいの〉

と貴代は云った。

貴代は淑子を医者にすることを必ずしも望んではいなかった。そのまま総合大学へ進ませて、彼女のもっとも好きな道を歩かせたかった。しかし、受験の段階では、淑子の好きな道はまだ決っていなかったから、夫の重造の意見に強いて反対もしなかった。

淑子は猛烈な受験勉強を始めた。豊かな頰の肉が目立たなくなり、婆やが心配するぐらいに青ざめた。

淑子は日本女子医科大学へ抜群の成績で入学した。

大学受験期になると、毎年のように新聞や週刊誌を賑《にぎ》わせる、私立医科系大学の多額の裏口入学金についても、彼女には無関係だった。彼女は入学願書に明示してあるところの、入学金八十万円を納めたに過ぎなかった。

大学生になったその日に彼女は山岳部に入部した。

〈山岳部に入ったわ〉

彼女はその夜、自宅の食卓を囲んでの団欒《だんらん》の折をみて云《い》った。

〈山岳部以外にも部はあるだろう。なぜ撰《え》り好んで山岳部に入ったのだ〉

重造が云った。

〈入りたかったからよ〉

淑子は重造の目を見てはっきりと云った。その云い方には、それまでと違った或る種の決意のようなものが感じられた。重造はそれ以上そのことには触れなかった。大学生になった淑子にああしろこうしろとは云えなかったし、云うべきではないと思った。だが重造の心はおだやかではなかった。入りたいから入ったのだと云いながら彼に向けた淑子の目の中に、彼女が熱中しだした時に見せるあの異常な輝きがみとめられたからだった。

彼は、淑子の生い立ちを思い浮べながら、もし、山岳部に入ったことがきっかけとなって、本格的に山が好きになったら困るなと思った。彼女が大きなルックザックを背負って、雪山へ入って行くのがそう遠くない日のことのように思われた。

貴代は急に黙ってしまった重造の顔を見ながら、おおよそ、彼がなにを考えているかを知った。

（なにも、いまそんなことを心配しなくたっていいのに）

貴代は夫の取り越し苦労をたしなめるように、

〈山岳部……少々勇ましいけれど結構じゃあないの、けれど、山にばっかり行っていて、勉強の方をおろそかにしないでね〉

貴代は夫の顔から淑子に目を移しながら云った。

淑子は大学の山岳部に入ってからは、山岳部の集会には欠かさず参加した。山岳部と云っても、冬山に入ったり、岩壁登攀《とうはん》をやったりするようなことはなかった。ハイキング部と云ったほうがより適切に思われる程度の同好会だった。おしゃべりをしたり、飴玉《あめだま》をしゃぶったりしながら、楽しい一日を山で過すという山行計画が次から次と用意されていた。

彼女は歩いた。土曜日曜を利用した東京近郊の主なる山は一年の間にほとんど歩いた。夏休みには、北アルプス、中央アルプス、南アルプス等にでかけた。八ヶ岳も縦走した。大学の三年生になった。夏休みを控えて部活動としての山行計画の打合せ会で、彼女は北海道への山行を強く主張したが、受け入れられなかった。北海道の山には羆《ひぐま》がいるというのが最大の反対理由だった。

第二案として彼女は槍ヶ岳から南岳、北穂高岳、奥穂高岳、前穂高岳、西穂高岳という縦走コースを提案した。途中に危険な箇所があるからと反対されてこの案も通らなかった。

〈日本女子医大山岳部なんて、たいそうな名前は捨てて、日本女子医大お山の会とでも変更したらよさそうね〉

彼女は、目の前に坐《すわ》っている四年生で山岳部のリーダーの山本初子に向って云った。

〈危険なことはなるべく避けるべきです。私たち山岳部の方針は創立以来からそうなのよ〉

〈登山には危険はつきものでしょう？　危険があり、困難があるからこそ、登山の意味があるのだわ、危険や困難を避けての登山なんて全くナンセンスよ〉

〈私はあなたと、なぜ山へ登るべきかを議論したくはありません。そういうことを云う前にあなたは、自分がまず女性であるということを自覚すべきだわ〉

その云い方が、淑子の癇《かん》に触った。淑子は山本初子に対して猛然と反発した。

〈女性であるからって、どういうこと、男女は性別はあっても、根本的には能力の差

はありません〉

〈あなたは、医学生であることを考えたことがあるの、男女の能力の差は、解剖学的にも歴然としています〉

〈違います。それは比較の基準の置き方の問題です。根本的なものではありません〉

〈ではあなたにお訊《たず》ねしますけれど、男には岩壁登攀《とうはん》はできても、女にはできないでしょう、私たちの大学山岳部を、あなたがいうように発展させようとするならば、岩壁登攀の技術を身につけねばなりません。それができますか〉

山本初子はこれでもうこの論争の勝負はついたような顔をした。

〈あなたのように、女性に対して差別意識を持っているかぎり、私たちの大学山岳部は永久に岩壁登攀はできないでしょう。しかし、実際には女性の登攀家《クライマー》が外国にも日本にも何人かはいるのですよ〉

彼女はその女性クライマーの名を挙げた。

山本初子の顔に嘲笑《ちょうしょう》に近いものが浮んだ。初子は、淑子の口を封ずるかのように、かなり、高圧的な態度で、

〈スペシャルケースを持ち出しては困ります。あなたなら、やってやれないことはないでしょうが、それは、あくまでも一般的に通用することではありません〉

山本初子はそれだけいうとぷいと横を向いた。

＊

八ヶ岳の石室小屋に閉じこめられてから五日目を迎えた。吹雪はいささかも衰える様子はなかった。天気図上には依然として前線が停滞していた。間歇《かんけつ》的に明るくなることがあるが、そう長くは続かなかった。雲は厚くはなさそうだったが、晴れようとして晴れない理由が分らなかった。十日という目安で始めた食糧節約が五日目になると身体《からだ》にこたえた。二人は物憂《ものう》く黙りこんだまま、二時間も三時間もじっとしていることがあった。

若林美佐子は徹底して無口だった。淑子が返事をせざるを得ないような質問を発しないかぎり、一日でも二日でも黙っていそうに見えた。淑子には二人が石室小屋で会った初期において交わされた会話が嘘《うそ》のように思われることさえあった。美佐子は黙っているかわりに身体はよく動かした。淑子が、雪取りも食事も、すべて交替制でやろうと提案しなかったならば、おそらく美佐子一人で、なにもかもさっさと片づけてしまったであろうと思われた。

美佐子は沈黙をなんとも思ってはいないようだが、淑子には長いこと黙っているのはつらかった。強いて黙っている必要もなかった。気持を楽にするために或《あ》る程度のおしゃべりは意味のあることに考えられた。

淑子は自分の生い立ちを話した。美佐子はいちいち、淑子の話に相槌《あいづち》を打ったり、感動や共感の言葉こそ発しなかったけれど、全神経を集中して、淑子の話を聞いていることだけは確かだった。

淑子はひとくぎりしゃべったところで、

〈ね、あなたなら、こんなときどうするの……〉

というような質問を放った。美佐子はそれに答えるかわりに、淑子の方に顔を向けて、さあ、どうしたらよいでしょうね、というような目付きをした。首をごくわずかだけ動かしたり、瞬《また》いたり、物を云いたそうに唇を動かしたりするだけだったが、多くの場合なにかしらの意志が身ぶりで示されていた。

美佐子は言葉を発しないが、それにかわるべき充分な表現を持っているのだ。それを確かめるためには、淑子は、枕元《まくらもと》に置いてある、ヘッドランプのスイッチを入れねばならなかった。しかし、そういうことも間も無く必要なくなった。淑子は彼女と並んで置かれている寝袋の中の美佐子の身体の動かしようで、たとえ暗くて、表情は読み取れなくとも、美佐子の気持を、おぼろげながら察知できた。少なくとも、イエスとノーを取り違えるようなことはなかった。

美佐子は淑子の身の上話が進行するにつれて、その話の中に引きこまれていき、どうやらその長い話の結論が出そうになったのを感じ取ると、寝袋のチャックを開いて身を起し、蠟燭《ろうそく》に火をつけた。

淑子も起き上った。

淑子の結論を明るい気持で迎えたいという美佐子の思いやりが、淑子にも分るし、美佐子がそうするのは、同感の強さを示そうとしているかのようにも思われた。

「私は四月になると四年生になります。そうなると多分私は山岳部のリーダーになるでしょう。いままでは、リーダーを突き上げていた私が、部員から突き上げられる立場になるのです。そうなる前に私は山と自分との間に静かな対話の時間を持ちたかったのです。なぜ、私が山にこんなに深入りしてしまったのか、そして、登山そのものに、なぜ私は今尚《なお》多くの疑問を持っているのか、それを解決したかったのです。そうして置かないと、山岳部員に対しても思い切ったことが云えないと思いました」

淑子は蠟燭のゆらめきに目をしばらくやっていたが、やがて、それまでより張りのある声で云った。

「私が山へ入りこんだのは、女だけの世界に飽き足らなかったからですわ、女三人姉妹の中に育ち、中学校、高等学校、そして大学までも女だけの大学でしょう……私はなぜこれほど女との密着を強要されねばならなかったのでしょうか。私をして山に駆り立てたものは女性だけの世界から抜け出したかった――それだけのことかもしれません」

淑子はその回答を美佐子の表情に求めた。美佐子は涙を溜《た》めていた。それが彼女の頬を伝わり、彼女の羽毛服を濡《ぬ》らした。

淑子は、美佐子の涙をどう解釈していいか分らなかった。一瞬戸惑ったが、すぐそれが、美佐子の感動の高潮であり、その心のたかまりは、美佐子自身の内部のものに大いに共鳴するものがあってのことだと解された。

「ありがとう」

と淑子は云った。それ以外に適当な言葉が見つからなかったし、それがこの場合の淑子の率直な気持だった。単調な私の長い身の上話をいやな顔もせず黙って聞いてくれてありがとう。お陰で、話をしている間は吹雪も寒さもある程度忘れることができたわ、という感謝がありがとうとなったのである。

(でもなぜ涙なんか出したのだろうか)

それは訊《き》けなかった。

風速が衰えて、明るさが増したような気がした。天気がよくなるらしい。淑子は腕時計を見た。午後の三時だった。天気がよくなったからと云って、これから行動できる時間ではなかった。しかし、何日かぶりで、天気が恢復《かいふく》に向って来たとすれば、その兆候を目でたしかめたかった。

「よくなったのね」

よくなるかもしれないというべきところを淑子は良くなったと云った。そうなって欲しかったからである。

二人は目を見合せた。その瞬間二人は外に出てみよう、という気になっていた。

＊

風は北西風に変っていた。降雪はなくなったが、強風による飛雪と、濃い霧が山頂を覆《おお》っていた。いつ風が変ったのか雪が止《や》んだのか分らなかった。明るさが増して来たのはやがて霧が霽《は》れることを約束しているようにも思われた。

二人は石室小屋の外に出た。明日は必ずこの石室小屋を出て下界へ降りることができるのだと、それぞれの心に云い聞かせていた。

降雪は止んだが、以前にも増して地吹雪が強くなったようである。連日の降雪によって積った山頂の雪を一気に吹き飛ばしてしまうかのような勢いで飛雪が舞い狂っていた。

風速が増加したことは確実だった。北西の風に変り、風速が強くなったら、天気は恢復したと見るべきであった。だが、冬山の場合、後に残された飛雪が問題だった。それは霧以上の厄介な存在になることがある。

飛雪が山稜《さんりよう》を擦《こす》ることによって、色々の音が発生した。聞きかたによってはそれは悲愴《ひそう》な連続音に聞え、またそれは威嚇《いかく》的な打撃音に聞えることがあった。それらのすべての音が、冬山らしい風の音であり、それこそ本格的な冬山の呼吸《いき》づかいでもあった。淑子はその風の合間に、風が作り出す音と全く異なるものを聞いた。

「人の声らしいものが聞えない？」

淑子が美佐子の耳に口を当てて云った。そうしないと、声が風で吹き飛ばされるからだった。

「やはり人の声かしら」

美佐子は、久しぶりで口をきいた。風の中に混って聞えて来る、人の声らしいものを美佐子もまた耳にしたのである。

それは風に乗って、遠くからやって来るかすかな人声に似た物音だった。人声と断定するにはあまりにも不明瞭《ふめいりよう》だが、人声ではないと断定することもできなかった。二人はしばらくはそのままで耳を澄ませていたが、人声らしいものは間もなく消え、再び襲って来た猛烈な飛雪が、彼女たちを石室小屋に追い込んだ。

まったくどうにもしまつにおえない飛雪であった。降り積った雪を風が勝手に移動させていた。石室小屋は飛雪によっていまにも埋もれそうであった。

二人は寝袋に入った。そうして時間を稼《かせ》ぐ以外に為《な》すべきことはなかった。

人の声をはっきり聞いたのは、二人が寝袋に入ってチャックを引き上げたときだった。人声は複数だった。

二人は、寝袋から出て靴を履《は》いた。外に人が来ているのだ。きっと小屋を探しているのに違いない、助けてやらねばならないと思った。

だが、その必要はなかった。

戸口に黒い影が現われたと思うと、その影は戸口を背にして、手踊りのような奇妙な動作を始めた。

「おうい、もたもたするな、お宿はここだぞう」

それは男の声であり、手踊りのように見えたのはザイルをたぐり寄せる手の動きだった。戸口に二人目の男が現われた。第三の男が現われるまで二人は声を合わせて歌を歌った。淑子にも美佐子にも聞いたことのない歌だった。歌ではなくて掛け声のようでもあった。

第三の男が現われたところで、三人は、石室小屋の内部に目を向けて、そこに張ってあるツェルトザックとその傍《そば》にいる淑子と美佐子の存在に気付いたようであった。

「おや先客がいましたか、これは失礼いたしました」

第一の男はそう云《い》った直後に、その先客が二人共女性であることに気がついたようだった。しかし、それを確かめるためには更に何歩か近寄らねばならなかった。

「女ばかりなんですか」

と彼は云った。女性が二人、そんなところにいたことが意外だったらしいが、格別に驚くようなこともなかった。

「吹雪で動けなくなったので、そのままじっとしていました」

淑子が二人を代表して云った。淑子の声で、他の二人の男たちも、その小屋の先住者が女性であることをはっきり知ったようだった。ごく僅《わず》かな沈黙が二つのグループを対立させた。

「われわれは三人です。一夜の宿をお願いします。どうぞよろしく」

と第二の男が云った。

第一の男も、第二の男も、背をかがめてしゃべっているので、いささか声がつまって聞えた。

「こちらこそどうぞよろしく」

淑子が云った。美佐子はどうぞよろしくと云うかわりに、軽く頭を下げた。

「ようし、挨拶《あいさつ》が終ったら、ビバークの用意だ。とにかく急いでなにか食べないと、寒くってしょうがない」

と第三の男が云った。

三人の男はザイルをまとめ、ルックザックをおろした。第三の男が、真先にヘッドランプをつけて、彼女たちの方へ向き直った。

淑子がヘッドランプをつけ、美佐子が同じようにした。

ヘッドランプは互いに相手を照らし合った。

「どのくらい沈澱《ちんでん》していたのですか」

と第三の男が云った。沈澱とは、一時代前の山男たちが使った言葉で、天気恢復を待つために、テントの中でじっとしていることである。停滞と同意語に使われていた。

「今日で五日目です」

淑子が二人を代表して云った。

「五日間のホテル住いですか、こんなホテルの何処《どこ》がいいんですかね」

第三の男は、後の方は半ばひとりごとのように云ったが、淑子にはそれが、ひどい侮辱に聞えた。

「動けるような状態ではありませんでした」

連日吹きまくった吹雪のものすごさも知らない癖に勝手なことを云う男だと思った。いったいあなたは山の掟《おきて》を知っているのかと云いたい気持でいながらも淑子は、三人組がその吹雪の中を何処からどうしてやって来たのかそれを考えていた。

「そうですか、ぼくらは今日登って来たので、前のことは分りません、どうもつまらぬことを云って済みませんでした」

第三の男は淑子の語気から、自分の発言についていささか反省したようであった。

「今日登って来たんですって、いったい、何処から――」

第三の男は、それには答えず、他の二人に、

「雪はよく踏みつけて置け、テントを張ったら、すぐ湯を沸かせ」

と云って置いて、淑子のほうにふり返った。

「今朝、赤岳鉱泉を未明に出発して大同心の岩壁に取りついたのです」

彼はいとも簡単に云ってのけたが、八ヶ岳大同心の岩壁がいかに登攀《とうはん》のむずかしい

岩場であるかをよく知らない淑子には、吹雪の中を三人の男が大同心の岩壁に取りついて、そこを見事に乗り越えてやって来たという、その事実しか理解できなかった。

「それにしてもこの吹雪の中を……」

よくまあ来られたものだと彼女は感心した。この男たちはよほど冬山に馴《な》れているに違いないと思った。

三人の男たちは、彼女等がそこにいたことについて特に興味は持っていないようだった。男たちは、軽口をたたき合いながら夜の仕度をしていた。

(あの吹雪の中で、岩壁登攀をして、そして、強風の中を尾根伝いにやって来たのに、いっこうに疲れた顔を見せないのはどうしたことであろうか)

それも訊きたいことだし、吹雪の中の岩壁登攀の様子も聞きたかった。

彼等は手ぎわよく、ツェルトザックを張り終ると、食事の用意にかかった。

「明日の朝の一食分と非常食を残して、あとは全部整理してもいいぞ」

と第三の男が云った。どうやら彼がリーダーのようであった。

「もし、明日も今日のような天気だったら、どうなさるつもりなの」

だが、淑子の質問に対して彼はいささかも動揺を見せずに、

「横岳の主峰まで行って、そこから大同心の尾根道に出る。大同心の頂上から岩壁

を懸垂下降《アプザイル》します。迷うようなところはどこにもありませんよ」

雪道を下山するのではなく、登って来た岩壁を再び下降するというのである。信じられないことだった。

男たちの賑《にぎ》やかな食事が始まったころ、彼女たちも久しぶりで食事らしい食事をした。天気恢復はまず間違いなしと見たからであった。

彼女たちの食事が終りかけたころ、第一の男がひょいと、彼女たちのツェルトザックに頭を突込んで、チーズの箱を差出して云った。

「五日も沈澱したのだったら、餌《えさ》はもうないだろう。食べなさいよ」

云い方は乱暴だったが誠意がこもっていた。チーズをさし出して置いて、その男は目ざとく、彼女等の寝袋の濡れているのを見つけて云った。

「そいつはいけねえや、そんなのに入っていたら、ほんとうに死んでしまいますよ」

どれ、乾かしてやるからよこしなさいと男は云って、まず淑子の寝袋に手を出した。

彼女等は寝袋を濡らさないように気を配っていた。エヤーマットの上に敷いたから、下から濡れて来ることはなかったが、ツェルトザックの裏側に結んだ露や、外に出たとき身体《からだ》と共に持ちこんで来る雪のために、知らず知らずの間に濡れて行った。寝袋のカバーの裏側にも露がついた。

男たちはテントの中で携帯用石油焜炉《こんろ》に火を点じ、石油焜炉の上には、携帯用のスコップを置き、それを炬燵《こたつ》やぐらに見立て、濡れた寝袋を炬燵掛けにした。熱は寝袋の中にこもり、またたく間に乾いた。そんなことをしている間も、三人の男たちはずっと冗談の云い合いをしていた。

淑子は今夜はよく眠れますよと云って渡された寝袋の中に入って足を伸ばした。快適だった。それにしても、こういう方法があったことさえ知らなかった自分自身の冬山における知識の未熟さに腹が立った。彼女等は携帯用石油焜炉を持っていた。燃料もまだ残っている。スコップはないけれど、炬燵やぐらの代用となるものなら、コッヘルがあった。教えられてみれば、それはばかばかしいほど簡単なことなのだが、それを知らないままに、更に幾日か過したらほんとうに大変な目に逢《あ》ったかもしれない。淑子はそんなことを考えていた。

男たちはすぐに静かになった。寝息が聞えたが淑子は眠れなかった。隣の美佐子も眠ってはいないようだった。

（あの男たちはいったい何者だろうか）

それがまた気になった。彼等は、彼女たちのことはひとことも訊《たず》ねようとしなかった。夏山では多くの登山者と会う機会があった。こちらの山岳会の名前や個人名を聞きたがる男たちが多かった。

（なにか無視されたみたい）

と淑子は思った。男たちは結構親切にしてくれたけれど、結果的には彼女等は男たちのパーティーには近づけなかった。

彼等には常に笑いがあった。なにひとつするにしても余裕が感じられた。まるで冬山にいることさえ意識の外にあるようだった。無邪気な山男たちと云えばそれまでだが、なにか彼等には近よりがたいものが見えていた。

（それはいったいなんであろうか）

そう考えるとよく分らないけれど、彼等が近よりがたいなにかを持っているとすれば、それは、雪と氷の岩壁を吹雪を冒して登って来たその実力であろう。

「ねえ、美佐子さん、あの人たちが、雪の岩壁をどうやって登るのか見たいものねえ」

淑子は隣の寝袋に声を掛けた。

「ぜひ見たいわ」

簡単な答えだけれど、美佐子もどうやらそのことを考え続けているもののように思われた。

風は夜半を過ぎてから静かになって行った。

＊

風は相変らず強いけれど一点の雲もない日であった。嵐は去った。

淑子と美佐子は下山の支度に懸った。一刻も早く下山して、無事であったことを家族に知らせたかった。心配しているだろうと思った。

彼女等がすべての支度を終って外へ出ると、その後を追うように男たちが出て来た。

「このまま下山するのかね」

と男たちのリーダーが云った。こんなすばらしい天気はないから、赤岳に登って中岳を経由して帰ったらどうかとすすめた。

二人は顔を見合せた。石室小屋から、真直《まつす》ぐに行者小屋へ下山しようと考えていた彼女等には、その道はやや迂遠《うえん》に過ぎるように考えられた。しかし、男たちがそのコースを通って下山するなら同行しようと思った。

「僕等は赤岳の頂上までは行くが、そこから引返して横岳の主稜に取り付き、大同心の岩壁を懸垂下降して赤岳鉱泉に帰るつもりです」

「すると赤岳の頂上でお別れというわけね」

「そういうことになる」

淑子は美佐子の顔を振り返って見た。赤岳経由で帰ることとの同意を得るためだった。美佐子は、淑子の問い掛けに眼でうなずいた。美佐子の方がむしろ、積極的にそのコースを選ぼうとしているかのように、朝日に輝く赤岳へ向って、一歩を踏み出していた。

ここ数日、節食というよりむしろ、食べないでいたような状態だったから、力が出なかった。わかんじきをつけた靴が重く、新雪にもぐった足を引き出すのに困難した。男たち三人が先に立ってラッセルしてなかったならば、彼女たちはたいへんな労力を強いられることになったに違いない。

赤岳の頂上に立ったとき淑子は声を上げた。北アルプスの山々の一つ一つのピークがはっきり見えた。南アルプスは手の届くところにあり、富士山もひとしお美しく輝いていた。

淑子は、なぜ冬の山々がこんなに美しく見えるのだろうかと一瞬眼を見張ったほどだった。ただ白銀に輝いているだけではなかった。もしそうであったら、それは置物だった。美しいという以上の感動を呼ぶのは、そこに生きている山があるからだった。白い衣を着た山々の呼吸遣《いきづか》いが聞えるような気がした。太陽の動きと共に微細に変化する光と影が、山の生きた表情を作り出していた。

彼女等は赤岳の頂上で何枚かの写真を撮ったり撮られたりしてから、いよいよ、中岳への道へ降りようとすると、そこには男たちによって、既に雪道が開かれつつあった。赤岳からしばらくは、急斜面が続いていた。新雪の後だから、雪崩《なだれ》の心配もあった。中岳との鞍部《コル》に出るまでは油断はできなかった。

「あの人たちどうしたのかしら、気が変ったのかしら」

淑子はひとりごとを云った。大同心の岩壁を懸垂下降で降りると云っていた彼等が、中岳へ向うのはおかしかった。三人の男たちと彼女等との間には一〇メートルほどの距離があった。その間隔は中岳の頂まで持続された。途中の鞍部は一メートルほどの積雪があった。

中岳の頂から男たちは歌を歌いながら引返して来て、彼女たちと擦れ違うときにリーダーが云った。

「ここからは、あなた方だけでなんとかやれるだろう。では元気でね」

彼はそういうと、別れの挨拶にピッケルを空高く上げた。他の二人がそれにならった。彼等はそのまま振り返ろうともせず、さっさと引返して行った。

ありがとうを云う余裕さえなかった。彼女等は、雪の中に捨子《すてご》になったような気持で、男たちの後姿を見詰めていた。

有名な山岳会に属しているメンバーに違いない。おそらくあの黒い顔のリーダーは名のある登山家に違いない。名を聞いて置くべきだと思ったが、いまさら呼び戻すことも追いかけることもできなかった。

「あの人たち、大同心の岩壁をザイルで下るって云っていたわね」

と淑子が云った。

「そうね、時間的には大丈夫よ、きっとそれを見ることができるわ」

美佐子が云った。

「このまま行者小屋に降りて、荷を置き、中山乗越を越えて廻りこめば目の前にかぶさりかかって来るように大同心の岩壁が見える筈《はず》よ」

淑子はそう云ってから、美佐子も、まったく自分と同じ気持でいるのに驚いた。

（どうしてこうも気が合うのかしら）

と淑子は思った。彼等が大同心の岩壁を降りると云っていた事実を確かめただけなのに美佐子は、時間的には大丈夫だと、先廻りして結論を云ったのだ。

中岳から行者小屋までは、たとえ積雪が多くとも二時間あれば大丈夫だと考えられる。そこから赤岳鉱泉まではたとえ二時間かかったと仮定しても四時間あれば、大同心の岩壁を望むところまで行けるのだ。彼等の方は風の強い尾根道だから大同心の頂に達するまでには三時間はかかるだろう。それから懸垂下降でどれほどの時間がかかるものか彼女たちには想像もつかなかった。しかし、どうにか、このまま順調に行けば、彼等が岩壁を降りて来る姿が見えそうな気がした。

彼女等は、深雪へ踏みこんだ。連日の降雪で踏み跡は消されていたが、淑子が数日前に登って来た道を誤ることはなかった。下山するに従って雪の深さは増した。

二人はしばしば先頭を交替した。雪の中を両手で泳ぐようなところがあった。そんな吹き溜《だま》りに出ると、容易に脱出できなかった。

彼女等は心であせっても、身体の方が云うことを聞かないことを、深雪の中で充分に知らされた。食を減らして寝ていたから身体が云うことを聞かなくなっていたのである。

だが二人は、目的を持っていた。あの男たちが大同心の岩壁をどうして降りるかを、ぜひこの目で見てやりたいと思っていた。

（あの男たちはかっこいいところを私たちに見せたかったのかもしれない）

と淑子は思いこもうとした。それにしては赤岳から中岳の頂までのラッセルは彼等にとってたいへんな労苦に違いない。かっこよさを見せるためにしては大げさに過ぎた。

（あのリーダーは、私たちの体力の限界をちゃんと見すかしていたのかもしれない）

赤岳からの降り口の雪崩地帯、そして、赤岳と中岳との鞍部の深雪、そういうところを疲労し切った彼女等が通過することには、危険があると見ての同行だったのかもしれない。

淑子がそれに違いないと思うようになったのは森林地帯に入ってからだった。

中山乗越を越えて大同心の岩壁を見に行こうなどという気持は無くなった。深雪地帯を行者小屋までたどりつくのがやっとだった。もし途中で天気でも変ったら、今度こそほんとうに遭難してしまうかもしれない。淑子はそう考えていた。

太陽は頭上にあった。いますぐ天気が変る心配はなかった。二人は、しばしば雪の中に坐《すわ》りこんで荒い息をついていた。口はきかなかった。

森に入って間もなく人声がした。いい天気だから登山者があるのは別に不思議ではなかった。

一団の人影が現われた。

「居たぞう、見つかったぞう」

先頭の一人が彼女等を見て叫んだ。その一団は救助隊であった。

彼女等は救助隊の人たちがいっせいに問いかけて来るので、誰にどう答えてよいか分らないまま黙っていた。彼等はそれぞれに、彼女たちの身内《みうち》が行者小屋まで出向いて来ていることを告げた。

捜索隊が五班に分れて、今朝山に入って行ったことも声高に話していた。

家族が行者小屋まで来ていると聞かされたとき、淑子は一瞬厳しい顔をした。家族にすまないという気持と、この後に起る問題が彼女の脳裏を斜めに走って通った。淑子は美佐子の顔を見た。家族が来ていると聞かされた美佐子は、やはり自分と同じような顔をするだろうと思ったからである。

美佐子の頬に二筋の涙の線が光っていた。それは美しく真直ぐ延びた線だった。淑子は、女たちの中で育った。女たちの涙は何度となく見ていた。中学、高校、そして大学生になっても、女は簡単に泣いた。ほとんど無警告に近い状態で突然感情のたかぶりと共に涙を見せた。中学のころはたいしたこともないのに大きな声で泣く子がいた。高校のころは、涙も拭《ふ》かずに、しゃべりまくる子がいた。そして、大学では、いかにも女らしい泣き方によって、彼女の意志をおし通そうとする愚劣な女がまれにはいた。

淑子はそれらの女の涙を女としてもっとも貧弱な表現として軽蔑《けいべつ》していた。

泣かない子は、大学生になっても泣かない子は一段と低いところにいる人間に見えた。

しかし美佐子の涙は、それまで淑子が見た、いかなる種類の涙とも比較できないものだった。涙の系列に入れていいかどうかも疑わしかった。それは美しく輝く二本の銀の線であるという以外に云いようがなかった。彼女の悲しみを代弁しているものではなかった。感激の泪でもなかった。強いて云えば、それは彼女だけのものであり、彼女の心の中で合成されたなにかが、そういう形で表われたもののように思われた。

彼女の顔には憂いも悲しみも認められなかった。淑子は銀の線が美佐子の頰を伝わって流れ落ちるのを眺めながら、ふとその銀の線からザイルを想像した。ザイルにぶら下って、大同心の岩壁を懸垂下降して行く三人の男の姿を思い浮べていた。もののすべてがきらきらと輝く、明るさに満ち満ちた日であった。

第二章　ハーケンが歌う

品川駅で山手線を降りた淑子は、階段をゆっくり登って京浜急行の乗場へ向った。約束の時間までにはまだ十三分あった。追浜《おっぱま》行きの切符を買ってうしろをふり向くとそこに美佐子がいた。

早過ぎたと思っていた自分よりも早く来て待っていた美佐子を見て、淑子は声を上げた。八ヶ岳以来二人は会ってはいなかったから話すことは山ほどあったが、淑子の矢継ぎばやの話しかけに美佐子は頷《うなず》いているだけでなにも云《い》わなかった。

美佐子は山行きの軽装をしていた。背負っている黄色いサブザックはなにが入っているのかかなりふくらんでいた。淑子は自分が背負っているサブザックがやはり黄色だったという偶然の一致を心の中でほほえみながら、美佐子のスマートな身づくろいを眺めていた。

久里浜行きの快特電車が発車するまでには二十分あった。淑子は構内にかかげられた電車の経路絵図を見上げた。

　追浜は快特電車に乗って行って金沢文庫で乗りかえ、二つ目だった。追浜駅が品川駅から何番目に当るかを数えようと思ったが、その間の駅があまりにも多過ぎるのでやめにした。

　二人はプラットフォームに出たが、発車するまでの手持ち無沙汰《ぶさた》に困り果てた顔で突立っていた。

「やはり、私が山岳部のリーダーを引き受けることになったわ」

と淑子が云った。なにも云わずに肩を並べてぼんやり立っているのがやり切れなくなったのである。

　美佐子は淑子に答えるかわりに、深く頷いた。言葉のかわりに目で、

(そうなの、それで……)

　と云っていた。

「リーダーを引き受けても、急に部の方針を変更できないわ、やはり、ワンゲル部にピッケルを持たせ、せいぜい、初冬の山にアイゼンをつけて登るくらいのものかしら、とてもザイルを肩にというわけには行きそうもないわ」

ザイルを肩にと云ったとき彼女は、この日の目的を頭に思い浮べた。美佐子と品川

駅で落合って追浜へ行くのは、鷹取山《たかとり》の岩場で行われる岩登りの練習風景を見学するためであった。

彼女は数日前に日本女子医大山岳部気付で葉書を貰《もら》った。

《その後、相変らず山へ行っていますか。冬の八ヶ岳で、あなたがたはぼくらの登《と》攀《はん》ぶりを見たいと云っていましたが、もしその気があるならば、追浜の鷹取山へどうぞ。今度の日曜日にはそこに行っています。

JAGRCC　杉山文男》

杉山文男が八ヶ岳で会った三人のうちの一人であることに間違いなかったが、名前と顔とがつながらなかった。

彼女はその葉書を持ったまましばらく考えていた。彼等の登攀ぶりを見たいと美佐子と話し合ったおぼえはあるが、彼等の前で云ったことはなかった。あの吹雪の夜は半ば遭難したような状態にいた。その翌日も行者小屋まで降りて来るのがせいいっぱいだった。彼等とゆっくり話すような余裕はなかった。では、葉書に書いてあることは嘘《うそ》なのかというと、そうでもない。あの吹雪の中を八ヶ岳大同心峰の岩壁を登って来た彼等の登攀ぶりは是非見たかったし、同じ岩壁をまた彼等が下降すると聞いたとき、その場へ行ってみようと思っていたほど、彼等のやることに興味を持っていたことは事実だった。

〈つまり、この人は私たちの心を読んで、こんな葉書をよこしたのかしら〉

彼女は葉書のことはそのままにした。なにか、すぐに、その呼出しに応じられないような気がした。二日経《た》った。どうも葉書のことが気になった。三日経った。葉書をもう一度読んでみた。あなたがたはぼくらの登攀ぶりを見たいと云っていましたが、というところが気になった。あなたがたというのは、美佐子をも含めてのことであった。彼女は美佐子に電話でこのことを知らせる義務があると思った。

美佐子の住所と電話はノートに書き止めてあった。あのとき以来、美佐子となんのやり取りもしてないことが気になっていた時でもあった。

夜になって電話を掛けると彼女は家にいた。

〈駒井淑子です。八ヶ岳の時はいろいろお世話になりました〉

〈どういたしまして、こちらこそお世話になりました〉

おや、と淑子は思った。あの無口な美佐子が電話ではけっこう話すのである。

淑子は電話で葉書をそのまま読み上げたあとで、美佐子の意向を訊《き》いた。

〈ぜひ行ってみたいわ〉

美佐子は何のためらいも見せずにそう答えたのである。まるで、美佐子はその葉書を長いこと待っていたかのようであった。

淑子は電話を終ったあとで、別人と話したような気がした。美佐子の言葉は吟味されていて余計なことはひとことも云わなかったけれど、はっきりと鷹取山へ行きたいと主張したのである。だがよくよく考えてみると、それは当り前のことであった。面と向い合っての話では、言葉に出さなくても、自分の意志を相手に伝達する手段はいくらでもある。電話では言葉に出す以外に自分の意志を相手に通ずることはできないのだ。

淑子は美佐子と品川駅で待ち合せる時間と場所を決めてから、彼女が持っている山岳図書の中から鷹取山について書いてあるものを探した。古い山岳雑誌に、鷹取山の岩場の一部が紹介されてあった。

《岩の質は砂岩である。ハーケンはどこにでも打ち込むことができるが、それだけに抜けやすいことも充分考慮してかからぬとひどい目に逢《あ》うだろう》

彼女はハーケンを手にしたことはなかった。それを岩に打ちこむことがどういうことなのか、実感として迫っては来なかった。

電車が発車してからも二人は無言だった。淑子が話しかけると美佐子はそれに頷くだけでめったに口をきくことはなかった。ものは云わないけれど、美佐子の頭の中では、いろいろのことが考え続けられているようだった。ときどき美佐子は網棚の上のサブザックに目をやった。所在を確かめるためではなく、サブザックの中にある物について思いを馳《は》せているようだった。なにが入っているか訊きたかったが、そんなことはできなかった。淑子は自分のサブザックの中に入っているものを、頭の中で並べ立ててみた。婆《ばあ》やの作ってくれたおにぎりと水筒と、ハンカチの予備と薬品類と繃帯《ほうたい》の入ったビニール袋であった。

おかしなことだと淑子は思った。今まで何回となく友人と山へ行ったことがある。大きなルックザックを持って来る者もいたし、そうでない者もいた。しかし一度だって、その中になにが入っているかなどと考えたことはなかった。

(私は美佐子さんを意識しているのだろうか)

彼女はそんなことも思ってみた。だいたい女との交際は飽き飽きしていた。相手の気持の裏の裏まで考えてものを云わねばならないなんてばかばかしいかぎりだった。

だから彼女はつとめて女らしくない考え方で行こうと思っていた。それなのに、隣りに坐《すわ》っている美佐子のことがひどく気になるのだ。彼女は窓外に目を投げた。緑の中を電車が走っていた。

追浜で電車を降りてすぐ淑子は、

「ね、鷹取山へ行く道をどこかで訊きましょう」

と美佐子に問いかけたが、彼女はそれには答えず改札口の方へ目をやったままだった。美佐子が立止ったから淑子も立止った。人の流れが二人をよけて先に行った。改札口のところで黒い顔の男が手を高く上げていた。

「あら、迎えに来てくれたのね」

と淑子は云った。彼は、八ヶ岳の石室小屋に真っ先に姿を現わした男だったので、第一の男として印象づけられていた。

「やっぱり来たんじゃあないか」

と第一の男は二人に向って云った。その云い方は、二人に対してではなく、彼自身の独白か又は第三者に云うべき言葉のように思われた。

「来たわよ、なぜ」

「来ないっていう奴《やつ》がいたからさ」

「自信があったの」

「あったから葉書を書いたのだ」

すると、この男が杉山文男というのだと淑子は思った。男とすれば小柄のほうだったが、肩のあたりがひどくたくましく、そして、冬中、スキーにでも行っていたかのように、黒い顔をしていた。

杉山は二人の先に立って歩き出した。市街地から住宅地域に入ると、道はやや登り気味になるけれど山らしいものは見えなかった。ここ数年の間に建てられたと思われるような団地や住宅が並んでいた。

五月の空はよく澄んでいた。歩き出すとすぐ汗ばんだ。

「腹が減ったな」

と杉山がひとりごとのように云った。

「おにぎりでよかったら持っているわ」

「ではいただきましょうか」

杉山は淑子に向って手を出した。

「ここでなの……」

淑子は周囲を見廻した。どっちを見ても住宅だった。日曜日なので庭に出ている人

の姿が目についた。とても食事をする環境ではなかった。しかし、

「ここではいけませんか」

と杉山に云われると出さざるを得なくなった。淑子はサブザックの中から、婆やの作ってくれたおにぎりの包みを出して杉山の前でひろげた。

「では遠慮なく頂戴《ちょうだい》します」

彼は両手に一つずつ握り飯を摑《つか》み取ると歩きながら食べ出した。人の目なんかいっこう気にしていないようだった。食べ終ったころを見計らって美佐子が杉山に水筒をさし出した。杉山はその水を旨《うま》そうに飲んでから、

「あそこが鷹取山だ」

と云った。緑の丘陵が横に延びていた。山という感じはどこにもなかった。いったい、そんなところに岩場があるのだろうか。

住宅が尽きたところから広々とした造成地になっていた。丘陵の続きを削り取ってならした跡が歴然としていて殺風景だった。

杉山の足が速くなった。彼は水源地とも思われる丘の上へ向う高い石段を真直《まっす》ぐ登ると、丘の上に張り巡らされた有刺鉄線に沿ってぐるっと廻り、人一人やっと通れるような狭い道を登って行った。突然、眼の前に岩が出て来た。岩の大部分は切り取ら

れて運び去られ、そこに残っているのは、岩の残部だった。

岩が石工によって切り取られたのはかなり以前のことのように思われた。新しく切り取られた跡はなかった。おそらく、この砂岩に替るべき材料が容易に手に入るようになった以後、採石は中止されたのであろう。

「こんな岩がここらあたりにはいっぱいある」

と杉山は二人に説明した。

緑の丘陵の尾根にそって、それらしき岩が散在し、どの岩にも、ザイルを持った一群の人が取りついていた。

「これが岩場なの」

淑子には、自然のおもかげをほとんど残していない、その石切場の跡で、岩登りの練習が行われていることにいささか矛盾のようなものが感じられた。

「石を切り取った跡が、垂直な壁になっているでしょう。まるで、岩壁登攀の練習場として最初から作られたようなものです」

杉山はその一つの壁面を指して云った。

その壁に三つのパーティーが取りついていた。一つのパーティーの先頭は壁の上の岩頭に立ち、肩にザイルをかけて登って来る者を支えていた。

「壁の高さが低いから、事故が起きないような処置が容易にできるし、たとえ事故が起きてもたいしたことにはならない」

と杉山がその壁を指して云った。

それにしても、なんと汚ない壁だろうと思った。それはあばた面《づら》の壁だった。岩壁面のいたるところに、無数の穴が明いていた。そこが光線の具合であばたに見えるのだ。

「なぜ、この岩壁にはあんなに穴が明いているのでしょうか」

「あれはすべてハーケンの跡ですよ、打ちこんだハーケンを抜き取ったあとがあのような穴になるのです」

杉山に説明されて、淑子にはあばたの謎《なぞ》が読めた。それは登攀訓練場としての岩壁の歴史を記録したものだった。多くの若者たちがこの岩場に来て登攀の練習をしたが、或《あ》る者は立派な登攀家《クライマー》として育ち、そして道半ばにして、どこかの山の岩壁の露と消えた者もいるであろう。

淑子はハーケンの跡に強く牽《ひ》かれた。その岩壁の記録に見られる限りにおいては、岩壁登攀《ロッククライミング》は若者にとって恐るべき魅力を持ったものに思われた。

しかし、今彼女の前の岩壁でもたついている三つのパーティーの何《いず》れを見ても、彼女の興味を惹《ひ》くものではなかった。むしろ、その人工的岩場にはりついている彼等が滑稽《こっけい》にさえ思われた。

淑子は、彼女自身が持っていた期待が次々と失われて行くのを感じていた。

(こんな筈《はず》がない。なにかおかしい)

そのなにかがなんであろうかと美佐子に目をやると、美佐子は淑子とは離れて、すぐ近くの畳三枚を縦に並べたほどの高さの岩壁面のハーケンの跡を指で撫《な》でていた。それはあたかも、美佐子が一足先にその岩壁を理解し、登攀技術の歴史の跡に共感を示しているかのようであった。その美佐子の長い指先の動きを見ていると、淑子の心は自然に落着いて行った。

(この岩壁の歴史を無条件に認めることだ)

そう思うと気が楽になった。

淑子は美佐子に誘われたように、その岩壁に近づいて、ハーケンの跡に触れて見た。砂岩はひやっとするほどつめたく、そして決して滑らかではなかった。ハーケンを今抜いたばかりのような生々しい跡もあったが、多くは古いハーケンの跡で、そこが風化して更に穴を大きくしたもののようだった。

美佐子はそこでサブザックをおろし、真新しい赤いザイルの束を取り出したあとから、ハーケンやカラビナ（ハーケンの頭部の穴に懸ける鉄環。この鉄環をザイルが通ることになる）、ハンマー（ハーケンを岩壁に打ちこむための金槌《かなづち》。柄の先に首に掛ける紐《ひも》がついている）などを次々と取り出した。ハンマーは形の異《ちが》ったものが二丁あった。すべてが新品だった。淑子は鎌倉に住んでいる美佐子が、なぜわざわざ品川まで出て来たのかその理由が分った。

追浜駅で待ち合せればよいのを品川にしたのは、東京の登山用具専門店で、これらの品々を買いそろえるためだったのだ。

（美佐子さんは単に見学ではなくて、実際に岩登りをやってみるつもりだわ）

そう思って見ている淑子に、美佐子はハンマーとハーケンの一枚を黙って渡し、彼女自身も、それらを両手に持って、杉山の方へ目を向けた。

（これを岩壁に打ちこんでいいの……）

と彼女は彼に目で問うていた。言葉には出なかったが、彼女がそうしたい意志がはっきりしていた。

「やってみなさいよ、腹が減るだけだ」

杉山はそういうと、二人のやり方を監視でもするかのように、股《また》を拡《ひろ》げて、腕を組んだ。

淑子は、美佐子の好意を謝した。美佐子のサブザックの中に、ザイル、ハーケン、カラビナ、ハンマーなどが入っていたことは既に美佐子が岩壁に吸いよせられていることの証明のように思われた。だが、ハンマーを二個持って来たのは、淑子のことを考慮したのか、重さの違うハンマーをわざと二個買って来たのか分らなかった。

淑子はハーケンを岩に当てて、ハンマーでそっと叩《たた》いてみた。すぐハーケンは岩面からはね返された。やや力をこめて叩いたが、むなしい金属音を繰り返すだけだった。ハーケンを岩釘と書く人がいる。その字から想像して、ハーケンを打ちこむことは板壁に釘《くぎ》を打ちこむように簡単なことだと考えていた彼女は、しょっぱなから岩壁にそむかれた気がした。

「なんとしてでも、その岩壁にハーケンを叩きこむつもりにならないとだめだ」

と杉山が云《い》ったが彼はその手本を示そうとしなかった。

美佐子も淑子と並んで同じことを試み、同じように岩壁の反対に会って、困り切っていた。

淑子は全身が熱くなって来るのを感じた。左手で、ハーケンの先を岩肌に当て右手でハンマーを振って、ハーケンの頭を叩くことは容易のように見えていて容易ではなかった。ハーケンの頭は釘のように金槌の打撃を受けるための面積を持ってはいなかった。ハーケンそのものが全体的に薄っぺらな金属だった。ハンマーに力を入れればいいのだが、もし見当が外れた場合、左手を叩く心配があった。

汗が眼に入った。ようやくハーケンの先が僅《わず》かながら砂岩に食いこんだ。それからは、音が変った。ハーケンが砂岩に入りこむに従って鈍い重い音がした。

淑子は、なにかの本で「ハーケンが歌う」という字句を覚えていた。岩壁にハーケンを打ち込むときの音の感じをよく出していたから記憶に残ったのである。今彼女は生れてはじめてハーケンを岩壁に打ちこんだ。しかし、ハーケンは歌わなかった。その重苦しい音は、岩壁の苦悶《くもん》に聞えた。

ハーケンの先の三分の一ほどが入ったが、彼女の力ではそれ以上打ちこむことができなかった。肩から力が抜けた。淑子は荒い息をつきながら、美佐子を見た。美佐子も三分の一以上は打ちこめずにいた。

「どれ、おれがやってみようか」

杉山は淑子の手からハンマーを受取ると、淑子が三分の一ほど打ちこんだハーケンの頭に二、三度触れただけであっさりと抜き出し、それを岩面に当てると、ほとんどなんの力も加えてはいないような無雑作なやり方でたちまち根本《ねもと》まで打ちこんだ。いささかの呼吸の乱れもなかった。

「音が悪いのは砂岩だからだ。すべての岩壁がこうだと考えたら大間違いだ」

と杉山は、淑子の疑問をその場で解決してから、もういいだろうと云った。それが道草はこのくらいでいいだろうと云ったように、二人には受取れた。

杉山は足をはやめた。木の繁みをくぐり抜けて、でこぼこした岩の頭を廻りこんだところに、十畳間ほどの広さの平面があった。そこに人が集まっていた。

そこはもともと自然岩頭だったところを、石工によって頂上から採石が行われて行き、途中で中止されたものだった。

数メートルの岩壁が、三面鏡のように立っていた。

淑子と美佐子がその場に姿を現わすと、彼等はなんとなく練習をやめて二人を迎えた。

「八ヶ岳ではいろいろどうも……白瀬達也です」

と背の高い男が名乗った。そして、彼と並んでいるもう一人の男が、白瀬の名乗りにつりこまれたように、

「佐久間博です。ごくろうさま」

と云った。彼は八ヶ岳で三番目に現われた男だった。

八ヶ岳で会ったとき彼等は自分たちのことはあまり云おうとしなかった。その男たちがここでは自らを顕示しようとするかの如《ごと》くに素直だった。佐久間の御苦労様の中には二人を待っていた意志がはっきりと見て取れた。

「じゃあ、めしとしようか」

と佐久間が云った。

そこにいる八名の男と三名の女が、どうやら、佐久間、白瀬の二人の指導を受けて岩壁登攀《とうはん》の練習をやっていたようだった。それにしては、登攀用具が置いてないのが不思議だった。

淑子と美佐子は岩壁を背に海に向って、弁当を開いた。海岸線を眼で追って行くと、はるか向うの入江に大きな船が見えた。うろこ雲が空を覆《おお》っていた。

食事中、二人のところへは誰もやって来なかった。淑子から、おにぎり一個をせしめた杉山は、そこでまた彼自身の弁当を使っていた。彼は右手にコッペパン、左手にチーズを持って、それ等を交互に口に運んでいた。

杉山がチーズを食べているのを見て、淑子は八ヶ岳の最後の夜のことを思い出した。彼は二人に、チーズの箱を一つくれたのだ。

食後三十分もすると、

「午前中に続いてバランスの練習を始めます」

と白瀬が大声で怒鳴ったあとで、

「その新人もみんなと一緒になってやってください」

と二人を指して云った。

その新人と呼ばれたとき、淑子と美佐子は、そこにいる一団の中に入れられていた。見学に来ただけで、練習をするつもりはないと云えば云えたが、そういう必要もなかった。新人と呼ばれたほうがかえって気苦労はない。二人は立上った。

人の群れが動き出した。三面鏡の岩壁の下部は石鑿《いしのみ》できちんと整理してはなかった。やや手を抜いた感じの荒々しさで石が切り取ってあった。練習は、その三面鏡の岩壁の最下部を伝い歩くことから始められていた。両手につかまるものはほとんどなく、僅かに、ハーケンを抜いた跡のような不確かな手懸りをたよりに、靴の爪先《つまさき》で、岩壁の裾《すそ》を廻るのである。滑り落ちたところで、二〇センチか三〇センチであった。

「三点確保の原則を忘れるな」

「リズミカルなバランスを取れ」

「手は岩をつかむのではない、岩を押えるつもりでやれ」

などという言葉が、白瀬達也の口から続け様に発せられていた。佐久間は時々、姿勢を直してやったり助言をするだけだった。杉山は練習にはいっさいおかまいなしと云った顔で、空を見上げていた。

三点確保とは、両手両足のうち、三点は常に岩面上に安定していなければならないということだった。

淑子と美佐子はこの練習に加わった。流れの中に入ってしまうと自分を忘れた。淑子は簡単なようで、たったそれだけのことを充分満足できるようにやるのは容易ではないことを知った。流れは続き汗が出た。

＊

三面鏡岩壁の裾歩きをいやというほどやらされた後で、三面鏡岩壁の縁《ふち》登りに移った。鏡面に相当するところは採石のためにできた垂直岩壁になっているが、その縁は自然の形が残されていた。見方によれば登山家たちの云うところのリッジ（岩稜《がんりよう》）に相当していた。

手懸りはあったし、注意して登れば誰にでも登れるところだったが、誤って足を踏みはずして落ちると怪我《けが》はまぬがれなかった。

淑子と美佐子は流れの中の一員となって岩稜を登ったり降りたりした。登ることより、降りるほうがはるかにむずかしかった。

「三点確保を忘れるな」

「身体《からだ》を岩から離せ」

という声が飛んだ。岩を怖《おそ》ろしがって、しがみつくことはかえって危険であり、岩を突き離すような気持になったとき、身体の重心の方向は足下の岩に懸って安定するのだという理窟《りくつ》は、何度か本で読んだことがあったが、いざそれをやらされてみると、怖さが先に立って、岩へしがみつきたくなるのは人情だった。

淑子は熱中し出すと自分を忘れることがしばしばあったが、大学に入ってからは、彼女を熱心にさせるものがあっても熱中させるものはなかった。勉強もそうであり、山岳部の行事においてもそうであった。彼女の友人の何人かが既に実行しているように異性に熱中することもなかった。

彼女は、熱中できるものを久しい間無意識に探していた。だが、そのようなものは、当分彼女の前には現われそうもなかった。

彼女は単調なリッジ登りと下降を繰り返しながら、ひょっとすると、私はこんなことに熱中してしまうかもしれないと思った。こんなことというのは岩登りであった。頭の隅をかすめて通っただけのことだったが、なにか眼前に光る針を突きつけられたような気がした。

(ばかな、こんなばかげたことになんで私が……)

と彼女は額の汗をぬぐおうともせずに、リッジを這《は》っている自分自身をもとの姿に取り戻そうとしたが、そのばかげたことに時間経過と共にいよいよ熱心になって行く自分が分らなくなった。

(いったい、いつまでこんなことを続けるのだろうか)

と何回目かのリッジ登りの途中で考えた。そのころになって、彼女はようやく自分を振りかえるだけの余裕ができていた。そのまま、ふと岩の上から目を離して、下に向けると、四角な広場の中心で、練習ぶりを見上げていた佐久間博と目があった。

「どこを見ているのだ」

激しい言葉が飛んで来た。言葉よりも、そう云ったときの佐久間の目が怖いと思った。登り方についていちいち批判の目で見ているようだが、いったいどれほどの技術を持っているのだろうか。怒鳴ることなら誰にでもできると彼女は思った。

空はいつしか曇っていた。もうよし、一休みしようという言葉が、佐久間の口から出たその直後に、

「休むかわりにゲームをやる」

と云って、人数を二手に分けた。それは、左右から一人ずつ選手を出し、三面鏡の裾廻りをさせ、中央で出会ったところで、相手の身体を、岩から突き落す遊びであった。勝った者はそのまま残り、新しい敵を迎えるのである。足場の悪い場所のつたい歩きだから、ちょっとバランスをくずすと、すぐ岩から落ちた。相うちになる組が多かった。そのたびに笑い声が起った。

淑子はそのゲームで三人の相手を落した。四人目は美佐子だった。しかし、美佐子と顔を合わせたとき、彼女と本気で、落しっこをするのが嫌になった。淑子は美佐子に勝ちを譲った。

「もう一度やれ」

と佐久間は云った。淑子が本気でやらなかったのをちゃんと見ていたのである。

淑子は二度目も負けた。佐久間の干渉を余計なことだと思った。

「なぜ一生懸命やらないのだ。もう一度やって見ろ」

と佐久間は淑子に向って怒鳴った。ところが三度目は、美佐子の方が、淑子の気持を察して、わざと負けた。

「ようし、今日の練習はこれでおしまいだ」

と佐久間は云った。

そして彼は、白瀬のさし出した名簿をちらっと見てから、

「今日参加した者の中で誰がわが名誉あるクラブの会員になれるかは、追って相談してきめます。会員の資格ありと認めた者には、次の練習予定地の通知を出します」

と云った。

「ちょっと待って」

淑子は落しっこのやり直しをさせられたときから、佐久間に対して反抗の姿勢を示していた。こんな男になめられてたまるかという気があった。

「なんだ」

と向き直った佐久間に淑子は機関銃のようなはや口でまくし立てた。

「なんだとはなによ。私と美佐子さんは、岩登りの見学に来ただけのことよ。それを新人扱いして、さんざ引張りまわした挙句に、わが名誉あるクラブの会員の資格ありと認めた者には次の練習予定地の通知を出しますとは、いったいどういうことなの。このクラブが名誉あるかどうか知らないけれど、私はまだ一度も、あなたのクラブに入れて下さいなんて云ったためしはないわ」

「入りたくなければ入らなければいい」

その言葉で淑子は更に腹を立てた。

「私は大きな口を叩く男は大嫌い」

「ぼくは大きな口を叩く女が大好きでね」

佐久間はてんで淑子を相手にしていなかった。笑いが起った。淑子はその笑いがすべて自分に向けられているように感じた。

「まあ、そう怒るなよ、そのうちザイルを組んで岩壁に向うようになれば、面白くなるさ」

杉山文男が淑子の傍《そば》で云った。そして、彼女が、誰がこんな人たちとザイルなんか組むものかと云おうとしている耳もとで、

「おれが悪かった。あなたのおにぎりを二つも横取りしたからな、あなたは腹が減ってるんだ。腹が減るとやたらに怒りっぽくなるものだ。おれも実はそうなんだ。あなたの気持はよく分る」

と云った。杉山のとんちんかんな云い方が、淑子の機嫌をいくらか直したけれど、怒っていることにおいては前と同じだった。

淑子は美佐子の手を引張って云った。

「帰りましょう、雨の降らないうちに」

雲は重く垂れていまにも降りそうだった。美佐子は淑子に従ったが、その岩場と、

そこに集まった人たちとそのまま別れることには未練を持っているようだった。しかし美佐子はそれを口には出さなかった。

「どう、あの佐久間という男のうぬぼれのほどは……ロッククライマーってのはああいう人ばかりかしら」

坂を降りながら淑子は云《い》った。

「でも、私にとっては、すばらしい一日だったわ」

美佐子は一言云った。それが淑子の心を衝《つ》いた。そう云われてみれば確かに意義ある一日だった。岩というものに始めて触れ、そして岩登りの初歩の技術をたっぷり半日間教わったことは事実であった。まずそのことを認めてから、佐久間のうぬぼれを批判すべきであった。

「不愉快な幕切れにしてしまったわね、ごめんなさい」

と淑子は美佐子に謝りながら、他人にごめんなさいなんて云ったことは、何年ぶりだろうかと考えていた。興奮しているのだと思った。興奮させられたのは岩に手を触れたからだと思った。そのほとぼりは家へ帰ってひとりになっても消えなかった。すぐには寝つかれなかった。

右肩のあたりに、ハーケンを打ちこんだときの反響が凝りとなって残っていた。耳の底で、あの鈍い岩壁の底からの問い掛けが聞えて来る。

＊

（これからもロッククライミングをやるんだろう。ハーケンがよく歌うような岩壁を探しに出掛けるのだね）

彼女はそれには答えられない。あかりを消した部屋で、その声を追い払うように手を振ると、両手に残ったざらざらした岩の感触が、

（また岩へお出でなさい）

と呼びかけて来るのだ。岩を突き放せ、三点確保、バランスと云ったような言葉が繰り返し聞えて来る中で、うろこ雲の浮んだ空が見える。

彼女は非常に疲れていた。ほとんど歩いてはいないし、行きも帰りも電車内では坐《すわ》れたのに、非常に疲れたと自分が納得できるのは、きっと気の疲れだろう、緊張の連続が疲労させたのだと思った。その興奮は夜が明けてもまだ続いていた。学校へ行っても続いていた。それはもうどうしようもないほど、彼女に執拗《しつよう》につきまとって離れなかった。

午後臨床《りんしょう》講義が階段教室で行われた。教壇を見おろすように席が並んでいた。彼女は最上段の古色蒼然《そうぜん》とした机に坐っていた。彼女の母が学生だったころからのものがそのままになっていた。机にはインクの瓶《びん》を置く為《ため》に、浅い穴が明けられ、その脇《わき》にペンを横たえるための溝《みぞ》があった。母が学生だった当時には既に万年筆が一般的な筆記用具となっていたというから、そのインクの瓶を置くための穴とペンの溝を必要としたのは創立時代のことであろう。

彼女はいままでその机に何度か坐ったが、一度として、インク瓶の穴やペンの溝に注意を払ったことはなかった。それがどうしたことだろうか。今彼女は、彼女の坐っている机を見詰めて大学の歴史を考えようとしているのだ。

(それにしても、なぜこの机には落書きがないのだろうか、なぜ彫刻がないのでしょう。日本女子医大はそんなにお行儀のいいお嬢様だけの学校だったのかしら、昔のことはまあいいとして、戦後二十数年以上も経《た》っているのにその伝統の机に、一語の落書きも、ひと筋のナイフの条痕《じょうこん》もつけてないことはまるで奇蹟《きせき》のようなものだわ)

だからと云って、彼女はその机に落書きをするつもりはなかった。ただ、前日からの興奮が、彼女の身辺にあるすべてのものにいままでなかったような関心を示そうとしていた。

教授が現われた。躁《そう》病患者が看護婦に伴われて来て、教授の前の椅子《いす》に坐った。教授は、ここのところずっと天気が続いてよいですね、なんと云っても、五月が一年中でもっとも暮しやすい季節ですなあと患者に向って云った。

学生たちはしんとして教授と患者とのやり取りについて聞き耳を立てていた。教授はその患者の病状を診察するための医学的質問を開始するまでに、その患者の気持を落ちつけようとしているようだったが、患者はこの部屋に入ったときから教授に対して何等の関心も示していなかった。彼は階段教室に、ずらりと並んでいる若い女性たちの姿を見たとたんにかなりのショックを受けたようだった。

患者は突然立上って教壇に立った。

「今日は私が講義をいたします。ノートはなるべく取らずに、頭の中で整理することですね。学問とは、いかに頭の中を整理するかということである」

彼の演説の冒頭はなかなか立派だった。

教授が立って患者をもとの席に戻そうとした。

「先生はそこに坐って聞いていてください。今日は私が講義をすることになっていたでしょう。そういう約束でこの教室に来たのでしたね。そもそも宇宙という存在はなんでしょうか」

患者が宇宙を口にしたときから、彼の目は常人とは違ったものになった。宇宙とか無限とかいう言葉がやたらに氾濫《はんらん》するだけで、彼の云っていることは分らなかった。顔が紅潮して、口の両わきに唾液《だえき》がたまった。

淑子はそれ以上その躁病患者を見守ることができなかった。

彼女はそっと席を離れ、音のしないように最上段の階段から廊下に通ずるドアを押した。

暗い廊下を自分の足音を数えるように歩きながら、環境の変化が躁病患者を突然雄弁にした、あのたくまざる実験のひとこまの中の自分を振りかえっていた。

彼女の足は山岳部の部室の前で止った。隣りがテニス部で、入口になにか貼紙《はりがみ》がしてあった。

山岳部の部屋には誰もいなかった。居る筈《はず》もない。彼女は、雑然と積み上げられた山岳雑誌を引張り出して頁《ページ》を繰った。

なにをするのもいやだったが、ただなんとなく山と接近していたいような気持がそうさせたのだった。

「人工登攀《とうはん》についての最近の傾向」という文章が載っていた。日本を代表する若手のロッククライマーたちの名前が次々と出て来る。その中に佐久間博の名を発見したとき、彼女はおやっと思った。声を上げるほどの驚きではなかったが、意外だった。その文章を最後まで読んだが、佐久間博について特に触れてはいなかった。

彼女は本を閉じたまま、しばらくじっとしていた。佐久間博がなにものであるかを知りたいという気持に彼女はついに負けた。彼女は佐久間博の名が載っていた「山と渓流」に電話を掛けてみようと思った。公衆電話の前に立つまでに彼女は云うべき言葉を用意していた。

「編集長をどうぞ、私は日本女子医大山岳部長の駒井淑子です」

彼女は電話の前ではっきり云った。編集長を呼び出す以上、こっちのことも云うべきだと思った。

「編集長の岩国です」

四十男を想像させる声だった。

「佐久間博という登山家のことでお聞きしたいのです。実はその方が主宰している山岳会にうちの部員が誘われているのです。そちらで、その山岳会の内容がお分りでしょうか」

うちの部員とは自分のことだった。山岳部長もまた部員の一人であるから、云っていることに嘘《うそ》はなかった。

「ああ、佐久間博なら、現在日本におけるロッククライマーのトップクラスを歩いている一人です。登攀技術に常に創意をそそぎこみながら、日本一のロッククライマーの集団を目ざして努力している人です。現在JAGRCCには十数人の会員しかおりませんが、すべて一流中の一流のクライマーです。彼はしばしば新会員を募集しています。しかし、申込み者をすべて会員にするのではありません、どこかの岩場へつれていって、一日しごいて見て、素質のある者だけを一人か二人しか取らないというやり方です。従って、どこへ出しても恥ずかしくないエキスパートだけが揃《そろ》っているわけですな」

岩国はそこで、ちょっと待って下さいと云った。電話機の口がふさがれたらしく急に静かになった。

「失礼しました。会員の数は八名でした。そしてJAGRCCという長ったらしい名前は、Japan Advance Guard Rock Climbing Club のそれぞれの頭文字を取ったのです。Advance Guard はフランス語の Avant Garde つまり前衛から取った言葉で、直訳すれば『日本前衛岩壁登攀クラブ』ということになるでしょうか。一般にはジャグアールシーシーと呼んでいます。従来からある、ロッククライミングクラブ、つまりアールシーシーより、更に前衛的という意味でそんな名前をつけたのかもしれません、通称ジャグ又はジャグ山岳会で通っています」

ジャグ、ジャグと電話を切ってからも、淑子は口の中でつぶやいていた。自ら岩壁登攀の前衛だと云ってはばからない、佐久間博の顔の輪郭を思い出した。特にこれと云って特徴のある顔をした男ではなかった。確かに身のこなし方は軽そうに見えたが、それだけで一流のクライマーだとは云えなかった。強いて彼の特徴を探せば、どこかにとぼけたような一面があることだった。八ヶ岳でも、そんなふうだったし、鷹取山の岩場でも、むきになって突掛って行く淑子の言葉をさらりと受け流したあたりに彼の風格がにじみ出ていた。

鷹取山の岩場で、佐久間と共に指導に当っていた白瀬達也にしてもいささか神経質なくらいに、こまかい点に気がつく男という以外に取り立てて云うほどのことはなかった。

彼女にとって彼等が一流アルピニストであるかないかはさて置いて、全く予告なしに、彼等の実施していた採用試験にひっかかったことが問題だった。ばかにされたという気持が先に立った。

淑子はその夜美佐子に電話を掛けた。

美佐子は、淑子の電話を最後まで黙って聞いた。驚いている様子はなかった。

「美佐子さん、あなたは知っていたの」

「鷹取山で、佐久間さんが自己紹介をしたでしょう、その時はっきり分りました。もっともその前にあなたから葉書にJAGRCCと書いてあったと教えられたとき薄々、気がついていました」

それなら、なぜそのときにと云いたかったが、やっとこらえて、

「もし、あなたのところへジャグに入らないかと誘いがあったらどうするの」

「さっき、電話がありました。承知しましたわ」

美佐子は力をこめて云った。

「電話が、あなたのところへ……」

淑子はなぜ美佐子のところへ電話が行って、こっちへ来ないのだろうかと思った。そして、ちょっと前に、妹が長電話をしていたことを思い出した。

(話し中だったから、向うへ先に電話したのかしら)

美佐子との間に差をつけられたくはないし、そんなことがあろう筈はなかった。美佐子がジャグへ誘われたならば当然こっちへもその誘いの電話があってしかるべきであり、そのときはどう答えるかを今のうちに考えて置くべきだと思った。

彼女は電話を切って待った。

間も無く電話があったが、それは妹への電話だった。

「長話は止めてね、私のところへ掛って来る予定の電話があるのよ」

と妹に云《や》ってやったほど、ジャグからの電話を待ちわびていながらも、誘われた場合、なんと答えるか、それについてはまだ決めてはいなかった。

電話はなかった。翌日も、翌々日もなかった。その次の日にもなかった。

(私は鷹取山のテストで不合格にされたのだわ)

そう思うと、くやしかった。美佐子との間に差をつけられたことがなんとしても我慢がならなかった。佐久間博にひとこと文句を云ってやりたかったが、彼の住所は知らなかった。再び山と渓流社に電話をかけてそれを聞くほどの勇気もなかった。彼女は敗北をかみしめていた。生れてこの方敗けたことはなかった。勝利感しか味わったことのない彼女に敗北は痛かった。

金曜日になって葉書が来た。

《時、次の日曜日、場所、鷹取山三面鏡岩壁、JAGRCC杉山文男、今度もおにぎりを持って来て下さい》

「ばかにしているわ」

と淑子は云った。いったいこれはなんのつもりだろう。もう一度テストをやり直そうとしているようにも思われたが、この前の日曜日、練習の終ったとき、人選の結果はあとで知らせる。合格者には次の集合場所の通知を出しますと、佐久間博が云ったことと思い合せて、

(するとこれは合格通知書かしら)

念のために美佐子に電話を掛けると、美佐子のところにも、最後のおにぎりの項を除いた以外は全く同一な文章の葉書が届いていた。

＊

その日は霧雨《きりさめ》に煙っていた。そんな天気にもかかわらず鷹取山はこの前の日曜日同様に賑《にぎ》わっていた。

三面鏡岩壁には既に他のパーティーが取りついていた。そのパーティーの練習ぶりを見ながら杉山が淑子と美佐子を待っていた。

その日二人は追浜駅で待ち合せて鷹取山へ来たのである。

「場所が変ったよ」

と杉山は二人の姿を見かけるとすぐ云った。まるで十年来の友人にでも話しかけるような親しさだった。

尾根道を露に濡《ぬ》れながら歩いて行くと、時折突拍子《とっぴょうし》もなく大きな声が聞えて来る。あちこちの岩壁に取りついている人たちの声だった。時には歌声や口笛などが聞えた。頭上を低く鳶《とび》が飛んでいる。

「杉山さん、なぜ私には電話で知らせてくださらなかったの」

淑子が云った。

「ああ、何回掛けても話し中だし、どうせ、葉書を出せば分ることだから」

杉山は別にそのことは気にしていないようだった。

「あなたがジャグの連絡係なのね、いちいち佐久間さんの命令でやっているの」

「命令？」

と聞き馴《な》れない言葉を耳にしたという顔でふり返ると杉山は、いささか腑《ふ》に落ちない顔で、

「なぜ彼が命令しなけりゃあいけないんです」

と云った。

「だって佐久間さんはジャグの会長でしょう。彼が命令しなくていったい誰が号令をかけるの」

「ちょっと、ちょっと……失礼ですがあなたは自衛隊の隊長さんのお嬢さんですか」

「私は医者の娘です、なぜ」

「命令とか号令とかいう言葉をやたらに使うからです。われわれの仲間には、命令もないし号令もないんです。われわれは、帰りの電車の中でお二人をジャグにお誘いすることを決め、連絡をぼくが取ることになっただけのことです」

　ところでと杉山はいくらか声を落して、

「腹が減ると、声もでなくなる」

　と云《い》った。淑子はサブザックの中から、そのつもりで用意して来たおにぎりの別包みを出して、そっくり彼にやった。

　杉山が、その包みの中の一つを平らげるまでに、三人はその日の練習場についていた。広場を取りかこむように幾つかの岩壁が立並んでいた。その一つの岩に数人の男が取りついていた。

「おうい、みんな聞いてくれ、今日からわれわれのクラブのメンバーになった、駒井淑子さんと若林美佐子さんだ」

　佐久間博がそう云って二人をみんなに紹介したが、男たちはおうとか、ああとか、二人の入会にはおよそ無関心な返事をしたに過ぎなかった。岩壁に取りついているから、まともな返事ができないということもあったが、あまりにもそっけない迎え方に淑子はいささか期待はずれの思いがした。

淑子は、佐久間博に会ったら私はまだ入会するともしないとも返事をしてはいませんと云ってやろうと思っていた。しかし、杉山が三面鏡岩壁まで迎えに出ていて、その彼におにぎりの包みをやったときに、彼女の気持は無条件入会に傾いていた。そしてまた彼等が、揃《そろ》いも揃って無骨《ぶこつ》な歓迎ぶりを見せたことがかえって彼女をこのクラブに引きつけた。

女たちのグループならばこんな場合、心にもない迎え方をするだろう。べたべたとお世辞を並べ立て、歯の浮くような言葉のベールを頭からかぶせられて、上段の席に坐《すわ》らせられるのだが、ここではそんなことはいっさいなかった。彼女たちの存在さえたいして気にしていないような男たちが気に入った。

「この前の日曜日に一緒に練習した人たちはどうなさったの」

「杉山がお迎えの手紙を差上げたのは、ここにおられるおふたりのお嬢さまだけでございます」

と佐久間はにこりともせず、ばか丁寧な言葉を使った。

「すると、私たち二人だけが入会を許されたということになるわけね、それは……それはいったいなぜでしょうか」

淑子は、きっと彼が、それは、あなたたちの中に光っている岩壁登攀家としての素質を認めたのだと答えるに違いないと思っていた。

「それは、あなた方が、稀《まれ》に見る美人であり、スタイリストであるということの一語に尽きます。つまり、わがクラブの花としてあなたがたをお迎えしたかったからです」

「なんですって」

淑子はその不埒《ふらち》きわまる云い方に抗議しようとすると、

「……と云ったのは、あの杉山なんです。ぼくはそんなことを考えてはいません、クラブに花なんか要りません。だが、日本一の女性ロッククライマーを創《つ》り上げたいとはかねてから思っていました。日本には世界の水準以上のロッククライマーは相当数います。しかし、それは例外なく男性であり、女性のロッククライマーで世界的水準を出る者はほとんどおりません。ぼくは、お二人を日本一ではなく世界第一の女性ロッククライマーに仕立て上げるつもりです」

まじめくさった顔でそんなことを云っている佐久間を見ていると、それが本気ではなく、例のおとぼけ的発言に思われてくる。こんなところで、ぬけぬけとばかげたことを云って憚《はばか》らないような彼の主宰するこのクラブにはそう長くいることはあるまいと思った。

「けっこうですわ、ところで仮に私たちが世界第一の女性クライマーになったとしてそれであなたはどういうことになるの」

「その二人を育て上げたジャグの名が世界的になります。当然ぼくの存在も有名になり、そして公認されます。そうでしょう。そうならないと嘘でしょう」

「絶望したわ、このまま廻れ右をして帰ろうかしら、ねえ」

と美佐子を見ると、彼女は、それまでに見たこともないように、張りのある目で、佐久間の顔を見詰めていた。彼の、出放題《でほうだい》にも思われる言葉の中に隠されている真実を発見しようと努力しているようだった。その美佐子の目に制されたように、淑子は、佐久間の顔から岩壁に眼をやった。

岩壁は一〇メートルほどあった。壁の上部が屋根になっていた。採石の際、わざわざそこに、屋根だけを取り残したような感があった。一人の男が、その屋根の下に迫っていた。垂直な壁にはハーケンが打ちこまれ、それにカラビナを掛け、ザイルが壁を這《は》っていた。

トップの男は、アブミ（縄梯子《なわばしご》に似た登攀用具）を利用して、壁から屋根の上に這い上ろうとしていた。上と下で呼び合いながら、複雑なザイル操作がなされていた。見ていただけで、すぐにすべてを了解することはできなかった。彼等が、そこで離れわざをやっているようには見えなかった。なにかおそろしく面倒な仕事を順を追ってやっている、技術者の小集団のような感じだった。

「さて、今日の日課をはじめましょうか」

と佐久間が云った。二人は新人という名にふさわしく、彼の前に並んで、小学生よろしく、いち、に、さん、し、と声を出しながら体操をさせられた。それから彼は二人を雨に濡れた高さ七メートルほどの岩の下につれて行って、その稜角《りょうかく》を登るように云った。東と北の二方向から採石した後の岩壁は、直角に交わっていた。その稜角を登れということは、コンクリートのビルディングの稜角を登れと云われたと同じようなものだった。登ろうとしても登れるわけがなかった。

「さあ登れ」

と彼はまず淑子に云った。淑子は岩に手を掛けようとしたが、手懸りもないし、足掛りもなかった。美佐子にしても同じことだった。

「よく見ているのだ」

佐久間はそういうと、その稜角の垂直方向に沿って下から上、上から下と何度か目を動かしていたが、やがて、稜角にひょいと飛びついたと思ったら、そのまますいすいと手足を動かして、またたく間にその岩の頂に登りつき、そこに固定されているザイルに身を託して、垂直岩壁を蹴《け》とばすような恰好《かっこう》で降りて来た。

「驚かなくてもいい、これくらいの技術は、数回、この岩場へ通ううちにおぼえてしまうことができる。要は岩をこわがらないことだ」

そして、佐久間は手持ち無沙汰《ぶさた》で突立っている杉山文男を呼んで、

「当分はごやっかいなことだな」

と云った。どうやら杉山が二人の初歩的訓練の指導をまかされているようであった。

「まあ、黙って見ていてくださいよ」

と杉山は軽く頷《うなず》くと、二人を近くの傾斜角度のゆるい岩場へ連れて行って、アプザイル（懸垂下降《けんすいかこう》。ザイルに身を託して岩壁を下降すること）のやり方を教えた。同じことを何回も何回も繰り返して、どうやら、その岩場を自由にアプザイルできるようになると、もう少し急な岩場へ移って行った。

アプザイルが終ったあと、そのまま岩壁の背後に廻りこめば再びその岩壁の頂に行けるようなちゃんとした道があった。登るよりも、降りることの方を先に教えようとするのは、どうやら、バランスを取ることを覚えさせるためと、より多く岩に触れることによって、岩の味を覚えこませるためのようだった。

二人はいやというほどアプザイルをさせられたあとで、今度は、その岩をフリー（ザイルなし）で登る練習を始めた。いざというときには、ザイルが傍にあるから、それにすがりつけばよいという気安さもあるが、滑って落ちたところで怪我《けが》をするような高さではなかったから大胆な行動が取れた。

杉山はスタンス（足場）の取り方やホールド（手懸り）について、適切な指示を与えた。

岩壁を苦心して登っては、その頂からアプザイルで降りることはなかなか面白いことだった。

淑子はいつの間にか、杉山の指導のペースに乗せられていた。杉山の呼び声一つで岩壁を登ったり降りたりしている自分の姿を、よく馴らされた猿のようだと思った。

雨がかなり激しくなったが、練習は続けられた。多くのパーティーは雨に辟易《へきえき》して退散したが、佐久間等のパーティーは雨具をつけて、練習を続けた。練習を中止しようという者もなかった。濡れることは最初から承知のようだった。

午後おそくなって風雨になったが、やはり練習は続けられた。高度の技術を使う練習をしている組と、淑子等のような初歩的な組と、そしてその中間があった。

淑子も美佐子も雨具を用意していたが、雨具をつけているがためにかえって汗に濡れた。雨具を取って風を入れようとすると雨に濡れた。ろくな雨具をつけずに、ずぶ濡れになったまま練習を続けている男たちもいた。

風速が増すと寒くなった。じっとしていると慄《ふる》えが出た。それでも、練習は続けられていた。風が出て寒くなったほうが彼等は活発になった。大きな声が出た。

（この人たちはいったいどうするつもりなのだろうか）

このまま夜になっても、この岩壁に取りついているのだろうか。淑子はいささか心配になった。だが、彼女は黙っていた。ここで弱音を吐いたら、男たちにばかにされると思った。女だからと云って特別扱いされたくはなかった。できることなら、この山岳会はそのような山岳会であって欲しかった。

美佐子の態度には動揺はなかった。風が出て来ても、空を見上げるようなことはしなかったし、寒そうな恰好はいっさい見せなかった。その癖彼女の唇は紫色になっていた。同じような色に自分の唇もなっていることを淑子は知っていた。

暗くなった。これ以上練習を続けられないほどになってから、

「おうい、やめよう、下山するぞ」

と佐久間の声が掛った。

彼等は一団となって岩蔭《かげ》に入って、風雨をよけながら着換えをした。

淑子と美佐子はどうしても着換えしなければならないほどには濡れてはいなかった。たとえ濡れていたとしても、そこで着がえすることはできなかった。

(こういうことになると、やはり男たちと同じにはなれないのだ)

と淑子は膝《ひざ》をかかえながら考えていた。

*

淑子は岩壁登攀《とうはん》に熱中した。それまで熱中したものとは比較することができないほどの深さで岩壁登攀に引きつけられて行く自分を止めようがなかった。できることなら、明けても暮れてもそれだけをしていたかった。だが、これだけは、すべてをひとりでできるというものではなかった。彼女の場合は未《いま》だに初歩の段階にいたから尚更《なおさら》のこと適当な指導者が必要だった。

彼女は休日には必ずクラブの誰かと近くの岩場へでかけていた。鷹取山、三ツ峠山の岩場が練習場として使用された。よい練習場所を確保するために、土曜日の夜行って、岩場の下でテントを張って夜明かしをすることがあった。自動車がよく用いられた。そのほうが時間を気にしないですむし、なにかと都合がよかった。

三ツ峠山の岩壁は自動車を降りて、三十分ほど歩いたところにあった。富士山と正対できる恰好な場所で、ここで見た富士山は、大きく高くそして美しかった。葛飾《かつしか》北斎が書いた「赤富士」はこのあたりから眺めたものではないかと云われていた。眺望はすばらしかったが、ここに集まる人たちはほとんど景色には関心を示さなかった。きれいだとか美しいとかいう言葉を彼等の口から聞いたことはなかった。此処《ここ》へ来て真っ先にしなければならないことはよい登攀ルートを確保することだった。

この岩壁は鷹取山の岩場とは違っていた。それは自然のままのものであり、充分な高度感を持ち、岩壁登攀としての危険性を充分に備えていた。若干の犠牲者も出ていた。

ルートは幾つかあり、どのルートにもおびただしいハーケンが打ちこまれていた。オーバーハング（庇《ひさし》状岩壁）もところどころにあった。

岩壁の下部を古い道が通っていた。その道をたどって行くと、石の地蔵があり、古い年号が刻みこんであった。信仰の山として開かれ、三ツドッケと呼ばれていたころのものであった。

何回目かに此処へ来たとき、淑子は美佐子を誘ってこの道を降りて行った。石の地蔵があるからには古い道に違いなかったが、その道が歴史的にどんな意味を持っているのか、クラブの者は誰も知らなかった。

上は岩壁、下は深い谷になっていた。

「この道を馬が通ったかしら」

と美佐子がめずらしく口をきいた。

「さあ、分らないわ」

何故《なぜ》美佐子が馬のことなど訊《き》いたのか淑子は不思議に思った。美佐子の視線は、半ば草叢《くさむら》にかくれた石碑にそそがれていた。馬頭だけが読めた。おそらくその下には観世音と刻まれているに違いない。馬頭観世音の石碑がそこにあるからには、おそらく、このあたりで斃死《へいし》した馬を葬《ほうむ》ったものと思われた。美佐子はその石碑の前にじっと立っていた。手を合わせるのでもないし、念仏を唱えるのでもなかったが、いま彼女の胸中になにがあるか淑子には分っていた。

(このひとの持っている情緒は貴重なものだわ)

淑子は美佐子の内面を覗《のぞ》いたような気がした。

いたるところに水のにおいがしていた。岩襞《いわひだ》から、雫《しずく》がしたたり落ちていた。

三ツ峠山の岩壁を道に沿って廻りこんだところに、オーバーハングがあった。一日中、陽が当らないようなところだった。いつ来ても、そこに誰かが取りついていた。

「二人でここをやってみない」

と淑子は美佐子を誘った。美佐子は、ためらわずに頷いた。二人の登攀技術はそのオーバーハングに二人だけで挑戦しようと考えるほどに進歩していた。

次の休日が来たとき、淑子は美佐子をそのオーバーハングに誘った。ちょっとした休憩時間を利用して、そのオーバーハングを乗り越えようと思ったのである。

だが、そこには既に先客がいた。女がアブミに乗ったまま泣きそうな声で叫んでいた。

「なんとかしてちょうだい、私おっこちてしまうわ」

その上にいる男と下にいる男が、いろいろと声援したが女の叫び声は高くなる一方だった。それ以上見てはおられなかった。

二人はその場を去った。

(あの女は男たちに甘えているのだ)

と淑子は思った。

その小さなオーバーハングに対する興味はなくなった。二人はその後、二度とそこへは近づかなかった。

彼女等は岩に憑《つ》かれていた。岩に挑戦するためのあらゆる技術を貪婪《どんらん》と思われるほどに吸収しようとした。佐久間にまだはやいと云《い》われても、それをやってみたかった。時には大きな声で彼に云ったこともあった。

〈それこそ御馳走《ごちそう》の出し惜しみというんだわ〉

〈そうだ、出し惜しみだろうな、そうしないときみたちは中毒をおこす。いや既に中毒症状を起しているようだ〉

そう云われても彼女等は、先に進みたいという気持を押えることはできなかった。

淑子と美佐子はぴったりと寄り添っていた。

大学が夏休みに入ってすぐ淑子は女子医大の山岳部のリーダーとして二週間ほど家を留守にした。

山小屋から山小屋への尾根伝いの山歩きからやっと解放されて、東京へ帰って来てジャグ山岳会のメンバーに電話をかけると、会は二手に分れて合宿に入っていた。一隊は谷川岳へ向い、一隊は奥多摩の鳩ノ巣《はとす》渓谷の近くにある金比羅《こんぴら》山のバットレス（胸壁。垂直に近い大きな幅広い岩壁）へ行っているということだった。そのバットレスは、山仲間の間では越沢《こいざわ》バットレスと呼ばれている岩壁で、地元山岳会によって開発されたものであった。金比羅山の一部が、削り取られたような岩壁になっていて、その高さはおよそ八〇メートルほどあった。

金比羅山の頂上には古くから金比羅様が祭られていた。金比羅山岩壁というのがほんとうだろうが、その岩壁に取りつくためには越沢から入らねばならないから、越沢バットレスと名付けられたのであろう。

淑子はすぐそこへ行く用意を始めた。美佐子も既に行っていると聞くとじっとしてはおられない気持だった。

「山から帰って来てすぐまた山か」

と、その夜の夕食の席で父の重造が云った。重造は、淑子が五月以降、岩壁登攀に夢中になっていることをよく知っていた。熱中するのは彼女の癖であり、やがてその熱も冷めるだろうと静観していたのだが、彼女の岩へ対しての情熱がいよいよ高まって行く傾向を見てついに口を出したのである。

「いい加減にしないか。ものには限界がある。それ以上、山に凝ったら学校の方がおろそかになる。それに、本来、岩登りなどということは女のやることではない」

淑子は父の言葉に驚きはしなかった。そのうちきっと、父母のどちらかにこう云われるだろうと思っていた。それに対してどう答えるべきかをずっと考えていた。

「学業をおろそかにするようなことはないと思います。それから、家族に迷惑になるような危険な岩登りは絶対にいたしません。ただ中途半端《はんぱ》で止《や》めたくないんです。始めたからには一応岩登りができると云われるほどの技術を身につけて置きたいんです。なぜならば、私は伝統ある日本女子医大の山岳部のリーダーだからです」

淑子は応援を求めるように母の貴代のほうに目を向けた。

重造は淑子のもっとも通俗な答え方に対して、これ以上岩登りに深入りしたら、脱け出ることがむずかしくなるだろうと、彼女の熱中しやすい性格の前例を引いて説いたり、そういうことに熱中することは結局は学業をおこたることになり、また大学山岳部のリーダーとしても、はなはだしく逸脱した行為をしている結果になるというようなことを述べ立てた。

彼女はそれには一言も答えなかった。前からそう決めていた。今後も同じことが何回かあるだろうが、父母に抗弁すべきではないと思った。おそらく、父母に岩壁登攀の魅力がどんなものか説明しても分らないし、だいいち彼女自身が、なぜ岩壁登攀のとりこになってしまったかよく分っていなかった。

「まあ、いいじゃないの、淑子には淑子の考えがあることだし」

貴代の言葉が出て重造は口を閉じた。やり切れないような沈黙がしばらく続いてから、淑子はその場を離れて、彼女の部屋へ入った。ザイルを始めとして、岩壁登攀に必要なところせましと登攀用具が置いてあった。

ものはすべて買い揃《そろ》えてあった。

赤いアブミが壁に掛けてあった。そのアブミの最下段に、猿のおもちゃが、セロテープで貼《は》りつけてあった。二人の妹のうち、どちらかのいたずらに違いない。その猿は猿らしくない顔をしていた。どこか杉山文男に似ていた。

猿にちょっと指を触れるとアブミは揺れた。

〈アブミが揺れないように工夫しろ。それはブランコじゃあないんだぞ〉

佐久間の怒鳴る声が耳元で聞えるような気がした。

その夜彼女は眠れなかった。

父に叱《しか》られたことはちょいちょいあった。それはごく一般的な叱られ方であって、気になるようなものではなかった。彼女だけではなく妹たちも叱られた。だが今夜の父の叱り方はいつもと違っていた。その場で思いついて口に出したものではなく、長いこと考えていたことを彼女の前で述べ立て、解答を求められたような気がした。父の言葉は低く、しかも非常に重かった。

父と娘の対立というふうに考えたくはなかったが、このまま二人は或《あ》る距離をへだてて、平行線上を歩いて行くように思われてならなかった。長女として生れ、特に父に可愛《かわい》がられていた淑子にとって、それは耐えがたいことだった。しかし、いまの自分に岩壁登攀を中止しろと云えるものは、自分自身以外にはないと思った。

翌朝、彼女が山仕度をして家を出ようとしているところへ美佐子から電話があった。越沢バットレスで他のパーティーが事故を起したので、その救出作業に協力を余儀なくされ、予定が目茶々々にされて、昨夜遅く家へ帰ったところだという意味の電話だった。

美佐子は淑子がそろそろ東京へ帰って来るころだと思って念のために電話を掛けてくれたのである。

「よかったわ、あなたから電話がなかったら、私ひとりで行くところだった」

「次の集合日は今週の土曜日の午後よ。前と同じところに集まることになっているわ」

「今週の土曜日なのね」

その間四日もあった。

「わたしたちは一日前に出掛けましょうか」

淑子は云ってみただけだった。一日前にどうしてもでかけねばならないことはなにもなかった。

「金曜日ね、では立川の駅で待ち合せということになるわね、何時にしようかしら？」

美佐子の明るい声が返って来たとき、淑子は、ひょっとすると、美佐子も自分と同じことを考えて、それを云いたいがため電話して来たのではないかと思った。

＊

鳩ノ巣駅で電車を降り、多摩川にかかっている橋の上から眺めると渓流に釣糸を垂れている人の姿が小さく見えた。橋の高さは一〇〇メートルもあるであろうか。

橋を渡ると小さな村に入る。村の上部には栗《くり》の畑があり、そこを通り抜けると道は急に細くなる。小鳥の声が聞えた。少し登って、それから、けもの道のようにしか見えない草深い道に入った。

淑子は初めてであるから、だまって美佐子の後を蹤《つ》いて行った。その細い道が、越沢バットレスへ行く登山者のための専用道路だった。道は越沢に向って急な下り坂になる。

淑子はその深い沢の中に踏みこむ前に、大きく首を廻して周囲の風景を見た。緑の山の中に黒い島が点在していた。黒い島に見えるのは杉の林で、それが、奥多摩の山々を覆《おお》っている夏衣装の模様になっていた。

むせかえるような草いきれの中を通り抜けると渓流の音が聞えて来る。沢の底の木のしげみに入ると、一度に汗が退《ひ》いて行った。

踏み跡は渓流にかかっている一本橋に続いているが、そっちへは行かずに二人は、渓流に沿って溯行《そこう》した。幅三メートルほどの川であったがところどころに滝があり、その下は淵《ふち》になっていた。

淵のそばで美佐子が立止って、水面に目をやった。木間洩《も》る光が淵の一部を照らしていた。そこに数匹の魚影が見えた。

美佐子は振りかえって淑子の顔を見てにっこり笑った。

「ヤマメかしら」

淑子は東京の中心から電車で二時間あまりのところに、自然がそのまま残されていることに一種の感動を覚えた。

そこから一〇〇メートルも登ったところの浅瀬の石を飛んで対岸に渡ると、密林の中に踏み跡があった。上部に切り立ったような岩の一部が見えかくれしている。木の根子《ねっこ》をまたぐようにして、二つ三つ越え、小さながれ場(崩壊地)を登りつめたところが越沢バットレスの取付点《とりつきてん》だった。

二人はそこで昼食を摂《と》った。深山のように静かで、人のいる気配は全くなかったが、取付点付近に投げすててある、空缶《あきかん》や空瓶《あきびん》からみて年間を通じてかなりの人が来ていることが想像された。

随分高いところに岩壁の頂が見えた。八〇メートルの高さがその倍にも見えた。垂直にそそり立つスラブ（一枚岩。滑らかな板状岩壁）に見えたが、ところどころにオーバーハングのある、かなり厄介な岩壁だった。

美佐子は、此処《ここ》に合宿訓練にやって来たときリーダーから貰《もら》った越沢バットレスの概要図を持っていた。彼女はそれを淑子に示しながら、岩壁の裾《すそ》を廻っていった。

全体的に黒い固そうな岩だったが、足もとに欠け落ちている新しい岩の破片を見ると、固そうに見えていて実は案外脆弱《ぜいじゃく》な岩のようにも思われた。概要図には、幾つかの登攀ルート図が書かれていた。目印になる木や岩や埋めこみボルトの位置なども記入されていた。

「美佐子さんはこのルートを全部登ったの」

と淑子は訊いた。そんなことはないと思ったが一応は確かめたのである。

「ここにやって来て、練習をやったのはたった二日よ、その次の日は雨でだめ、天気になったとたんに事故が起きてしまってすべての予定がお流れになってしまったわ」

美佐子はその二日間にどのルートを登ったかは云わなかった。

「さあ、私たちがザイルを組んで登るべきルートを決めましょうよ」

と淑子は云ってはみたが、すぐには決めがたいので、概要図と同じ紙に刷りこんである説明文を読んだ。岩壁に向って一番右のルートがどうやらやれそうだった。いよいよむずかしそうだったら森林地帯へ逃げこむことができる。

「このルートはどう」

一番右のルートを指したまま美佐子の顔を見ると、彼女は小首を傾《かし》げた。それでは不足だという顔をしていた。

「そう――美佐子さんが登ったルートなの」

それに対して美佐子は深く頷《うなず》いた。美佐子がどうせならば、登ったことのないルートをやってみたいという気持でいることは確実だった。それならば、この場合、ルートは美佐子に選ばせるべきだと思った。

「あなたが決めて頂戴《ちょうだい》」

淑子はルート図を美佐子に渡して、岩壁の頂上に立っている常緑樹に目をやった。どうやら松ではなさそうだった。ルックザックから、双眼鏡を出して覗いて見ると、それは樅《もみ》の木であった。

「めずらしいわね、こんなところに樅なんか……」

植物学的に珍しいか珍しくないか彼女は知らなかった。彼女自身にとってだけ珍しいのであって、そこに樅があるのは当り前かもしれないと思いかえして、周囲を見た。付近には樅は一本もなかった。

彼女の目の前にルート図がさし出された。美佐子の右手の人差指は、その中央部のルートを指していた。

「ああ、これなの」

淑子はルート図から目を離すと、美佐子の選んだ岩壁に眼をやった。岩壁自身にはルートは示されてはなかったが、概要図と合わせるとその登攀《とうはん》がだいたい飲みこめた。それは、この岩壁のうちでもっとも登攀のむずかしい壁のように思われた。だが淑子は怖《おそ》れなかった。一見したところでやってやれないことはないと思った。美佐子がやろうと云っているのに逃げるつもりはなかった。美佐子とザイルを組んで、その壁を完登したら、会の男たちは驚くだろう。そしてこれからは新人扱いはしないだろうし、女だからという特別な眼で見なくなるだろうと思った。

(男と女の差別を無くして、新人という不名誉なレッテルを剝《は》ぎ取るためには、ぜひともこの岩を登らねばならない)

その淑子の気持を美佐子は一足先に感じ取っているようにも見えた。

二人はお互いに頷き合って、登攀の準備を始めた。まず登攀用の安全バンドを身体につけた。曾《かつ》てはゼルプストザイルと呼ばれて腰につけられていたものが登攀技術の発達と共に改良され、現在は墜落時の衝撃を緩和するために落下傘《らっかさん》式の安全ベルトが用いられていた。カラビナ、ハーケン、ハンマーの三つ道具が用意され、背のサブザックにアブミが引掛けられた。それらの登攀用具を身につけるとかなりの重さになった。

二人は同時に身仕度を始め、同時にそれを終り、そして、同時に彼女等がそれぞれ持って来ていたザイルに手を掛けた。

いよいよ岩壁へ向って出発するのだ。トップとなるべき者が動き出さねばならなかった。

淑子はザイルを持った美佐子の手を目で押えながら云った。

「私がトップをやりましょう」

しかし、美佐子は淑子の目を受止めたままで放さず、小さいがはっきりした声で云った。

「私はこの岩壁に馴《な》れています。まず私がトップに立ちます」

美佐子は毅然《きぜん》とした態度でそういうと、驚いている淑子の目の前で手早くザイルの端を腰に結びつけると、そのザイルの束をひょいと淑子の手に渡して先に立った。

淑子はほんのしばらくは呆然《ぼうぜん》としていた。いまだ曾て他人に負けたことがなかった。女にはもとより男にも負けたと自覚したことはなかった彼女が、岩壁への出発を前にして既におくれを取っている自分を見詰めながら、怒りも、反発も起らないのは、なぜなのか分らなかった。当然なことが当然な形で為《な》されたのだから、なんのわだかまりも感じなかったと云えばそれまでだったが、なにか自分は、八ヶ岳で美佐子に会ったとき以来彼女に一歩を譲り続けていたようにも思われた。

淑子は美佐子より数歩遅れて後を蹤《つ》いて行った。美佐子が立止った。二人は並んで岩壁を見上げた。そしてお互いの心と心を通じ合うように顔を見交わしてから、足下に目を落した。そこにツツジの一株があった。その根元に切れた捨て縄（懸垂下降する場合に、ザイルを懸ける縄のこと。ザイルの一端を輪にして、ハーケンに取りつけたり、時には樹木に取りつけることもある。下降がおわると、懸垂用のザイルは抜き取られて、それを支えた輪だけが残る。捨て去られるから捨て縄と呼んでいる。捨て縄のかわりに、針金を使うこともごく稀《まれ》にはある）があった。

長さ三〇センチほどの色あせた捨て縄だったが、引き千切られたような真新しい切り口から想像して、その古い捨て縄を、よく吟味せずに使ったことによって起きた事故の証拠品のように考えられた。事故発生と同時に何等かの理由で捨て縄は、その場所を離れてここに落下して来たように思われた。事故の処理に夢中になって、その呪《のろ》われた捨て縄を回収する余裕はなかったのであろう。

淑子はその切れた捨て縄に手を出し兼ねていた。

「事故はこの岩壁で起きたの」

「そうよ」

「原因はこれだったのね」

それに対して美佐子は捨て縄に視線を釘付《くぎづ》けにしたままで大きく頷いた。

淑子の背筋に冷たいものが走った。血塗られたばかりの岩壁を登るのはいやだと思った。怖いと思った。なるべくなら、他の岩壁にしたかった。

「では、お願いします」

その淑子の迷いを打ち破るように云い残して、美佐子は岩壁に取りついて行った。

風が無かった。蟬《せみ》の声が焼けるように耳に痛かった。

(いまさらどうすることもできないのだ)

と淑子はザイルを送り出しに掛った。額から汗が溢《あふ》れ出した。ヘルメットを通して夏の太陽が彼女を叩《たた》いた。

＊

美佐子の動きを見ていると、一流の登攀家が岩に取りついているようだった。登り方にリズムがあった。停滞がなく、スムーズに手足が動いた。特に彼女の手が伸びあがっていって、岩のでっぱりを押えるあたりは、拍手を送りたいほどあざやかだった。

美佐子はコンパスが長かった。だから足場の間隔を充分に取ることもできた。なによりも、彼女の身の軽さが岩壁上の散歩に適していた。美佐子はまたたく間に第一番目のテラス（岩棚）に到着するとそこでハーケンを打ちこみ、カラビナを懸け、それにザイルを通して、彼女自身を自己確保してから、淑子に向って、

「どうぞ」

と云《い》った。どうぞはおかしかった。男たちのように、ようし来いとも云えないだろうが、せめて、ようし、くらい云えないものだろうか、私がトップならそういうだろうと淑子は思いながらも、彼女自身の口から出た言葉は、

「じゃあ、行くわよ」

であった。男たちのように、行くぞうと、力いっぱいの声で怒鳴りたいができなかった。

その岩は淑子にとって、三番目の岩だった。鷹取山の岩壁、三ツ峠山の岩壁、そしてこの岩だった。鷹取山は別として、三ツ峠山の岩壁とここではどのように違うかそれを知りたかった。ハーケンを打ちこんで、どのような歌い方をするか調べてみればいいのだが、まだそれをしていなかった。未知の岩場はスリルがあった。岩が日に焼けて熱かった。びっくりするほど熱いところとそれほどでもないところがあった。熱いところへ手を掛けたとき反射的に手をそこから離すことがあった。なにもかも、上のテラスで美佐子が見ているのだと思うと、少しぐらい熱くても、我慢しなければならないと思った。さっき、美佐子は同じことをやったのだが、岩にかけた手を引いたことなど一度もなかった。淑子は美佐子の目を意識し、次に自分自身のスタイルを意識した。

第一テラスで美佐子と合流したのも、束の間《つかのま》、美佐子は、待ち切れないように、直《す》ぐ次の行動に移った。一言も言葉を発しなかった。第二のテラスへの登攀路は長かった。そして、岩壁は急角度にそり返って見えた。

美佐子はハーケンを打った。そのハーケンの歌声を第一テラスで淑子は聞いた。ハーケンの歌声が周囲の山に反響した。陰々滅々という語が頭の中に浮び上った。その語が死を思わせるように暗い情況を表わすものだということは知っているけれど、どこでそれを覚えたのか記憶にはなかった。小説の中で読んだのかもしれない。彼女にはなんのかかわり合いもない言葉が、なぜこんなところで浮び上ったのだろうか。

(私は、ハーケンが陰々滅々と歌ったなどと、なにかに書いてみたいのだろうか)

そんな趣味はない。文章を綴《つづ》ることは好きだったが、ことさら文を飾ったことはなかった。そういう傾向の文章を彼女は少女趣味として軽蔑《けいべつ》していた。ではなぜと考えても答えは出なかった。多分、陰々滅々という語の持っている意味が、現在の時点にもっともよく反映し合っているのだろう。空は晴れていた。青葉のにおいの中に鳥の声が聞え、渓流の音がする。陰々滅々どころか、陰さえなかった。しかし、ハーケンの歌声は深い悲しみを持って歌い続けていることは事実だった。

(ハーケンを打つのを止《や》めてちょうだい)

と叫ぼうと思った。その淑子の心の声が聞えたかのように急に静かになった。美佐子は再び動き出した。ザイルが少しずつ延びた。美佐子の動きが止ると、淑子は、またハーケンを打ち込む音がした。耳をふさぎたい気持でそれを聞きながら、淑子は、美佐子の行く手をさえぎっている大きなオーバーハングに目をやった。

まさか彼女がそのオーバーハングを乗り越えようなどと思っている筈《はず》はない。そう思っても、ザイルは、その庇状《ひさしじょう》の岩壁に向って延びて行った。

(美佐子さん、それは無理よ、そのオーバーハングは逃げたほうがいいわ)

そのように叫びたかったが、それはできなかった。美佐子はそのオーバーハングを越えられる自信があるのだ。だからやろうとしているのだ。淑子は残っているザイルの長さを目測した。オーバーハングを乗り越えて、その上のテラスに立つまでの余裕はあった。

美佐子はオーバーハングに迫っていった。その下で三枚のハーケンを続け様に打った。いざというときのことを考えてやっているのだなと思った。そこからは岩壁の傾斜が逆になっていた。美佐子が身体《からだ》を弓なりにそらしたところで、張り出している岩の庇に手をかけることはできなかった。たとえ両手を懸けることができても、それと同時に両足は岩から離れ、空中にぶらさがることになる。それを乗り越えるには、張り出した岩の咽喉《のど》のあたりに埋め込みボルトを打ちこみ、それにアブミを掛けて乗り移らないとどうにもならなかった。さっき、美佐子の示したルート図には、たしかその辺に既存の埋め込みボルトがあった。美佐子は多分それを利用するだろうと思った。

彼女は登れるだけ登り、手を伸ばせるだけ伸ばしたが、その埋め込みボルトには届かないようだった。彼女はしばらく身体を休めて考えていた。

(あきらめて引き返すのだな)

と淑子は思った。ルートは変えたほうがいい。彼女には無理だと思った。しかし、自分ならなんとか、あそこを乗り越える方法を考え出せるだろうと淑子は思った。美佐子があきらめて引き返すようだったらトップを交替してやろうと思った。

美佐子はあきらめなかった。そればかりか、その不安定な足場に立ったままで、埋め込みボルトを叩きこむ準備を始めたのである。彼女はポケットから洋式石鑿《ジャンピング》を取り出して岩に向って穴を穿《うが》ち始めた。埋め込みボルトを打ち込むつもりらしかった。美佐子がそれほどの用意をして来ているとは思ってもいなかった。ハーケンはもともと岩の割れ目へ打ち込むものだから、叩けば中に入って行った。だが、割れ目の全くない岩壁に穴を穿つことは力仕事そのものだった。女の細腕でやれることではなかった。昭和三十四年の夏、東京雲稜会《うんりようかい》が一の倉衝立《ついたて》岩正面岩壁へ挑戦したとき、三メートルに近い第一オーバーハングの鼻先に二本の埋め込みボルトを打ち込むために、石橋俣《また》男《お》と藤芳泰《よしやす》の二人は実に数時間に及ぶ岩との格闘を演じた。この第一関門突破によって、一の倉衝立岩正面は同じ山岳会の南博人、藤芳泰によって初登攀がなされたのである。

下から見上げるとジャンピングは細い針のように見えた。上向き加減になって、それを打ち続ける美佐子の姿勢は依然として安定してはいなかった。十分経過したが、彼女はその動作を止めようとしなかった。十五分経《た》ったところで、淑子が下から声を掛けた。

「交替しましょうか」

「もう少しよ」

と美佐子は答えたが、それから更に十五分かかって、ようやくジャンピングは彼女のポケットにおさまり、そのかわり、同じポケットから埋め込みボルトが取り出された。ボルトの先端は割れていてその間にくさび状に鉄板が挟《はさ》まっていた。ボルトの頭をハンマーで叩いて、ボルトを穴の中に叩き込むと、くさび状鉄板が岩に突き当ることによってボルトの先端をおし拡《ひろ》げて抜けないようになっていた。

美佐子はすべてを終ったところで一息入れた。その美佐子を下から見上げながら、淑子は、美佐子は自分より、かなり進んだ登攀技術を持っているのだと思った。多分彼女は、家が鎌倉だから、機会あるごとに鷹取山へ出掛けて行って岩壁登攀の練習を続けていたに違いないと思った。

淑子は美佐子のことはほとんど知らなかった。噂《うわさ》によると、彼女は短大を卒業して、花嫁修業のかたわら趣味として鎌倉彫を勉強しているということだった。

(要するに彼女は私より暇があるのだ。だから、やろうと思えばなんでもできるの

だ）

淑子は美佐子の上達ぶりをそんなふうに考えていた。

美佐子は彼女が打ち込んだ埋めこみボルトにカラビナを掛け、それにアブミを取りつけた。彼女の身体がアブミに乗り、そして、彼女は、第二のアブミを、既にそこに埋めこまれてあるピトン（ハーケン）にかけた。

アブミからアブミに乗り移る芸当は、まるであっけないほどのすみやかさで行われた。次の瞬間、美佐子は岩の出張りにかじりついていた。両足が岩を蹴《け》った。身体をずり上げようとするけれど、なかなかうまくは行かなかった。

落ちる可能性は充分あった。力が尽きて、岩壁上を滑り落ちたら、引き止めねばならない。淑子は緊張した。

美佐子は肘《ひじ》をたくみに使って、とうとう岩を乗り越えた。美佐子の姿が突然、岩の陰に消えたとき、淑子は、

（美佐子さんにはとても敵《かな》わない）

と思った。

「登って来てえ」

という声が聞えた。それまでの美佐子とは別人のように張りがある大きな声だった。

淑子は、教科書通りというよりも会で練習したとおりに、ハーケンを抜き取りながら登って行った。オーバーハングのところにやって来て、美佐子の打った埋め込みボルトに掛っているアブミに手を触れたとき、美佐子との力の差を見せつけられたように感じた。

淑子は一気にオーバーハングを乗り越えた。意地でもそうしなければ美佐子の手前、みっともないと思った。アブミが一つだけ残された。

二人は狭いテラスに立ったまま、ほとんど垂直に近い岩壁を見上げていた。ずっと上にもう一カ所オーバーハングがあったが、どうやらそこはかわすことができそうだった。目で測って、岩壁の丁度半ばに当るところに、細長い草地があって、白百合《しらゆり》の花が咲いていた。それは、叩けば、かんかん鳴り響くようなこの一枚岩の上のたった一つの奇蹟《きせき》のように見えていた。

「こんどは私にトップをやらせてね」

と淑子は白百合を見詰めながら云った。

「どうぞ、でも無理はしないでね」

美佐子は静かに云った。

「むずかしくなったら、あなたと交替するわ」

淑子は素直に云えた。この岩場では美佐子がリーダーだと思った。目の前で美佐子との技倆《ぎりよう》の差をはっきり見せつけられた淑子は、不思議に彼女と争う気にはなれなかった。負けたくはないという気持より、彼女の跡にぴったりと蹤いて行きたいという気持だった。

思いの外《ほか》むずかしいところがあった。錆《さ》びたハーケンがあちこちにあったが、それは信用しないことにした。

彼女は白百合を目ざして登ったが、そこから上がひどく悪い場所で、あっちこっちと逃げた。その度にハーケンを打った。何枚目かのハーケンを打ったとき彼女は、再びあの陰々滅々という語を頭に思い浮べた。雲が出て暗くなったせいもあったが、いつまでも余韻を引くその音は、彼女の心の内部のものを揺さぶった。いやな予感がした。彼女はその岩壁から落ちた場合のことをちらっと頭に浮べた。もしこんなところでしくじったらそのショックで、ハーケンが次々と抜けて、彼女の身体はそのまま岩壁の取付点まで墜《お》ちて行くかもしれないと思うと恐怖が全身を走った。もし摑《つか》んでいた岩が剝《は》がれたら、もしかして、足場の岩が欠け落ちたらなどと考えると、手や足の動きが鈍くなった。彼女はほとんど一メートル置きにハーケンを打った。

彼女の上に岩の出張りが見えた。オーバーハングというほどではないが、その岩の出張りは彼女の登攀路《とうはんろ》をさえぎるように横に延びていた。それを越えたら、頂上までひといきだと思った。頂上は見えないけれど、周囲の高さと比較してそのように考えられた。その出張りの手前で彼女は続けて二枚ハーケンを打ってカラビナを掛けザイルを通した。安全を確保すると同時に、その岩を乗り越える場合の足掛りでもあった。

手懸りはしっかりしていたが、そのでっぱりに身体を引き摺《ず》り上げるほどの腕の力はなかった。少なくとも胸から上を岩の上に出さなければ乗り越えることは無理のように思われた。足場がしっかりすれば、すべては簡単だが、岩の出張りに取りつけば、必然的に足は宙に浮くことになる。だからこの場合は一にも二にも腕力が必要だった。

足掛り用に更に一枚か二枚のハーケンを打ち込んで置きたかったが、どこを探しても、ハーケンを打ち込めるようなリス（岩の割れ目、隙間《すきま》）はなかった。埋め込みボルトは持ってはいなかった。

やれるかどうかやってみるしかなかった。彼女は岩壁に手を伸ばして行った。岩の出張りに抱きつくようにして、少しずつ身体を摺り上げて行けばなんとかなりそうだった。足のかわりに膝《ひざ》が使えそうだった。

彼女は岩に突進した。右手の手懸りはしっかりしていたが左手の手懸りが滑りそうで不安定だった。右膝頭がどうやら岩を押えたが、左の膝頭は岩を離れた。身体の半分が宙に浮いているようで不安定だった。ありったけの力を出した。やや身体が上に摺り上った。右膝頭が痛かったが、そんなことにかまってはおられなかった。一息ついて、一気に摺り上ろうと力んだ瞬間、右膝が岩からはずれた。

両足が伸びて靴先が岩壁をガリガリ引掻《ひっか》いた。バランスが崩れた。右膝が岩からはずれると同時にずり落ちて行く自分の身体を彼女は止めることができなかった。

淑子は岩壁から落ちた。

頭の中が真赤になった。音を立てて滑り落ちて行く自分の身体が他人のもののようだった。ほんの数秒が五分か十分の長さに感じられた。気が遠くなるほどのショックが身体に加えられた。息の根が止められたように苦しかった。彼女の身体は岩壁に止った。たいして落ちてはいなかった。念入りに打ちこんだハーケンと下にいる美佐子の引き止め方が上手だからだった。

「大丈夫?」

と呼びかけて来る美佐子に、淑子は、

「大丈夫よ、どこもなんとも無いわ」

と云って、岩壁に立ち上って見せた。怪我はなかったが身体中が痛かった。

「交替しましょうか」

という美佐子の声に淑子ははっとした。それまで眠り続けていてその声で目を覚まされたような気がした。交替するものかと思った。ここで交替したらあの岩に負けたことになると思った。彼女は突き落した岩がそこにあるのに、なんの仕返しもせずに引き下ることはできなかった。

彼女は再びその岩に向ったが、同じ方法で同じ場所を攻撃するような愚かな真似《まね》はしなかった。一見簡単に乗り越えられそうに見えたところが実はそうではなかったという経験は彼女をずっと慎重にさせた。そこはさけて、二メートルほど右に寄った岩壁に、とうとう彼女はハーケンを打ちこむことのできるリスを発見した。

彼女は二枚のハーケンをそこに打ちこんで、それを足掛りとして、岩に取りついた。岩の出張りから胸が出たところで腕を立て、身体を引き摺り上げるようにして、その岩を越えた。

彼女はテラスに出ると、一息つく暇もなく、自己確保用のハーケンを目の高さの岩壁に打ちこんだ。ハーケンの歌声が快い響きとなって伝わって行く。どこにも暗いものは感じられなかった。乾いた音だった。まるで岩の中の音叉《おんさ》の音を聞くようだった。ハーケンの音が暗く聞えたのは気のせいだったと思った。始めての岩壁登攀に直面しての恐怖感が創《つく》り出したのかもしれない。しかし、その恐怖は去った。そこから頂上までは、まだワンピッチ（ザイルを一回使用するに足る長さ）あった。いままでと比較して楽だということはなさそうだ。それにもかかわらず、そこから見上げる頂上までの岩壁は白く美しく輝いて見えた。

「ようし登って来て」

淑子は力限りの声で美佐子に呼びかけた。そして彼女は自分がどうやらいっぱしのロッククライマーになれた事実を確かめるように、手に握っている赤いザイルをきつく握りしめたのである。

第三章　マチガ沢のヴィーナス

若林美佐子の日課は朝の散歩から始まる。父も母も彼女自身も散歩と云《い》っているから、若林家では散歩で通っているけれど、付近の人達は、マラソンと云ったり、駈《か》け足と云ったりごくまれには朝のトレーニングというような表現で彼女が軽快な足取りで、走るのを眺めていた。

彼女はいつもチビを連れていた。二年前に拾った犬だった。

西鎌倉の彼女の家の周辺には僅《わず》かながら自然が残されていたが、少々離れると、新しく開かれた住宅地になっていて、そこから海まで家並が続いていた。起伏が多い地形で、この付近でよく口にする谷《やつ》に相当するところがいたるところにあった。谷《やつ》の中にあった農道がそのまま住宅地の中を通る道になったので、狭い曲りの多い道をたどることになり、そのまま行くと、農家の庭へ出てしまうことがあった。飼犬に吠《ほ》えられるのはこんなときだった。

美佐子はチビを手元に引き寄せて走った。住宅地を抜けて七里ヶ浜の海岸に出ると犬を放してやった。海水浴のシーズン以外の浜は静かで、嵐の翌日などには貝が打ち寄せられていることがあった。

七里ヶ浜から鎌倉山のほうに抜けて家に帰ることになっていた。ほぼ五キロを毎朝走るのが日課だった。天候の別なく彼女は走った。台風の朝も走った。この日はチビを置いて行った。散歩道はほぼ決っていたが、その日によって多少は変った。春先などは一〇キロも走ることがある。

朝の散歩がすんで食事が終ると、彼女は近くの勤め人たちと同じように小走りに家を出て、両側にマキの木の生垣が続いている小道を通り、小さな橋を渡ったところから坂道を登る。常緑樹に覆《おお》われた道で、夏は涼しいが、冬は暗くていやな道だった。坂を降りると両側が竹藪《たけやぶ》になる。そこを通り抜けると急に明るいところに出る。戦後に開かれた住宅地が眼の前に展開する。

住宅地の海の中に取り残された島のように、四方をけずられて赤い肌をむき出しにした小丘がところどころにあった。その一つを通り過ぎると水の流れる音が聞えて来る。道は小川に沿って下る。その川を見下ろすような台地の上にそのあたりではめずらしい草葺《くさぶ》き屋根の家があった。入口に黒い門があって、そこに鎌倉彫松磬堂《かまくらぼりしょうけいどう》と書いた額が掲げられていた。

草葺き屋根の母屋《おもや》は細長い廊下で仕事場と接続されている。仕事場の方は建て増してからそう古くない現代風な家屋である。母屋と仕事場は花畑と野菜畑に囲まれていた。どうやらこの界隈《かいわい》ではこの家だけがずっと以前から此処《ここ》にあり、この家を中心として付近が住宅地に変貌《へんぼう》して行ったかのごとき観があった。庭には紫色、白色、黄色のアヤメが咲いていた。

彼女は仕事場の玄関に九時五分前に立った。

仕事場には三十ほどの机が並べられ、その半ばには既に人が坐《すわ》っていた。その一番奥に鎌倉彫の巨匠と云われる宮沢松磬が坐っていた。

「お早うございます」

彼女は松磬の前に両手をつかえて云った。

お早う、と言葉を返しながら松磬は彼女が顔を上げるのを待っていて、

「どうだね」

と云った。彼女は、毎朝決って掛けて来る、この師の一言に、聞えるか聞えない程度の声で、はいと答えた。それ以外に彼女の唇から言葉が洩《も》れることはなかった。だが彼女は師の目をじっと見詰めていた。松磬の鋭い眼光の前になにひとつとして云う

べき言葉はないし、師がどうだねという一言の中に、彼女に語りかけようとしているすべてを知ろうとした。

松磬の白髪豊かな頭がちょっと傾いた。

「そろそろ屈輪彫《くりぼり》にかかってみたらどうだろうか」

松磬はそう云いながら彼女の顔色を窺《うかが》った。屈輪とは古語のくり又はぐりから来たもので、くりかえし巻く文様《もんよう》のことであった。それには蕨手《わらびて》の繰り返しのような単純な文様もあったし、渦巻きそのものを文様としたものもあった。古来から鎌倉彫に好んで使用される文様で、出来ばえは美しいが彫り込むのには高度の技術を要した。

屈輪の文様は中国の宋《そう》代に流行し、それがわが国に伝えられたものだとされている。

「屈輪彫の小箱はどうかな」

松磬は返事をしない彼女に特に返事を求めようとしているふうはなかった。屈輪彫をやってみろということは彼女の技術が屈輪彫をこなせるまでに進歩したことを認めたも同然であった。普通の弟子ならば顔を紅潮させて、ぜひ彫りたいからお願いしますというところだが、彼女はいつものように黙っていた。

「この本にあるものを参考にして、ひと工夫してみることだな」

松磬は手の届くあたりの机の上に積み重ねてある本の一冊を抜き取ると彼女の前に

置いた。

彼女はその本を押しいただくようにして取り上げ、膝《ひざ》の上で頁《ページ》を繰り、屈輪彫だけを集めてある頁に目をそそいだ。

「誰でも、初めての時は尻《しり》ごみをする。だが、あんたは必ずやれる。やってみたまえ」

松磐はそこで、彼女から目をそらした。次の弟子が朝の挨拶《あいさつ》に来たからだった。

美佐子はその座をその人のために譲ったが、松磐の前を離れずに、鎌倉彫の国宝級のものばかりを集めてある写真集に見入ったままだった。特に歴史の古さを思わせるようなものはなかった。現代の作品として見ても少しもおかしくないものばかりだった。頁を繰っていくと、現代作家の屈輪彫の作品があった。四百年前のものと比較してそれほどの飛躍はなかった。

彼女は本を閉じた。

(鎌倉彫の新しい発展ってあるのかしら)

鎌倉彫の伝統を忠実に守る芸術の中に新しいものを持ちこむとすればそれは文様ではないかと彼女はふと考える。古い文様をそのまま真似《まね》たくはなかった。盗用したくもなかった。しかし過去にも現在にもないような屈輪文様となるとなにがあるだろうか。屈輪文様そのものが既に古典であり、行きづまったものではなかろうか。

「あんたは若い。屈輪彫のような古い文様にかかわらずに、もっと新しいものを彫りたいだろう。しかしね、鎌倉彫の技術を完成するには一応は手掛けねばならない過程だと思ってとにかく彫ってみなさい。なにかが得られる」

師の声が耳元で響いたが美佐子は黙っていた。目の中にかすかな困惑と悲しみのようなものが浮んだ。それを松磬は彼女特有の訴えだと見た。その技をもう一度初めから示して欲しいという哀願にも思われた。

松磬は大きく一つ呼吸《いき》をついて云った。

「よし、おれが一つ彫るから、よく見ていなさい。そして彫るのだ。彫らねばならない」

彼は机上の文様綴《つづ》りの中から一冊を抜き出して、その中から屈輪文様の一つを選び出した。その文様の綴りはすべて彼自身が製作したものであった。それはこの道五十年の記録であると同時に財産でもあった。

「これはどうかね」

と松磬は彼自身が創案した屈輪文様の一つを指して美佐子に云った。三つの屈輪文様が抱き合って一個の基本図形を作っている。その基本図形が互いに連関しながら全体として大きな文様を形成していた。

「これにしよう。すまないが材料置場へ行って、これに合うようなものを探して来て下さい」

彼女は師のことばに大きく頷《うなず》き、一礼して彼の前を離れて材料置場へ行った。そこには白木の材料が種類別に置いてあった。香合《こうごう》（香入れ）、小箱、硯箱《すずりばこ》、名刺受け皿、各種の皿、盆、鉢、花器等である。彼女は白木の香合の一つを選んで師のところに持って行った。

松磬はその白木地を丹念に吟味してから机上に置いた。桂《かつら》の白木地の滑らかな面に硝子《ガラス》窓を通して朝の光がさし込んで来た。その木地の白さが拡大されて仕事場の朝にふさわしい明るさになってゆく。

松磬は「青竹」と呼ばれている染料を小皿に落し小量の水を加えながら溶かした。彼はそれを細い筆の先につけ、紙の上に細い線を引いてみてから次の作業に移った。箱の中から薄い和紙を取り出して原図の上にそっと置き、その文様を絵筆で写し取りにかかったのである。それが終ると彼は白木地の表面に筆で水を塗り、その写し取った和紙を置きそっと押えた。和紙を白木地から剝《は》ぎ取ると、緑の文様が白木地の上に転写されていた。

その作業は絵付《えづけ》と云った。

彼女は毎日のようにそれをやっていた。青竹で写し取ることをせず、原図を目で見ながら鉛筆を使って写し取ることもあった。松磬は弟子たちにそっちのほうをすすめていた。

松磬がいま絵付を初めから順を追って彼女の前でやってみせたのは、屈輪文様そのものが複雑な文様をしているから絵付の方法を用いたほうが成功率が高いことを示したものと解釈された。

「絵付についていまさら、どうこう云うことはないが、単に転写するのではなく、転写することによって、別なものを創《つく》り出す気持が欲しいものだ」

松磬は美佐子にさとすように云った。

(今日の師はいつもとは違う。弟子の一人を傍《そば》に置いて、工程の一つ一つについて教授するようなことはいままで一度もなかったことだ。なぜ今日に限って師は、私だけを特別扱いしようというのだろうか)

美佐子にはそれが分らなかった。

松磬には内弟子が五人と弟子が二十七人いた。内弟子は鎌倉彫について一応なんでもこなせる技術を持っている人で、彼等の製品は商品となるから、充分に生活できるだけの収入がある。やがては完全に独立できる人たちであった。他の二十七人の弟子は、授業料を収めている弟子である。暇つぶしに習いに来ている近所の奥さんから、嫁に行く前に、なにか一つ、技能を身につけて置こうと考えて通って来る娘さんもある。鎌倉彫で身を立てようと思っている人もなかにはいるが、その数は少ない。多くは、半年以内にやめてしまう人たちであった。

美佐子は両親にすすめられて単なるお稽古《けいこ》ごとの一つとしてここに通い出したのだが、他の料理、裁縫、活花《いけばな》のようなお稽古ごとと違って、これだけは強く彼女を牽《ひ》きつけて離さないものがあった。

(師は私を内弟子にしようというのではなかろうか)

まさかと彼女は自らの考えを否定した。内弟子にすることは、彼女を鎌倉彫のプロとして認めることになる。彼女の経験は満四年であった。

(私にはとてもそれだけの技術はない。他の内弟子たちのようにこれだけに十年近くも打ちこんでいる人たちとは違う。所詮《しょせん》私の鎌倉彫はお稽古ごとの一つなのだ)

彼女はそう思いながら師の手元を見詰めていた。

松磐は道具箱を引き寄せた。工具(刀)は切出刀《きりだしとう》、円鋤刀《まるすきとう》、間鋤刀《あいすきとう》、外円鑿《そとまるのみ》、内円《うちまる》鑿《のみ》、曲《まが》り鑿《のみ》、生反《なまぞり》小刀などがあるが、それぞれの刀は使用目的によって更に形状の細部が違って来る。例えば切出刀だけを例にとっても、刃先の長さ、幅、刃先と刀身との角度の差などによって二十種類ぐらいに分れる。完全に道具を揃《そろ》えるとなるとおよそ三百種類にもなった。

松磬は切出刀のうち小刀を取って、「竪込み《たてこ》」の作業を始めた。「青竹」の線にそってほとんど直角に一センチほどの深さに切込んで輪郭を決める作業であった。

松磬は仕事にかかると美佐子の方は見ようともしなかった。刀を親指と人差指で持ち、中指を添える。左手は木地を押え、刀の動きと共に木地を動かすのは左手である。つまり左手で梶《かじ》を取り、右手は同じ位置で同じ動作を繰り返すことができるような状態に置かれるのである。

刀の動きは速くて正確だった。松磬はほとんど無心の境にいるように見えた。午前中に「竪込み」が終った。

松磬は庭に出て、新住宅地の中に取り残された一本松にしばらく目をやっていたが、やがて庭のアヤメに視線を落してそれを観賞しながら母屋の方へゆっくりと歩いて行った。

午後は「際取り《きわど》」の工程に入った。間鋤刀《あいすきとう》を使用して、「竪込み」に沿ってのけずり取り作業であった。これによって輪郭がはっきりし、立体感が現われて来る。

「際取りが終ったときにほとんど勝負はきまるものだ」

松磬は傍でじっと見ている美佐子に云った。勝負などという言葉をめったに使ったことのない師が偶然のように使ったそれが美佐子の心に滲《し》みた。

その日は際取りで終った。そして翌日、美佐子は再び師の傍で屈輪彫を見学するように云われた。

「地《じ》すくい」の工程に入った。文様以外の部分を平らにすくい取る作業であった。これによって、文様はその存在がはっきりと、浮出すのである。

「仕上くずし」の段階に入ると、美佐子は思わず身体《からだ》を乗出すことがあった。文様の細部に、各種各様の刀が当てられて、文様がその形態を整えて行った。浅丸刀《あさまるとう》がさかんに使用された。

二日目の五時近くに屈輪彫香合はでき上った。あとはそれを塗師《ぬし》に出して漆を塗る作業が残っていた。鎌倉彫は、木地師、彫刻師、塗師の分業になっていた。それぞれに名人がいたが、巨匠と云われるのは彫刻師であった。漆塗の工程は数段階に分れていた。それらが完全に行われて、はじめて鎌倉彫特有のあのさびのある朱色が出るのであった。

仕事場は五時に終る。弟子たちは一人々々松磬のところに来て挨拶して帰って行く。

後には内弟子が居残って、弟子たちの机の上の製品を点検する。その日与えられたテーマを忠実に為《な》し終ったと認められた人の作品は机の上に伏せる。問題点がある作品はそのままにして置く。翌朝、その人が出て来たとき、問題点を取上げて指導するのである。

美佐子も松磐の前で、

「ありがとうございます」

の挨拶をした。朝来たときのお早うございますと夕方帰るときのありがとうございます以外に口をきいたことのない美佐子にとっては、このひとことを云《い》うのにもやはり努力を要した。

「ちょっとお待ちなさい」

と松磐は云った。そして、弟子たちが帰り、内弟子たちも、それぞれの仕事の後片づけをして帰ったところで、松磐は、

「屈輪彫の文様は自分で考えて見なされ、彫るんだ。あなたは彫らねばならない、いま彫れば進む」

と云った。

最後の言葉の意味がよく分らなかったので美佐子は不審そうな顔をした。

「あなたの近頃の進歩はめざましい。まるで人が変ったようだ。いままでは忠実なる模倣でしかなかった作品が、近ごろは生きて来た。新しいものを創ろうという意欲がはっきり見える。その変化の原因はおそらく山と関係があるに違いない。あなたは山へ行くと云ってよく休むようになった。しかし、山へ行ったがために技術の方は遅れるどころかかえって進歩していく。不思議なことだ」

松磬は、そこでちょっと言葉を切って、彼女の答えを待ったが彼女は押し黙ったままだった。

「今日はこれでお帰りなさい。そして屈輪彫の文様を考えて来なさい。気に入ったものが思い浮ばなかったら、山へ行ったとき、そのことだけを考えていたら、きっとなにかいい着想が浮ぶでしょう。もともとあなたには絵心があるのだから創ろうと思えばきっとできる。屈輪文様ができたらそれを彫るのだ。だが二日間にわたって私がやって見せた彫り方は、やはり変えないほうがいい。あなたの新しさはまず文様から生れる。彫り方について創意を凝らすのはずっと先のことになるだろう」

松磬はそれ以上のことは云わなかった。

＊

美佐子は家を出るとき、母の邦子に云った。

「行って参ります。お父さんによろしくね」

それは、山に出掛けるとき彼女が使うきまり文句だった。お父さんによろしくねというのは、父は留守だから帰って来たときよろしく伝えてくれという意味であったが、早朝、台所口からこっそりと抜け出て山へ向うときでも、彼女はお父さんによろしくねと云った。邦子はそれに大きく頷いて、

「気をつけてね、無理をするのではないですよ」

と云って彼女を送り出した。チビがはげしく鳴いた。彼女は庭につないであるチビの頭を軽く撫《な》でてから、母の方に手を上げて小走りに門を出て行った。

父が会社から帰宅してから家を出ても充分間に合うのだが、早めに出たのは父に会いたくなかったからだ。悲しみに打ちひしがれたような顔で、

〈また山へ行くのか〉

という父の声を聞きたくないからだった。

上越線長岡行きの普通列車は上野駅を二十二時十三分に発車した。それまでの時間つぶしに、運動具店を二、三廻って、必要品を買った。

プラットフォームには佐久間博が一人で立っていた。

「やあ」

と佐久間は云って、腕時計を見た。それを合図のように列車が入って来た。彼女は発車までに誰かジャグの者がやって来るだろうと思って、プラットフォームを気をつけていたが、ついに誰も現われなかった。

「二人だけだ。ジャグの連中は誰も来ない」

と佐久間は捨てるような云い方をした。

日本前衛登攀《とうはん》クラブ（JAGRCC）に入会してから一年になるけれど、会員同士ふたりだけで山に入ったのは、去年の夏の終りころ、越沢《こいざわ》バットレスに駒井淑子と行ったとき以外はなかった。その時は一日遅れてやって来た佐久間博が顔色を変えて怒った。二人とも退会させると云ってきかないのを同行の男たちがなだめて、どうやらことなきを得たが、それ以来、彼女は、淑子とは勿論《もちろん》のこと会員の誰とも二人だけで山へ行くことはなかった。そのような場合は、必ず佐久間の許可を得ることになっていた。

〈きみたちはまだ岩壁についていては、よちよち歩きの段階を出ていない。勝手にパーティーを組んで岩壁に向うってことは自殺行為に等しいことだ〉

とその時佐久間は云った。

〈たとえ、無事に越沢バットレスの一つのルートを完登したからと云って、クライマーと認めるわけにはゆかない。岩壁登攀技術を一応身につけたころはえてして、想像もできないような離れ業をやることがある。それは怖いもの知らずの無鉄砲さが生んだ偶然であって、積み上げて行った経験による成果ではない。それを自分の実力と過信したとき、その次に待っているのは失敗である。岩壁における失敗は即《すなわ》ち死だ〉

彼はそうも云った。

彼女はその言葉を噛《か》みしめるようにして聞いた。そうに違いないと思った。私たちが悪かったから御免なさいと、何度か云おうとしたが、それが云えずに、悔恨を涙に変えて、二人を代表して淑子が謝ってくれるのを待っていた。しかし、そのとき淑子は謝らなかった。悪かったとも云わなかった。

〈よちよち歩きの子供でも、どこにどんな危険があるかぐらいは本能的に感じ取ります。もしも、私達をよちよち歩きの子供だと云うならば、そんなよちよち歩きの子供を、ジャグのクラブに入会させたあなたはいったい、なんでしょうか。私たちのやったことは少々度が過ぎていたかも知れません。冒険だったかも知れません。でも冒険があるから岩壁登攀に私たちは魅力を感ずるのでしょう。危険があるからこそ、私たちを夢中にさせているのじゃあないかしら、私はちっとも悪いとは思っていません〉

と淑子は佐久間に反発した。

〈会の規則にちゃんと書いてある。会員は会に無断で登山行為はできないのだ〉

〈知っています。どこの山岳会にだってそんな規則はあります。けれど、実際にそれは守られているかしら。ジャグのメンバーのすべてが山行に際して、いちいち、会長に許可を得ているでしょうか。そうでない場合の方が多いでしょう。とにかくジャグは大人の会です。常識の範囲で行動をすればよいのだと思います〉

淑子は佐久間に屈しなかった。佐久間が激昂《げっこう》して、

〈では二人共この会を止めて貰《もら》おうか〉

と云ったとき彼女はすかさず云った。

〈私たちが止めるとジャグの損失になるわよ、それはそれは大きな損害になるわ〉

真面目《まじめ》くさって、そう云った淑子の言葉を他の会員たちが聞いて笑った。そして若い男たちが、一度にどっと、淑子と佐久間の間に割りこんで、引分けてしまったのである。

美佐子はその時のことを思い出しながら、車窓から夜を眺めていた。

〈会長の許可のない山行は会の山行とは認められない。従って山行中になにかが起っても責任は持てない〉

というような一般的な申し合せが、あのことのあったあとの会合で再確認された。

だが、その会長と会員との二人の山行は、会則に照らすとどういうことになるのだろうか。

（この山行は会長の佐久間から電話があったから応じたのだ。当然、会員のうち何名かが同行すると思ったからである）

美佐子はそんなことを考えていた。谷川岳はかねてから望んでいたところだった。佐久間から誘いがあったとき、二つ返事で承知した。その時も、ジャグの陽気な連中のザイルパーティーが、二つ三つ揃って岩壁を登る様子を想像していた。

（或《あ》るいは他の会員は先行しているのかもしれない）

そうに違いないと思った。なにかの都合で佐久間は遅れたのだ。

（しかし、それならそれで……）

と彼女は考える。それらしいことは佐久間の口から一言も洩《も》れなかった。彼は二人だけだとはっきり云った。先行があるならば、先行隊に参加するように誘うのが当り前である。佐久間と二人だけで後で発《た》つという必然性はどうしても考えられなかった。

佐久間と二人だけで山に入ることの意味について美佐子は考えはじめた。そういう経験は一度もなかった。男性と女性が二人だけで山へ入るということ自体それほど重大視することはないが、同じ山岳会の会長と会員が二人だけで山に入るということは、それが非公式に行われた場合、一般会員の疑惑を招く虞《おそ》れがあると思った。そして、もし佐久間が今度美佐子を谷川岳に誘い出した目的の中に、岩壁登攀以外のなにものかがあった場合はどうしたらいいだろうか。

彼女は窓に向けた顔をもとに戻さなかった。この問題が、少なくとも彼女の頭の中で解決しないかぎり佐久間と顔を合わせたくなかった。

彼女は自分の美貌《びぼう》を意識していた。おそらく淑子もそうだろうと思った。だから淑子は、佐久間に向って、私たちがこの会を止めたら会の損失になると云ったのだ。事実、彼女等二人が入会してから、男性会員が十三人も増えた。

〈美佐子さん、いつか二人だけでザイルを組みましょう〉

と彼女の耳元で囁《ささや》く男性は一人や二人ではなかった。

〈あなたが同じジャグの会員であるということを考えただけで毎日々々が楽しい……〉

というような、書き馴《な》れたラブレターを寄越す会員もいた。

彼女はそれらをすべて無視した。ラブレターは山ほど貰った経験がある。ちょっと顔見知りになると、男性は何等かの方法で、彼女に云い寄ろうとする。そういう種類の男性の一人で佐久間があったとしたらどうしようかと美佐子は考えた。

（もしそうだとしたら、この男の主宰しているジャグそのものも長居はできないところとなるであろう）

彼女は窓にやっていた目をもとに戻した。佐久間は眠っていた。眠ったようなふりをしているのではなく、両肩がだらしなく下っているところを見ると、眠りに入っていることは確実だった。列車はすいていた。

彼女もまた眠ろうと試みたがなかなか眠れなかった。どっちみち、明日になれば、佐久間の目的がはっきりするのだから、それまでは休んでいたほうがいいのだと分っていてもすぐには眠れなかった。

（このひとはいったいなに者でしょうか）

そんなことを頭の中で考えていると、ジャグの会員たちが話していたいろいろの話が浮んで来た。

（赤坂ではかなり有名な料亭の一人息子だそうよ、高校時代から山に凝って、大学時代にはほとんど山にばっかり行っていたのに、落第もせずにちゃんと卒業したんだって。あちこちの山岳会に少しずつ頭を突込んだけれど、結局どの山岳会にも飽き足らずに、岩壁の一匹狼《おおかみ》として日本中の主なる岩壁を彷徨《ほうこう》している間に、彼の周囲に信奉者が自然に集まって来て、それが日本前衛登攀クラブに成長したんですって）

それは、クラブのメンバーたちの噂《うわさ》をもとにして彼女の頭の中で編集したものであった。彼女自身で調べたものではない。

(では彼の山は道楽ね、食うに困らない人のお遊びでしょうか)

(いいえ、そうではなさそうよ、彼は、山で生きるのだとはっきり云っているそうよ)

(ガイドでもやって)

(日本ではガイドでは食べて行けないわ)

(では山小屋の経営者、それとも登山用品専門店)

(違うわ、そのどれでもないの、彼は岩壁登攀のエキスパートとして生きて行くつもりなんだってさ、でも日本ではそれは無理よねえ)

右側に傾いている首の重みにつられるようにそのまま横になって、苦しそうな恰好《かっこう》で眠っている彼を見詰めながら、美佐子は、更に頭の中のつぶやきを繰返す。

(彼の品行はどうかしら、いままで女性関係でなにか問題を起したことはあるかしら)

(全然なさそうね、女の子にもてるタイプではないわ)

彼女は頭の中で笑った。

（でも彼の岩壁における天才ぶりに惚《ほ》れ込んでしまう女はあり得るでしょう）

（それは岩壁でのこと、地上に降りたら、汗が引くようにすうっとさめる）

再び彼女の頭の中で笑いが起った。

（彼は自分の家のことを話したがらないんですってね）

（あなたはどうなの、あなたは家のことどころか自分自身のことも絶対に話さないし、訊《き》かれても返事もしないでしょう。あなたばかりではないわ、山にはそういう人が多いのよ、つまり変り者が多いってことね。彼だって一種の変り者よ、料亭の旦那《だんな》の勉強でもしておればよいのに、家を捨てて、山に凝っているんだから、もっとも、家を捨てるために山に入ったのだという人も中にはいるわ。彼自身が云わないかぎり彼の家庭のことは分らないけれど、彼が山に入った遠因は家庭にあると見て差支えないでしょうね）

（いえ、それは違うと思うわ、山に入った遠因は家庭ではない、それは彼自身よ、そうでなければ嘘《うそ》です）

「どうしたんだ。眠っておかないと明日がこたえるぞ、一の倉沢南稜《なんりよう》は、きみが考えているほどやさしいルートではない」

佐久間は起き上ってそれだけいうと、今度は反対側に横になって、まもなく軽い鼾《いびき》を掻《か》きはじめた。

佐久間が一の倉沢南稜と云ったので、彼女は明日の予定を知った。谷川岳へ行くと云っていただけで、ルートについてはいっさいしゃべらなかった佐久間が、ふと洩らしたその一言で美佐子はいよいよ目が冴《さ》えた。

美佐子はルックザックの底から「谷川岳の岩壁」という本を取り出してまず目次を開いた。その中ほどに「一の倉沢南稜」があった。彼女は頁《ページ》を繰った。写真のかわりにルート図があった。図を丸暗記するほど眺めてから、本文を読み出した。

夜の中を突走る列車の乗客は彼女一人を残してすべて眠っていた。

*

土合《どあい》駅のプラットフォームは地の底にあった。美佐子はその長い長い階段を数えながら登った。風が追い上げるように吹いて来る階段の両脇《わき》を水が音を立てて流れ落ちていた。全体の三分の二ほど階段を登ったところで風が入れかわった。それまで吹き上げていた風がやんで、上から冷たい風が吹き降りて来た。ぞっとするほどつめたい風だった。

「天国への階段は何段あったかね」

と佐久間が登り切ったところで美佐子に訊いた。ふりかえって下を見るとプラットフォームの照明がかすんでいた。風の方向が変ったとき、それに気が取られて数えるのを止《や》めてしまったことを悔いながら、美佐子は困ったような目を上げた。

「初めて谷川岳へやって来て、この天国の階段を正確に数えた奴《やつ》はそのまま天国へ行ってしまって、二度とこの階段を踏むことがないという話を知っているかね、そら、よくある山の怪談だよ。谷川岳では昭和六年以来、六百人近い人が死んでいる。世界一死亡率の高い山だ。だから山の怪談も多い。この階段に天国への階段という名前をつけた男も死んだそうだ」

佐久間は薄気味の悪いことを云ったが、特に美佐子をおどかしているふうでもなかった。階段を登り切ったところに改札口があった。

深夜の二時五十分だった。下車した人は二十数名で、登山の服装をした者ばかりだった。

星の下を二人は歩いた。道だけが僅《わず》かに白く、他のすべては暗かった。山に囲まれているから星空は限られていた。

佐久間はおし黙っていた。谷川岳の岩壁登攀はしたことがないけれど、一般ルートを通って谷川岳へ登ったことのある美佐子にいまさら、これが湯檜曾《ゆびそ》川で、これが口ープウェイの発着所だなどと説明することはなかった。だが、彼は谷川岳指導センターの所在だけは彼女に教えた。白い建物が道の左上部に建っていた。彼はその入口に設けてある小さな箱の傍に置いてある、登山カードを一枚抜き取ると、その日の予定を書き込んだ。

美佐子は彼の肩越しにそれを見た。書きこまれた住所氏名は佐久間博と、若林美佐子の二人だけだった。登攀コースは南稜である。ヘッドランプに照らし出される佐久間の筆蹟《ひっせき》は意外なほど女性的だった。

彼はそのカードを箱の中に入れながら云《い》った。

「この習慣は一つの心構えに通ずるものがある」

その意味が彼女にはよく分らなかった。群馬県条例に従って登山カードを提出して置くことは、これから岩壁登攀に向う自分たちの心を引きしめ、自分たちの責任を自覚するということであろうか。

森の中の道に入ると、梢《こずえ》にかくれて星さえも見失うことがあった。前後を歩いている登山者のあかりが鬼火のように見えた。どのパーティーも山の眠りをさますのを怖《おそ》れるかのように黙りこんで歩いていた。

木の芽のにおいが強烈だった。ほとんど風はないのに、風がにおいを運んで来るかのように、いろいろの木の芽のにおいがした。

マチガ沢の出合《であい》に立ったとき彼女は明るさが沢に沿って延びているように感じた。それが感じだけかどうかを確かめるように、その沢の奥に視線を投げたが、残雪の存在を確認するにしては少なすぎる明るさしか認められなかった。だからと云って、残雪を否定するものはなかった。そのうす明るさの連続は雪渓を想像させた。

（マチガ沢はきっと雪がつまっているに違いない）

と彼女は思った。

再び暗い森の中に入った。コブシの花のにおいを嗅《か》いだような気がした。既に六月に入っている。コブシが咲いている筈《はず》がなかったが、森の中のどこかに一叢《ひとむら》のコブシの白い花が咲いているように思えてならなかった。

「一の倉沢の出合だ」

と佐久間が云った。彼女はそこから一の倉奥壁へ向って撮った写真は何枚となく見ていたが、実際にその場に立ったのは今日が初めてだった。その一の倉沢はまだ眠っていた。だが沢に沿って一筋の白いものをマチガ沢で見たよりもはっきりと認めることができた。

「ザイルは組まない。足もとに気をつけることだ」

佐久間はヘッドランプを足もとに向けて照らしながら云った。ザイルを組まないと云ったのは、時によると、此処《ここ》からザイルを組むことがあるのだということを彼女に教えたようであった。

二人は一の倉沢へ踏みこんで行った。残雪が沢を埋めていた。夜気の冷たさが身にしみた。木の芽のにおいが消えたのと同時に空気の動きを感じた。

空気の動きを風という。と彼女は高校時代に教わったことがある。その、歯切れのいい口調と、当り前のことをもっともらしく定義した文句が印象強く残っていた。

彼女は雪渓を歩きながら、空気の動きを感じたが、風とは違っていた。それは、一の倉という大きな沢の空気がそのままそっくり置き変えられようとしているかのような空気の動きだった。

(夜が明ける)

と彼女は思った。星の光がうすれて、夜空が少しずつ明るさを増して行った。その明るくなって行く速さと調子を合わせるように、空気の動きが速くなり、そして、今度こそはっきりと風という感じでそれを受取ったとき、風は風ではなく霧になっていた。

流れて来たのではなく、湧《わ》き出たのでもなかった。風が霧に変っただけのことであった。

（けちんぼ）

と彼女は霧に云ってやりたかった。なぜ朝の一の倉沢の景色を出し惜しみするのだと云ってやりたかった。霧はなにもかも曖昧《あいまい》に溶かしこんで、そして横柄《おうへい》に視界を奪って行った。

「烏帽子《えぼし》スラブを登る場合が多いのだが、今日ははじめてのことでもあるから、南稜の末端稜《テールリッジ》を登ることにしよう」

と佐久間が云った。

夜が明けた。土合駅に降り立った登山者たちのうち何名かは一の倉沢へ入って来た筈だったが、いざ夜が明けて見ると、付近には人の声らしいものは聞えなかった。二人だけになったということが、美佐子をいささか緊張させた。

テールリッジの外郭が霧の中に見える。それは急角度に落ちて来る緑の稜線だった。岩をむき出しにした稜《リッジ》ではなく喬木《きょうぼく》か又は灌木《かんぼく》によって覆《おお》われている二段がまえのリッジに見えた。いったいそこをどうして登るのだろうかという不安があったが、雪渓からひとたびテールリッジに取りついてしまうと、そこには、ちゃんとした踏み跡があった。道と云っても差支えないほどのものだった。

ブッシュは登るに従って背丈が低くなり、やがて草つきの岩稜を出たところに四畳半ほどの岩棚があった。南稜テラスである。霧が薄らいだ。

彼女はそこに腰をおろして谷川岳を形成する代表的な岩壁や谷や沢の説明を佐久間から聞いた。一度では覚えられそうもなかった。すべてが絶壁に近く、そして圧倒的な高度を持っていた。各岩壁を彩《いろど》っている緑の衣と残雪とのコントラストが美しかった。それは怖ろしい岩場ではなく、彼女にはむしろ親しい岩壁に見えた。

佐久間と彼女はそこでザイルで結ばれた。

「おれの動きをよく見て置くことだ、どんな些細《ささい》なことも見落してはならない。いままではすべて練習場における登攀《とうはん》だった。しかし今日は違うぞ。本舞台だ」

と佐久間は云った。

彼は軽快に身体《からだ》を動かしながら、狭いクラック（岩壁を走る細長い割れ目）に入って行った。そして、クラックを出ると、ほとんど垂直にも見える岩壁に取り組んでいった。

「古いハーケンがたくさんある。どのハーケンが信用できて、どれが信用できないかを、あらゆる手段で確かめるのだ」

彼はそう口で云いながら、古いハーケンの安全を確かめるために、手を掛けてゆさぶったりハンマーで叩《たた》いてみたりした。それは初歩的な技術で、彼女にとっては既に経験済みのことであったが、ハーケンが抜けたら絶対に無事ではあり得ないような高度を意識しながら、連続的にしかも、ほとんど義務的にそれをやって行くことはやはり岩壁登攀における重要な作法だと思った。

狭いテラスで彼女は佐久間と交替した。草付きの岩壁だった。全体的になにか陰湿なものを感じさせるいやな壁だった。ハーケンはあちこちに打ってあったが、中にはかなり古いものがあった。

ハンマーで叩いて音を確かめ、カラビナを掛けて、それにザイルを通して、徐々に体重を加えてみるという、ごく当り前のテストの経過を経て、そのハーケンに身を託するのだが、佐久間がやってみせたようにスムーズには行かなかった。

「なにをもたついているのだ。その辺には駒井君が打ちこんだ新しいハーケンがある筈だ。古いハーケンが信用できなかったら、自分が気に入るようにハーケンをぶちこめばいい」

と下から佐久間の声が飛んで来た。

その辺に駒井君が打ちこんだ新しいハーケンがあるということは既に彼はこの岩壁を駒井淑子と登ったことになる。

それは美佐子にとってショックだった。なぜ彼が特にウイークデーを選んで自分をこの岩壁に誘ったのかその疑問が解けたわけではなかったが、少なくとも、佐久間が自分一人だけに特別なチャンスを与えているのではないことがはっきりした。

(なぜ彼はそんなことをするのだろうか)

あらたな疑問が湧いたが、その理由《わけ》を岩壁の途中で訊いているわけにもいかなかった。淑子が打ちこんだというハーケンを探したがそれらしきものは発見できなかった。

美佐子はやむなくハーケンを一枚打ちこんでそれにカラビナを掛けた。

彼女にとって、ハーケンを打ちこむことは容易なことではなかった。ハーケン一枚を打ちこむために、身体中の力を出しつくしてしまったような気持になることも珍しくはなかった。美佐子はそれまでに数え切れないほどのハーケンを岩壁に打ちこんだ。そしてその度ごとに女性であることの非力《ひりき》を思い知らされていたのである。腕にもっともっと力が欲しかった。ハーケンを打ちこむためだけの力ではなく、岩壁登攀に重要なのは腕全体の力だった。

狭いジェードル（凹角）に立って、手の平で岩の出張りを押えるようにしながらじりじりと岩壁の上方へ身体を持ち上げて行くには気が遠くなるほどの腕の力が必要だった。

「なんだその恰好は、駒井君だったら、そんなところは一呼吸《いき》つく間に登ってしまうぞ」

また佐久間の声が飛んだ。駒井淑子の名は、それから連続的に佐久間の口から発せられた。

彼の意図が奈辺《なへん》にあるかがはっきりして来るとその怒声は決して快いものではなかった。駒井淑子と自分との技術がしばしば比較されると、なにか自分が駒井淑子よりも数段と技倆《ぎりょう》が劣っているのを指摘されたようで悲しかった。

彼女は、全身から力を抜いて、下を見おろした。佐久間の顔が見えた。彼の激励の掛け声がときによると、ばかとかあほうとか、もっときたない言葉に変るのを、いままでの岩壁登攀練習の際に聞いていた。間もなく彼は最もきたない言葉で自分を叱《しか》るだろうと思った。

(おい、きさまは駒井君にくらべたら、月とすっぽんだ)

という言葉がとんで来たらどうしようか、その言葉は、佐久間の口先まで出かかっているようにさえ思われた。

「おいどうした。怖いのか、駒井君が簡単に乗り越えた、そんなちゃちなオーバーハングが乗り越えられないのか。きさま、まさかそんなところで、アブミを使おうなんて考えているのじゃあないだろうな」

その声を聞いたとき美佐子は涙をためた。淑子よりも劣ると云われた口惜《くや》しさの涙ではなかった。きさまと云われたからでもない。もともと佐久間は、岩壁においては男女を区別しなかった。きさまと呼ばれたことは何度かあった。その涙は彼が、わざわざ淑子をそこに持ち出して来て、美佐子の競争意識を煽《あお》り立てようとする、その浅はかな態度に対する抗議であった。

美佐子が淑子を意識しないと云えば嘘であった。淑子はよい競争相手だった。いい意味のライバルであったが、決してなにかの目的に向って競争している相手ではなかった。

美佐子の潤《うる》んだ目から雫《しずく》が落ちたが、佐久間にはひとことも云わずに、くるりともとの姿勢にもどって、岩壁に正対した。岩に手を掛けたとき全身が震えた。そして一気に目の上の岩を乗り越えた。

佐久間は美佐子のその姿を見上げたまま心の中で独りごとを云った。

(若林美佐子が限界以上の力を出すのは涙をためた直後だ。それは駒井淑子が激怒した直後におそるべきファイトを示すのと、なにか通ずるものがある)

佐久間は額の汗を手の甲で拭《ぬぐ》ってから怒鳴った。

「そっちじゃあない。もっと右だ。右に寄るんだ。そのくらいのことは教えられなくても自分で判断しなけりゃあだめだ。手もと足もとばかりに気をつけていりゃそれでいいってものではないぞ、ルートをまず頭の中で決めるのだ……」

そのとき、美佐子は身体を右側に移すのをやめて、じっとして待った。その次にきっと、淑子が引き合いに出されるだろうと思った。

しかし、佐久間は、それ以上のことは云わなかった。美佐子が示したささやかな抵抗がなんであるかが分ったからだった。

霧がかたまりとなって移動を始めた。その一つが谷底から昇って来て、二人の間を通り過ぎた。

美佐子の登攀が開始された。

(もしかすると佐久間さんは、淑子さんと岩壁に登るときは、若林君はどうのこうのと、私の名を引張り出して、激励するのではなかろうか)

そう考えると佐久間のあまりにも見え透いたやり方を笑いたくなるし、同時に、なぜそんなことをする必要があるのだろうかと不審に思うのである。

南稜《なんりよう》テラスから数えて三番目のテラスで彼女は佐久間と交替した。佐久間は、狭いリッジにまたがるようにして登って行った。霧は霽《は》れて日が照りつけて来た。湿っていた岩が急速に乾いて行く。

そこからのワンピッチは緊張の連続だった。岩場が終って草つきに出ても悪い岩場が続いた。

「草を信用するな、草と心中したくなければ絶対に草に手を掛けるな」

佐久間はヒステリックな声を飛ばして、登攀終了点ほど危険が多いことを警告した。

突然前が切れて青空がひろがった。そこからはもう彼等を遮《さえぎ》るものはなかった。登攀は終った。

一の倉尾根のササの中を歩きながら彼女は、谷川岳南稜を完登したのだと、何度となく自分に云い聞かせた。誰彼をかまわず、私は南稜を登ったのだと云いふらしたいような気持だった。

一の倉岳の頂上ではじめて長い休息を取った。彼女にとって、そこははじめての場所ではなかった。土合から西黒尾根を一般登山者と共に登って来て、通称のぞきから一の倉沢を見おろした時は恐怖を覚えた。しかし今の彼女には恐怖のひとかけらもなかった。一の倉の出合から、谷川岳の頂上までの高位差（ポテンシャル・ディファレンス）一、二〇〇メートルを自らの力で垂直方向に消却したことによる自信によって、高位差は体験の中に沈み、恐怖感は霧消した。充足感が全身にみなぎりわたり、青空に向って絶叫したい気持だった。

彼女はすべてを押えた。声も出さないし、顔色にもそれを出さなかった。もしそこに両親がいたならば、潤んでいる彼女の目を見て喜びの大きさを知ったであろうけれど、大事を成し遂げたあとの昂奮《こうふん》をひたすらおし隠すようにうつむいている姿勢からは、謙虚な沈黙以外のものは受け取ることはできなかった。

彼女は黙ったままルックザックの紐《ひも》を解き、弁当の包みを開いた。おにぎりが日に当った。どうぞと云うかわりに、そっくりそれを佐久間の前に持って行き、そのそばに水筒を置いた。

「すまないですなあ」

佐久間はおにぎりに手を出す前に水筒の栓をひねった。登攀の途中でかなりひどい言葉遣いをした佐久間が、すまないですなあと云ったとき、彼は岩壁の男でもリーダーでもなくなっていた。その変り方があまりにも現金過ぎた。威張った口をたたいていたほうが彼にふさわしいのだが、そうはしないで、すまないですなあ、と岩壁から突然娑婆《しゃば》に戻ったあたりに、佐久間の神経の細かさが窺《うかが》い取れた。

「じゃあいただきますよ」

彼はおにぎりに手を出した。

(なんて他人行儀のことを云うんでしょう、もし、ここにいるのが淑子さんだったら、きっと皮肉を云うに違いない)

そう思ったとき美佐子は上野を出てから初めて佐久間に対して口をきいた。

「なぜ、私と淑子さんだけを対象に特訓をするのですか」

特訓という言葉はジャグの会員仲間に使われていた。個人的弱点をおぎなうために特別に行われる練習を特訓と呼んでいた。

「二人にへんな癖をつけたくないからだ。ちゃんとした技術を教えこんで置かないとあとあと困ることになるからさ。岩場に少し馴《な》れて来ると、自分の力をためしたくなる。そしてそこに自己流が生れる。それが悪い癖となって固定化したときこそ危険だ。きみと駒井君がいい例だ。放って置くと二人は勝手気儘《きまま》な岩登りをやるだろう。一見進歩したように見えながら、実は非常に危険な方向へ突走って行くことになる。おれは二人を別々に特訓して、二人を一人前のクライマーに仕立て上げるつもりだ。その後で、二人にザイルパーティーになって貰《もら》う。おそらく、世界一の女性クライマーのパーティーの誕生ということになるだろう」

それから、どうしようっていうの、と美佐子は訊《き》きたかったが黙っていた。一流の女性クライマーに仕立て上げるのだという彼の言葉が美佐子にはいささか迷惑に聞えた。

(私は一流の女性登攀家になりたくてここに来ているのではないわ。私は岩壁に登ることが好きだからあなたに蹤《つ》いて来たのよ。登ればいいの。登れるように教えこんでいただいただけでいいのよ)

彼女はその気持を察してくれない佐久間の顔から目をそらして、空を見上げた。空いっぱいに巻雲《けんうん》が拡《ひろ》がっていた。青空を箒《ほうき》で掃いたような白い条痕《じょうこん》の末端が髪をカールしたように巻いていた。その巻雲の先端に目を止めた美佐子は、

(あの巻雲を、そのまま屈輪《くり》文様にしてみたい)

と思った。彼女は山日記の頁《ページ》を開いて、巻雲のスケッチを始めた。

「絵が上手なんだね」

「……」

「鎌倉彫をやっているんだってね」

「はい」

しかし、佐久間はそれ以上の質問はしなかった。

＊

淑子は久松教授の前に裁かれる者のように坐《すわ》ったままで、臨床講義のことを考えて

いた。出席して眺めているというふうには行かなかった。臨床講義の前に予習をして行かないと、臨床講義を上《うわ》の空で聞いてしまうことになるし、予習をして行っても、臨床講義の結果をちゃんとノートに整理して置かないと結局それは身につかなかった。

「五年生ともなると、もはや医者の卵とは云《い》いがたい。云うなれば医者の雛鳥《ひなどり》ですよ。もう直《す》ぐ一人前の医者として羽撃《はばた》く前の一年は特に身を入れて掛らねばなりませんね」

久松教授は眼鏡越しに淑子に云った。

彼女が持っていたノートにちょっと目を通したあとだった。よく整理してあるとも云わないし、もっとこまかい書き込みが必要だとも云わなかった。

久松教授は医学書のずらりと並んでいる書棚を背にしたまま、淑子に意見する姿勢を整えようとしているふうだった。

「淑子、お前はいい子だ。子供のときから素直で可愛《かわい》らしくて、そして利口だった。私は淑子のことならあなたのお母さんと同じぐらいよく知っているつもりなんですよ」

久松勝子は淑子の母の貴代と同級であった。卒業してそのまま母校の研究室に残り、現在では解剖学《かいぼうがく》の主任教授として教鞭《きょうべん》を取っていた。ずっと独身を通しているから実際の年齢よりは確実に十は若く見える。若い娘たちを相手にしているから若くていられるのだと彼女自身が云っているけれど、その若さは彼女の本来の性格から来たものであった。

明るすぎるくらい明るい性格の彼女は、学生たちに対して全身で当って行くような教育をしていた。彼女は厳しくてやさしい先生で通っていた。それは表現の誤りではなく、彼女の場合まさしく、厳しい面とやさしい面が対照的に存在していた。学生たちは、そのやさしい面を取らずに、厳しい面だけを取り上げて彼女に鬼の久松というニックネームを献上していた。

「ね、淑子、私たちの若いころ、わたしこのごろへんなのよ、っていう歌が流行したことがあるの、そのわたしをあなたに変えると、あなたこのごろへんなのよ、なんだかなんだかへんなのよ……」

久松は口の中で古い古い流行歌を歌った。

「私が山に凝り出したのがへんだって云いたいんでしょう先生は、その先は云わないでもちゃんと分っているわ」

淑子は母の貴代が自分のことを久松に告げ、登山に対して婉曲《えんきょく》にブレーキをかけようとしているのだと思った。

「そう、分っているの、それなら、親を心配させるようなことはやめたらいいでしょう」

「それがやめられないんです」

「なぜ」

「先生はいますぐ解剖学の教授をお辞めになって、町医者になれますか」

「話をそらしてはいけません、ひよこはひよこらしい口をきくものです」

そう云ってから久松教授は大きな声を上げて笑った。

「あなたに云ったって無駄よね、親の云うことをきかない娘が、大学の先生の云うことなんかきくものですか」

ねえと語尾を跳ね上げてから、

「それにしても、なんだって岩登りなんかに憂身《うきみ》をやつすようになったのでしょうね。あなたがたのような年頃の娘は、やれダンスだのデートだのと云って、結構楽しくやっているのに、なにも岩登りなんか」

「楽しいからだわ、それが私の心境をもっとも忠実に説明しているようだわ」

「岩登りってのは一歩々々に命を懸けるようなスポーツでしょう。そのスリルが楽しいというのは、少々へんね」

「私はそれ以上は説明しないことにしているんです。私の気持をよく説明できないし、説明しても相手に分らないからですわ」

「もっとも通俗的な云い方だが青春のはけ口を岩壁に求めるというわけね……ばかだねこの子は、こんなチャーミングな顔をして、こんないい身体《からだ》をしている癖に……。ねえ淑子、その日に焼けた顔を漂白して、ぴったり合ったピンクのスーツに身をかためて、ダンスパーティーにでも出てごらんなさい。若者たちが一ダースや二ダースたちどころにプロポーズして来るのにね」

その久松の言葉に淑子は微笑で答えながら云った。

「先生、もう帰ってもよろしいでしょうか」

「いやまだ帰ってはいけません、話が済んでいないからです。つまり、私は学業と趣味とのバランスを欠くようなことがあってはならないと云いたいのです」

「そんなことがあったでしょうか」

「ないからあってはならないと云っているのです」

「それなら御心配なく、学業は学業、山は山、ちゃんと割り切っているつもりです。念のために先生の引出しから、閻魔帳《えんまちよう》を出して、私の成績を確かめてごらんになれば、決して悪い成績でないことが分る筈《はず》です。先生に限らず、どの学科でも、私は上位の成績を取っているつもりです」

淑子は立ち上ると、深々と久松教授の前に頭を下げて研究室を出て行った。

淑子は自宅に帰ると、母に久松教授に呼ばれたことを告げた。

「それでなんて云われたの」

「わたしこのごろへんなのよっていう歌が、お母さんの若いころ流行したんですってね」

「そう、そんな歌がたしかあったわね、それで」

「それだけよ。それでおしまい」

淑子は食事が済むと彼女の自室にこもって勉強を始めた。

十時ごろ、ちょっと茶の間へ出て家族たちと共にお茶を飲んだあとは、山の本を読む。いつもそうとは決っていないが、勉強に飽きたときは躊躇《ちゅうちょ》せずに山の本に親しむ。その時間がその日で一番楽しいときである。十一時を過ぎると、二階の妹たちの部屋の灯が一つずつ消えて行く、母屋《おもや》の方の父母はまだ起きているらしい。彼女は雨戸を閉めてから押入れを開ける。山道具がぎっしりつまっているその奥に隠してある、バーベルを畳の上にころがし出す。そして足場のまわりをよく片づけて電灯を消す。

彼女は六畳の間で息をこらしてじっと外を窺う。二階の物音や、二階への階段の方へ耳をかたむける。

「うちには可愛いスパイがいるからね」

彼女は小さな声でひとりごとを云った。

可愛いスパイというのは妹たちのことであった。もし妹たちに見つかって、夜更《よふ》けにひそかにバーベルを持ち上げているなどということを父母に告げ口されたらたいへんなことになる。

「あの子たちったら、そういうことにはほんとうに敏感なんだから」

淑子はそれを口の中で云った。

バーベル上げが始まった。掛声はかけられない、声も出せない、足を踏んばり過ぎて、音を立てることも警戒しなければならない。彼女の部屋は階下にあったが夜更けての物音は遠くにまで届くものだ。妹たちにかぎつかれる可能性はある。

彼女はバーベルを天井に届きそうなくらいにさし上げては胸のあたりにおろしてまた突きあげるという動作を繰返した。汗が全身からふき出すのもかまわずそれを続ける。汗が目に入っても拭《ふ》かない。十分、二十分、三十分、もはやそれを持ち上げることができなくなったころには汗も出なくなる。

彼女はそこで一息入れる。汗を拭《ぬぐ》う。しかしそれで終ったのではなく、仕上げがまだ残っていた。バーベルを押入れの奥深くしまってから雨戸を音のしないようにそっと開けて、庭に跣《はだし》で降りた。母屋と彼女たち姉妹が住んでいる二階建の離れをつなぐ廊下の傍にヒマラヤスギの古木があった。

彼女はその下枝に飛びついた。両手でぶらさがってから、すぐ片手を離す、二秒、三秒、五秒、そう長く片手でぶら下っていることはできない。枝から落ちるとまた両手で飛びついては、片手でぶら下ろうとする。それを何回か繰返しているうちに、婆《ばあ》やの部屋の雨戸が開いた。婆やの姿は見えないけれど婆やの視線が感じられた。毎晩、日課の一つとしてやっていることだから、いつかは婆やに見つかるだろうと思っていた。見つかってもかまわない。婆やは自分の絶対的味方であると信じながら彼女はその動作を続けた。

「お嬢さま、それだけはお止《や》めになってくださいませ」

低い婆やの声で、うしろをふり向くと、いつの間にそこへやって来たのか婆やが立っていた。婆やは淑子の足もとに草履と足を拭くための雑巾《ぞうきん》を置くと、そこに膝《ひざ》まずいて更に云った。

「お嬢さまがなんのためにこのようなことを夜更けにこっそりなさっておられるのか

私にはよく分っております。だから私も今まで知らないふうをしておりましたが、毎夜、毎夜これが続くと、私の身体が持たなくなるのでとうとう、出しゃばった真似《まね》をいたしました」

「婆やの身体が持たないって、それはいったいどういうことなの」

淑子は婆やの前にしゃがみこんで云った。

「十日ほど前お嬢様の足音らしいものが聞えてやがて木の枝のしなう音がしたので、私は雨戸を細目に開けて外を見ました。なんとお嬢様が片手で木の枝にぶらさがっているじゃあありませんか。気の遠くなるほど驚きました。それというのも、その姿が私が子供のころ見た恐ろしい光景とそっくりだったからです。私はものも云えないほど寒くなって慄《ふる》え続けました。その夜は少女のころの怖い思い出で眠れませんでした。次の夜も夜更けになるとお嬢様の足音が聞え、木の枝のしなう音が聞えると、幼いころ、私の隣りに住んでいた老人が病苦から逃れるために庭の松の木に縄を掛けて首を吊《つ》った事件を思い出しました。その怖い眠られない夜が十日になります。これ以上続くと私は気がへんになるかもしれません、あの木に帯をかけて私自身が首を吊るかもしれません」

「婆や、おどかさないでよ。分った。やめるわ。別の方法を考えるわ」

淑子は婆やの肩を叩《たた》きながら云った。老人に心配させて気の毒なことをしたと思った。しかし夜更けの体操が禁止されたことは残念だった。それに代るべきものを探そうとしても直ぐに探し出せるものではなかった。

彼女は雑巾で足を拭き、婆やの揃《そろ》えてくれた草履をはいて自分の部屋に引きかえした。つめたい夜気の中から部屋に入ると、むし暑さを感ずる。誰もいないのに、その部屋に何人かの山友達がいるような感じだった。

電灯はつけず、しばらく雨戸は開けたままにして彼女は、自分の手で自分の腕を撫《な》でてみた。変化はなかった。男たちがやるように腕を手元に力をこめて引いてみても力瘤《ちからこぶ》は出なかった。夜更けの体操が婆やに見つかったのは十日前からだが、それまでに二十日はこの体操を続けていた。通算して約一カ月になるけれど、その効果がさっぱり上らないのはどういうわけだろうか。彼女は自らの手で自らの腕を叩いた。

(早く人並の腕力を持つようになりたい)

彼女は力瘤の出ない腕のあたりを撫でながら考えていた。人並とは男のようにという意味だった。

彼女はこの前の日曜日に佐久間と共に谷川岳烏帽子沢奥壁に登攀《とうはん》したときのことを思い出した。

烏帽子のスラブを登りつめたところで佐久間とザイルを組んだ。水に濡《ぬ》れた岩壁を登り真横に走る草つきのバンド（帯状に細長く続く狭い岩棚）を越えたあたりからチムニー（岩壁上に垂直に走っている煙突状の割れ目で、人が入れるぐらいのもの）状岩壁の登攀になる。それを出たところにオーバーハングがあった。フリクション（手懸りが少ない垂直に近い岩場で、身体を岩壁に密着させ、その摩擦抵抗を利用して、徐々に身体をずり上げて行く方法）だけでは乗り越せないような、かなり大きな出っぱりを持っていた。彼女はそこでもたついた。

〈そのオーバーハングが越えられないのか。だいたいきみはもともとお嬢さん育ちだから腕力がないのだ。それが越えられないようなら岩壁登攀なんかあきらめるのだな〉

佐久間のその怒鳴り声を彼女は腹立たしい気持で聞いた。なんとか云い返してやりたかったが、そのとおりだから、しようがなかった。

フリクションで乗り越えようといかに努力しても、彼女にはそれができなかった。手懸りになるような岩がなくても、両方の手の平で力いっぱい岩肌を押えつけると、岩角を握ったと同じような効果を発揮させる佐久間の登攀ぶりにはまだまだ追従できなかった。こんな場合は岩を押えこむ腕力によってきまるのだと彼女は思った。

彼女はそのオーバーハングをアブミを使って乗り越えた。

〈腕力が不足なんだ、若林君ならそんなところ、三ツ数えるうちに乗り越すだろうよ〉

佐久間が怒鳴った。

〈腕力をつければいいのでしょう〉

と淑子は我慢できなくなって怒鳴り返した。なにかというと若林美佐子を引合いに出してものを云いたがる佐久間に、子供じゃあるまいし、そんなことで、簡単に力が出るものかと云ってやりたかった。

烏帽子沢奥壁は浮石の多いところだった。

〈あほう。それは浮石だ〉

彼女が上部の石に手を伸ばそうとしたとき、佐久間が叫んだ。

〈目があるのかないのか、何を見ているのだ〉

そう云われてその石をよく見ると、それは岩の一部のように見えているが、既に岩壁からは剝離《はくり》しているただの石だった。

〈だいたいきみは、軽率だ。がむしゃらに登るだけが能ではない。よく周囲を見て登るのだ〉

その後で若林美佐子の登攀ぶりを引合いに出すかと思ったら、そこでは触れずに登攀が終って尾根に出たところで云った。

〈君はファイトだけで登ろうとする。だから君の登り方はスマートではない。若林君の登り方が美しいのは強いて岩にさからわないように、静かに静かに登るからだ〉

〈私にもっと女らしく登れと云《い》いたいのでしょう〉

〈違う。岩壁登攀には男らしさも女らしさもない。要はいかにして岩壁を理解するかということだ。それぞれの岩壁にはそれぞれの性格がある。それを理解する度合が、そのクライマーの技術の上手下手になるのだ。スマートな登攀ぶりを見せる人ほど、その岩壁の理解者ということになる〉

それに対して淑子は云い返す言葉がなかった。淑子の沈黙を佐久間は無言の抵抗と見たのか、その言葉を更に補足した。

〈まあ、そうあせることはない。岩壁の性格は経験を積み上げることによって自然に分るようになる。岩壁の性格が分って来るころには技術の方も上達する。ここで問題となるのは技術の下敷きとなるべき体力――いや腕力だ。女性クライマーの場合は、この腕力が足りないということが決定的なものになる〉

〈結局女は男について行けないっていうの〉

彼女は嚙《か》みつくように云った。

〈そのハンディキャップは或《あ》る程度、技術で克服できる。そう考えることだ〉

（そうだ。彼が持っている技術をすべて身につけることはできる。技術の点では彼と同等になれる。しかし、そのときにおいても尚《なお》、彼に対してけたはずれに非力であった場合は、教わった技術は生かされないことになる）

彼女はそのころになって、最終的に欲しいものは腕力であることを知った。

バーベルをシュラーフザックの中に入れて、こっそり部屋の中に持ち込んだのも、その腕力をつけるためだった。

（婆やに見つかった以上、木の枝にぶら下ることはできない。なにかその代用になるようなものはないかしら）

そんなことを考えているとドアをノックする音がした。この夜更けに……妹たちだなと思った。

「現場を婆やに押えられたらどうしようもないでしょう。で、これからどうするの姉さん」

妹たち二人は揃って入って来て云った。

「見ていたのね、悪い人たち……」

ひょっとしたらこの妹たちが婆やにこっそり知らせたのかもしれない、油断も隙《すき》もない妹たちだと思った。

「姉さん、私たちと取引きをしない？　姉さんの練習所を私たちが作る。そのかわり、姉さんは私たちに練習所の使用料兼、口止め料として月に金二千円を支払うこと、これでいいでしょう」

「なにをたくらんでいるのあなたたち……」

「二千円出しなさい。それで万事解決よ、安いものだと思うけれど」

妹たちはねえねえと顔を見合せた。

淑子は財布《さいふ》の中から千円札一枚を出して云った。

「これでいいんでしょう。いったいその場所はどこなのよ」

「けちだわ姉さんは、しかしまあ姉妹《きょうだい》のよしみで負けてやりましょうよ」

二人はそう云って、ドアを開けると、階段の上を指した。階段の上の柱に、赤いザイルが結びつけられ、その先が階段の下の廊下に真直《まっす》ぐ延びていた。階段の真下が物置になっていて、そこへ行くために、狭い廊下があった。妹たちはその構造に目をつけたのである。

「あ、そうか、なるほど、そのザイルの先にぶら下ればいいってわけね」

そうつぶやいた後で淑子は、そのザイルが彼女の押入れの中にあったものに間違いないことを確かめた。

「こら、あんたたち、だまって私の部屋に入ったのね」

そのとき、二人の妹たちは、乾いた笑い声を上げながら階段を駈《か》け上っていた。

(この分だとあのスパイたちは、私の押入れの中にバーベルが隠されていることも、知っているに違いない)

だが淑子は妹たちのおかげで、新しい練習所が発見できたことをたいへん喜んでいた。彼女はゆっくりと階段を登って柱に巻きつけてあるザイルをほどいてたぐり寄せた。

＊

若林美佐子の足は重かった。師の家が近づくにつれて彼女の気持もまた沈んで行った。屈輪彫《くりぼり》をやってみなさいと云われたのは六月だった。それから三カ月も経《た》っているのに、彫りに取掛ってはいなかった。文様がきまらないからだった。師の松磬はヒントが山にある筈だと云った。確かにそのヒントは六月の或る晴れた日のお昼ごろ、一の倉岳の頂上において天から与えられた。青空いっぱいに浮ぶ巻雲とその末端のカールはそのまま、屈輪彫に生かすことができた。しかし彼女はそれだけでは物足りなかった。百ほども図案を書いたが一つとして師の前に自信を持って持ち出せるようなものはなかった。

谷川岳にはウイークデーを利用して月に二度は出掛けていった。パートナーはきまって佐久間博だった。谷川岳の岩壁を次々と登り、登るたびに新しい技術を身につけていた。その激しくてスピーディな佐久間の特訓を受けながらも、彼女は暇があれば目を空に投げていた。屈輪文様のヒントとなるべき、より以上図形的な雲を探し続けた。しかし、一の倉岳の頂上で見たような雲は二度と現われなかった。

屈輪彫に一日も早くかかりたかった。しかし文様が決らなくてはどうしようもなかった。あせればあせるほど屈輪文様は彼女から遠のいて行くような気がした。

(私にはその才能がないのかもしれない)

そんなことをふと思った直後には、そのまま山へ直行したいほど山が恋しくなった。

佐久間の特訓を受けながら、彼女自身の内部では文様創作の特訓が続いていた。古来から伝えられている鎌倉彫の屈輪文様は余すことなく模写した。現代作家による屈輪文様もすべて研究し尽した。それらの基礎的文様の上に彼女自身の文様を創作することがいかに難かしいものかが日を経るに従って分って来る。他人が登った岩壁にはハーケンや埋め込みボルトが打込んであるから、そのルートを追って行くかぎりそうむずかしいことではないが、未登攀の岩壁は想像もできないほどの苦労をしないと登ることができないのと比較して考えていた。

彼女は岩壁登攀と屈輪文様の創作とを強いて結びつけて考えたくはなかったが、しかし岩壁登攀に熱中している彼女の中のもう一人の美佐子が岩壁登攀と同じように、屈輪文様に没頭して行く姿を無視できなかった。

師の前での朝の挨拶《あいさつ》がつらかった。その直後、

「屈輪文様はきまりましたか」

と師に訊《き》かれたとき返事ができなかった。

「まあいいさ、気に入ったものができるまで構想を練ることだ。他人の真似をやるより、すべて初めっから新しい発想で行くのもあなたらしい」

と松磬は云った。彼女はその言葉に甘えていた。屈輪彫をやってみろと云われたときから、彼女はその作品に全力を集中しようと思った。それが成功するかどうかが、自分の将来を卜《ぼく》するもののように思われた。彼女は松磬堂の仕事場の机の前に坐《すわ》って牡丹《ぼたん》、椿《つばき》、薔薇《ばら》などのありきたりの文様を彫りながら屈輪文様をあれこれと頭に描いていた。

「新しい文様はそう簡単に決るものではない、なにかの折に、ふとそれが頭の中に浮ぶ。その浮んでいる間に手早くそれを写し取るのだ」

さよならの挨拶をするとき、松磬はこのようなことを云った。考え続けなさいと云われるとそれが重荷になった。彼女は帰宅すると、すぐ二階の仕事場に上って、文様の創作に取りかかった。

二階は八畳二間続きで南に面して廊下があった。廊下を曲った北東の隅が便所になっていた。美佐子は二間のうち入口の一間を仕事場にあて、奥の間を寝室に当てていた。

彼女は内弟子ではなかったが、それに準ずるだけの技術を持っていたから、松磬堂に多量な注文があった場合はその仕事を手伝わねばならなかった。単純な文様の菓子皿だとか盆のようなものが多かった。下請け的な仕事だったが、それによってかなりの報酬を得ていた。山へ行く費用は勿論《もちろん》のこと小遣銭にも不自由はなかった。やろうとすればそういう仕事はいくらでもあったが、必要以上の仕事を持ちこんで来ることはなかった。松磬に頼むと云われると徹夜をしてもその仕事をやった。仕事が丁寧で間違いがなく、出来上りが立派だった。

彼女は屈輪文様のことはしばらく頭の外に置こうと思った。そればかり考えているといよいよ溝《みぞ》に落ちこんでしまうからであった。

夏が終った。鎌倉の海岸から海水浴客の姿が消えたころ続けて台風がやって来た。海水浴場はきれいになった。台風が去った朝、海岸をチビをつれて走った。犬を解き放し、砂浜を力いっぱい走ると汗が出た。彼女は砂浜に腰をおろして海の向うに目をやった。巻雲が浮んでいた。が、谷川岳の頂で見たものとは違って、その先端がカールしてはいなかった。波が高かった。台風の余波が白い牙《きば》を出して、おしよせていた。その三角波の波頭が岸近くになって巻き崩れるように落ちていくのを見て、彼女は一つのヒントを得た。巻雲のカールと波のカールを合一した文様はできないだろうかという着想だった。それを紙に書いてみたくなった。その朝は鎌倉山へ駈け登る予定だったが、それをやめて、最短距離を走り帰って二階の机に向った。

彼女は三時間ほど遅れて松磬堂の仕事場へ行った。

お早うございます、の挨拶のあとに彼女は、

「これでよろしいでしょうか」

と云って文様を書いた紙を師の前に置いた。彼女がお早うございます以外の言葉を使ったのが珍しかったので、松磬は彼女の顔を見てから文様を書いた紙を手もとに引きよせた。それは雲と波とが和合する図であった。雲は明らかに巻雲を示すもので、

繊細な巻雲の渦が次々とからまり合うように連なっている下に、明らかに怒濤《どとう》の波頭を思わせるような雄大な渦が立並んでいた。静と動とを屈輪文様で描いたとも云えたし、雲と波との戯《たわむ》れを神秘的に象徴化したとも云えた。新しい観点から発した屈輪文様で、過去の形式を脱しながら屈輪文様としての基礎的作法を忘れてはいなかった。

松磬は言葉を失ったようであった。咄嗟《とっさ》に言葉は出なかったが、感動は彼の表情を怒った顔にしていた。

「これは金牌《きんぱい》ものだ」

と一言云った。毎年、秋遅くになって鎌倉彫の新作展覧会があった。優等賞には金牌が贈られた。金牌は一つの場合も二つの場合もあったが、多くは既に巨匠と呼ばれている人のために用意されていた。松磬も金牌受賞者の一人だった。稀《まれ》には若い人がその賞を受けて一躍巨匠の中に加わることがあった。

「これは金牌もの以上だ」

と松磬は讃《ほ》めてから、

「あとは彫るだけだ」

と云った。松磬の顔に複雑な色が動いた。弟子の一人が師を乗り越えてずっと高いところに躍り出ようとしていることに対する喜びと、置き去りにされる者の悲しみを一つにまとめたような顔だった。それは言葉にはならなかった。彼女は彫りにかかった。松磬がときどき彼女の机の傍までやって来て注意を与えた。内弟子たちも交替でやって来て、彼女の創作ぶりに見入った。一般の弟子たちも、なにかその日は落ちつきを無くしていた。そっと遠くから彼女の方を眺めている者が多かった。

美佐子は昼食も摂《と》らずに彫り続けた。五時になると、彼女は仕掛けたものを和紙にくるんで箱に入れ、風呂敷《ふろしき》に包んで仕事机を離れた。

彫刻刀を入れた箱は家に一組と松磬堂の仕事場に一組置いてあった。

「ありがとうございます。では明日の朝にはちゃんと仕上げて持って参ります」

「なにも急ぐことはないのだ。むしろ時間をかけてやるべきだ」

松磬はそう云って送り出したが、心の中ではきっと一夜で仕上げて来るだろうと思っていた。脂《あぶら》が乗り切ったときは集中的な仕事をしたほうがいい、時には、三日も四日も掛る仕事が一日で出来上ることがある。松磬はそれを知っていた。

日頃美佐子は家人にも必要以外の口はきかなかった。だから家人は彼女の目の動きで気持を察した。美佐子の母の邦子は娘が思いつめたような目をしているのが気になった。

その日の朝からの経過を見て仕事に関係することだとは分っていたが、内容は分らなかった。邦子は二階への階段の下に立って耳をすませた。彫刻刀を取りかえるときに、ことりと小さい音がするのを確かめて、夫の公雄のところに戻って来て云った。

「あの子はなにか大作に取り組んだらしい」

「大作？　鎌倉彫のか」

公雄は二階を見上げて云った。

「二、三日前、松磐堂の奥さんに会ったとき、美佐子さんはそのうち、きっと大作を発表することになるでしょうと云っていたわ」

「大作ってどのくらい大きいのだ」

「ただの大小ではないの、芸術的価値の大小を云っているのよ」

「そうかあの子が……」

公雄はあとは云わずにしばらく新聞に目を向けていたが、突然、新聞紙を傍に置いて邦子に云った。

「テレビの音を高くするなよ、どうもお前はその癖があっていけない」

邦子は笑いながら頷《うなず》いた。テレビの音を高くしたがるのは公雄の方だった。その夫が、二階を気にしているのだ。

美佐子は彫り続けた。それだけに夢中になっていて他のことはすべて空白だった。十一時ごろ喉《のど》が乾いたから階下へ降りようとした。何時《いつ》の間に持って来たのか、盆の上にお茶の用意がされ、階段の上の踊り場に置いてあった。湯が魔法瓶《まほうびん》に入れてあった。

美佐子は母の好意を感謝した。階下はもう寝てしまったように静かだった。

彼女は夜の体操を始めた。鴨居《かもい》に両手をかけてぶら下り、身体《からだ》を左右に振って調子を取りながら手を移動させて行く練習だった。仕事場の八畳から隣りの八畳間を一周して来るのにはかなり時間を要した。そのままぶら下ると足が畳に触れるから、足を持ち上げ続けていなければならなかった。時々曲げている膝《ひざ》が壁に触れた。足が畳についてしまうこともあった。

「おい、妙な音がするぞ」

公雄は二階を見上げながら邦子に云った。

「美佐子が二階の廊下を歩く音よ」

「そうか。なにしろこの家は古いからな、昭和の初めに建てたというから少なくとも四十年は経っている。あちこちの造作がゆるんでいる」

二人の会話はそれで終った。十一時を過ぎたころ二階で物音がするのはこの夜に始まったことではなかった。もう数カ月も続いている。美佐子が腕を強くするために鴨居にぶら下っていることは公雄も邦子もうすうすは感付いていた。が、それを二人は口には出さなかった。

美佐子が山に熱を上げた結果、腕力を強化するための体操を家の中にまで持ちこんだとは考えたくなかった。もしも、そうしていることがはっきりしたら、止《や》めなさいと云《い》わねばならない。そのときの美佐子の悲しみに歪《ゆが》んだ顔を思うと、公雄も邦子も、そのことが云い出せないのである。

「時期が経てば静かになるでしょう」

と邦子はひとりごとのように云って天井を見上げた。彼女の頭の中で考えている時期というのは美佐子の結婚だった。結婚すれば、美佐子の山への執念はなくなるだろう。

翌朝、彼女は散歩には出なかった。一睡もしないのだからまだ夕べの続きだった。食事のとき、目が充血していることに、公雄も邦子も気づいていたが、なにも云わなかった。

美佐子は食事がすむとすぐ二階へ行って仕事机の前に坐った。昼食どきになって、邦子が呼びに上って行っても、彼女は返事をしなかった。

彼女はずっと彫り続けて、午後の四時頃ついにそれを完成した。彼女はそれを持って松磬堂へ出掛けた。さよならを云う時間に出て来た美佐子の顔を見て松磬はやったなと思った。

「どれ拝見しましょうか」

松磬は丁寧すぎるほどの言葉を使った。眼鏡をかけ直し、正坐《せいざ》して、その作品に対した。すばらしいできばえだった。彼は賞讃《しょうさん》のかわりに、唸《うな》りながらそれを見つめていた。内弟子たちが集まり、その周囲に弟子が集まった。

「讃めようがないな、こんな見事な屈輪彫は見たことがない」

と云った。

「これはいいものだ、直ぐ塗りに出そう。それから若林さん、この着想に連なる作品を他に二つ三つ彫ってみて下さい。秋の展覧会には一人一品と決っているけれど、そのすぐ後の新作展示即売会にはその制限はない。展覧会で賞を戴《いただ》ければ結構だが、実際はその後の新作展示即売会で勝負はきまるようなものだ。即売会は入札制になっている。そこでその人の作品に値がつけられることになる」

内弟子や弟子たちの中から溜息《ためいき》のようなものが流れた。おめでとうございます、とはやばや美佐子に云う者もいた。彼女はみんなの前で頭を下げ続けていた。口は固く閉じたままだった。

美佐子は製作に没頭した。屈輪文様は雲と波の結合のバリエーションとして幾通りかできた。どれ一つを取っても斬新《ざんしん》な感覚を生かした文様だった。

例によって佐久間から特訓の誘いがあったが、美佐子はそれをことわった。

「急にいそがしくなってここ一カ月ばかりは山へは行けません」

彼女はそれまでついぞ見られなかったような強い態度ではっきりと答えた。日曜日毎《ごと》に鷹取山、三ツ峠山、越沢バットレスなどで行われている練習パーティーにも出席しなかった。

山に行って、ひやりとする岩壁に手を置きたかった。しかしその山よりも熱中させるものがいま彼女の中にあった。坂道を走り出したら止らないような勢いで、岩壁に引きつけられていた彼女が、屈輪文様の虜《とりこ》になってしまったわけが彼女自身にもよく分らなかった。強いて云えば、仕事と趣味の相違であったが、鎌倉彫を生涯の仕事にするかどうかはまだ決めてなかった。

(私はあの雲を見たときから少しずつ考えが変ったのかもしれない)

彼女は危険な岩壁登攀《とうはん》を為《な》し遂げたあとに見たあの巻雲の中に新しい人生を発見したのだとも思った。

彼女は秋の展覧会には香合、その後の展示即売会に飾皿、盆、花器の三種類を出品した。

十一月の初めに展覧会があった。彼女の作品は金牌にも銀牌にもならなかったが、展示即売会に出した飾皿、盆、花器の三点は新人としては破格の値段がつけられて多くの人の目を牽《ひ》いた。

展覧会の終ったあと、松磬は彼女の出品作品「雲波形屈輪彫香合《くもなみがたくりぼりこうごう》」を持ち帰って来て彼女に渡しながら云った。

「これは賞こそ貰《もら》えなかったが、今秋の出品作品のうちでもっとも注目された作品だった。審査員の一人は当代稀に見るものとして推挙したが、いざ採点となると、期待通りのものは得られなかった。初めて出して、金牌、銀牌ではちと虫がよすぎるという感情が審査員全体に働いたのかもしれない」

松磬も審査員の一人だった。だから、自分の弟子を積極的に推すことはできなかったのが歯がゆかったと云った。

「だがあなたの作品は展示即売会での結果でも分るように、一般的には認められているのだからなにも云うことはない。これからは、あなたの思うとおりにやって行けばよいのです」

若林美磬《みけい》の名で展覧会に作品を出品した時点で、彼女は彫刻師として一人立ちしていた。美磬は師の松磬がつけた名前だった。美佐子は内弟子としての待遇を受けることになった。師の仕事が忙しいときは、それを手伝うが、そうでないときは、気儘《きまま》な仕事ができた。製品は松磬堂を通じて商品となった。収入は増えた。それは彼女と同年代のサラリーマンが得る所得の水準をはるかに越えるものだった。

＊

谷川岳マチガ沢出合でテントを張り終ったころ雨が降り出した。降り方が本格的だった。

「これじゃあ岩登りは無理だ」

と佐久間が云った。新人の訓練を目的としてのマチガ沢入りはどうやら天候に見放されたようだった。会員は二つのテントに分れて雨の音を聞いていた。夜行列車でやって来たから眠かった。雨が止むまで訓練が中止と決ると、そのまま膝を抱えこんで眠る者や、山の話をする者などそれぞれ勝手気ままにふるまっていた。

赤いテントには古手の会員が入り、緑のテントには新人会員が入っていた。

淑子と美佐子は赤いテントに入っていた。二人はジャグに入会して一年半にしかならないけれど、その猛烈な練習によってジャグの幹部級と見做《みな》してもさし支えないほどの登攀の実歴を積み上げていた。

「会長、お二人さんの特訓は終ったんですか」

と杉山文男が佐久間に訊いた。お二人さんと云ったとき、顔を並べて坐っている淑子と美佐子の方へ目をやった。

「終ってはいないさ、これから本格的にしごいてやるつもりだ」

「特訓じゃあなくて、会長が特権を行使しているのだと云っている会員もいます。とにかく毎週ウイークデーには若林さんと二人で、そして土曜、日曜には駒井さんと二人で出掛けるんだから、他の会員から見たら、特権行使だとしか思えませんね」

「そんなことを云う奴《やつ》はきさまだろう、きさま以外にそんなことを云う奴はジャグにはいないぞ」

佐久間はやり返して置いて、

「特訓でなくて特権だっていいじゃあないか、何故《なぜ》悪い」

と逆襲した。

「それはいけませんよ会長、この二人は、ジャグの花であって、会長の花ではない。もし特訓が必要なら、その希望者はいくらでもいます。なにも会長一人が特権をふり廻すことはないんです」

杉山は彼の意見に同意を求めるように、隣りの白瀬達也に目をやった。

「さあ、それはどうかな」

白瀬達也は一応は逃げて置いて、

「問題は特訓の成果如何《いかん》によりますね、成功しておればそれでよし、もし不充分な点があれば考え直すしかないでしょう」

不充分な点と云ったとき白瀬は淑子と美佐子の方に顔を向けていた。二人の意見を訊《き》きたいという顔だった。

淑子が云った。

「特訓は申し分なしよ、お陰様でどうやら岩壁というものが分るようになりました」

「同時に会長のすべてが分ったということでしょうね」

奥歯になにか挟《はさ》まったような杉山の云い方に淑子はすかさず答えた。

「当然ですわ、佐久間さんの岩壁におけるマナーはすべて分りました。しかし、佐久間さんのそれ以上の一般的性格は、杉山さんのそれのように簡単には分ってはおりません。分る必要もないんです。私たちは岩壁における触れ合いがすべてなんですから」

「つまりぼくが単純人間で、会長が深みのある人間だって云うことでしょうか」

「はっきり云えばそうです。だいたい杉山さん、あなたの云い方は不明瞭《ふめいりよう》であるばかりでなく多くの中傷と嫉視《しつし》に満ちています。特訓の中に、なんかが隠されているような云い方は卑劣です」

杉山は淑子の早口の反発に会うとひとたまりもなく降参した。いまさら、すみませんでしたとも云えずに下を向いたままかしこまっている姿は滑稽《こつけい》でもあった。

「会員の中には色々の批判もあるだろう。しかし、おれがこの夏実行した特訓は確かに実《じつ》があったと思っている。二人の登攀技術は素直に伸びた。おそらく女性クライマーと云われている誰にも負けないだけの実力をつけた。考えられないような急速な進歩だった。教えているおれが、この二人に対して末恐ろしいような期待を持ったほど、二人はぐんぐん伸びて行った」

佐久間が真面目《まじめ》な顔で云ったので、それまでの空気ががらりと変って、その次に佐久間がなにを云うかを、テントの中の全員が待った。

「末恐ろしいような期待とは、若林君と駒井君が二人だけでザイルを組んだときのことを云っているのだ。それが日本の岩壁かヨーロッパの岩壁かヒマラヤの岩壁かは分らないことだが、二人が組んだら、世界中の人があっというようなことをやるのではないか――これは期待ではなくて、実感として、おれの胸の中に迫って来るのだ」

　佐久間が静かな調子で云った。

「おやおや、私たちずいぶんと買いかぶられたことね、なにか怖いみたいだわ、強引に吊《っ》り上げられて突然落されるのではないでしょうか」

　ねえと淑子は美佐子の同意を求めた。美佐子はそれに目で笑って答えていた。

「これからも特訓は続けるけれど、いままでとは違ったものになるだろう、おれとだけ組んで登っていると、他の人とは組めなくなる。ほんとうのクライマーはどんなへぼと組んでも、ちゃんと最後までやり通すものだ。これから積雪期になるから、その間は鷹取山か越沢バットレスで新しい技術を身につけて貰って、来春からは、希望する相手と組んでみるのもよいだろう」

　佐久間は云った。

「そういうことなら、ぼくは来春早々お二人さんとザイルを組んで一の倉沢に入る最初のへぼになりましょう。よろしくお願いします」

　杉山は二人に向って頭を下げた。笑いがテント内に湧《わ》き上った。

　昼近くなってからいくらか小降りになった。テントで暇を持て余していた何人かが外に飛び出した。

「あいつらがマムシ岩で軽くしごいて貰いたいらしいですよ」

外に出た杉山が帰って来て佐久間に云った。あいつ等と云ったとき彼はテントの外を指していた。窮屈なテントの中でやり切れなくなっていた人たちはその言葉に救われたように外に飛び出した。

いくらか明るくなったようだけれど、上空の雲は切れても動いてもいなかった。マチガ沢は煙っていて沢の存在すら明らかではなかった。

マムシ岩は旧道に面していた。巨大な蝦蟇《がま》が蹲《うずくま》ったような形の岩でマムシを想像させるものはどこにもなかった。高さ一〇メートルほどの岩が雨に濡れて光っていた。既にその岩に登りかけている者がいた。素人《しろうと》には登れない程度の角度を持ったスラブ状の岩壁だった。よく見ると、ところどころにハーケンが打ってあった。手垢《てあか》で光っているのは、マチガ沢の出合でキャンプする登山者たちが暇つぶしと足馴《な》らしを兼ねてちょいちょい登るからだった。岩壁の上部にはっきりと目立つほどのレリーフが埋め込んであった。裸身の女性が横向きに足を投げ出して坐《すわ》り、両手で体重を支えながら天を仰ぎ、その長い髪が垂直に延びていた。具象的な構図で、そのあたりにあるどのレリーフに比較してもずば抜けて美しく気品があった。

「若き魄《たましい》のために　横浜国立大学山岳部」と記されていた。二十年ほど前に遭難死した山岳部員のために取付けられたものであった。

「ようし、一人ずつ登って行ってあのヴィーナスに挨拶《あいさつ》して来い」

と佐久間が云った。ヴィーナスというのは、そのレリーフの中の裸像の愛称だった。あやしげな腰つきで一人ずつその岩を登って行った。乾いているときは、それほどむずかしい岩ではなかったが、雨に濡《ぬ》れるとそう簡単ではなかった。途中で引き返す者があったり、滑落する者もあった。

「出番ですよ杉山さん」

と新人に云われて、杉山文男が、登って行った。いやあ、これは滑るぞ、うまくないなあなどと云いながら、彼はたいして苦労することもなくレリーフに達し、ヴィーナスの胸部に触れておりて来た。拍手が起った。

「お次は駒井さんの番ですよ」

と杉山はおどけた調子でバトンタッチした。淑子は、既にその時は岩に片足を掛けていた。彼女のバランスはよかった。苦もなく、レリーフの位置に達した彼女は、その裸像の投げ出した足の先端に触れた。

「こうなると、新人たちはどうしても、若林さんの登攀ぶりを拝見したくなるというもの……」

杉山はみんなから少し離れたところでマムシ岩を見上げている美佐子の手を引張って来た。彼女は笑いながら、

（お遊びよ、みなさん）

というふうな目を仲間に向けてから岩に取りついた。淑子と同じようにバランスがよかったが、やや歩幅が短かかった。岩が濡れているのを勘定に入れているようだった。

彼女はレリーフの前で身体《からだ》を安定させてからしばらく裸像に見入った後で髪の先端にちょっと触れた。

彼女と入れ違いに佐久間が登った。彼はヴィーナスの前で、半身に構えながら仲間たちに云った。

「見たかお前たち。駒井君はヴィーナスの足先に触れた。若林君は髪の先端に触れた。ところが他の連中と来たらどうだ、揃いも揃って、ここに触れている、お前たちばかりではない、このヴィーナスに挨拶に登って来る奴等のすべてはここに触れるのだ」

彼は裸像の胸部を指して云った。彼が云うとおり、裸像の胸部のふくらみの部分だけが磨き上げられたように光っていた。その暗い沢の陰湿な岩場において、そこだけが金色に輝いているのは不思議な光景でもあった。

「それがどうしたっていうんです」

　新人の一人が口を出した。

「つまり、きさまたちは平凡人間だってことだ。人真似《ひとまね》以上のことはやろうともしないし、できないっていうことだ」

　佐久間が投げかけたその言葉を杉山が受止めた。

「そうです会長、私は平凡なクライマーです。しかし、ぼくらの山岳会から、世界的な山のヴィーナスを生み出すためには、そのパーティーのメンバーとして何人かの平凡なクライマーが必要になるでしょう。私は喜んでその役を引き受けます」

　杉山の声は岩壁に向って絶叫しているようだった。

　一時小止《こや》みになっていた雨がまた激しい勢いで降り出した。

第四章 白衣を着た巨人

窓から見た空は青かった。昨夜の豪雨の名残りらしいものはどこにもなく、乾いた風が吹いていた。大学付属病院の窓からこんなに美しい空を見たことは初めてだった。

(秋が来たのだわ)

淑子《としこ》が、天気の移り変りに人一倍敏感になったのは山へ行くようになって以来のことであり、山に熱が入れば入るほど天気のことが気になった。ラジオの気象実況を聞きながら彼女自身で引いた天気図の枚数が増えるのに比例して、天気に対する勘は鋭くなって行った。気象庁はまだ秋の気圧配置になったとは発表していないけれど、彼女は昨夜通過した低気圧の後を追うように張り出して来た高気圧と、肌に感ずる乾いた空気から秋が来たことを確認していた。

「早いものです。もう一年経《た》ちました」

その言葉が耳に入ったとき、彼女は危うく、はいと返事をしそうになって、そっちを見た。そう云《い》ったのは患者に付添っている人の口から出たものだった。おそらく付添いはその患者が入院してはや一年になると云ったのだろう。そのようなありふれた言葉になぜ共感を示そうとしたのだろうか。一年前というと丁度五年生の秋になる。確かに去年の秋から現在に至るまでの時間経過はいままでになく速かったような気がする。六年生は医大生としては最終学年だった。来年の三月には国家試験を受けることになる。その終着駅に向って急ぐ経過が速いという感じになるのだろうか。六年生になると病院実習と臨床講義がほとんどだった。白衣を着ている時間の方が多かった。部活動はすべて後輩に譲って、ひたすら医師となるべき道を走っていた。ゆっくり歩けばよいのに走るのだ。走らないといけないような錯覚にとらわれているのかもしれない。だから時が経つのを速く感ずる。彼女はそんなことをふと考えた。

教授の後を彼女等実習生はついて歩いた。その病室を出たところで、彼女等の日課の一つに区切りがついた。

淑子は病院を出た。病院と大学との中間の道路には自動車がひしめき合っていた。彼女はまた空を見上げた。こんな青い空が一年のうちに何回あるであろうかと思った。しかしその空に見入っているうちに、ふと山の中で青空を見上げているような気になった。山へ行けば何時《いつ》でも見られる青空を、東京ではなにかの異常現象のように見上げねばならないのがせつなかった。

目を車道にやると自動車の混み方はやや落ちついていた。彼女はゆっくりと横断した。大学の構内に入ると、病院内とは打って変ったように静かになる。

彼女は九階建の校舎をまぶしそうに見上げてから、その中へ足を進めた。六階でエレベーターを降りて、図書室の方へ行こうとするとき、廊下で話し合っている二人の若い女性の会話が耳に入った。

「四時に夫婦の像の前で集まりましょうよ」

「そうね、じゃあ――」

二人は互いに手を挙げて別れて行った。

(ずいぶん乱暴な言葉を使うひとたちだわね)

彼女は後輩の後姿を目で追いながらそんなことを考えた。後輩たちがひょいと口にした夫婦の像というのは、大講堂の中にある、大学の創立者、横岡早苗夫妻の胸像であることは間違いなかった。淑子たちも、その像の前をしばしば集合の場所としたことはあった。だが夫婦の像などと不謹慎な呼び方はしなかった。早苗先生の像とか横岡先生夫妻の像というように呼んでいた。それが当り前であって、それ以外に呼びようはなかった。だが今耳にした言葉には横岡という姓もないし早苗という名もなかった。大学創立者夫妻の像は単なるカップルとして通用しているに過ぎなかった。

「どうかしたの、駒井さん」

うしろから呼びかけられて、淑子ははっとした。後輩が夫婦の像と云ったことにこだわっていたのだ。なぜそんなことを気にしたのか自分にも分らない。ほんのしばらくだったが、自分自身を忘れたように廊下に突立っていたそんな姿を同級生に見られて恥ずかしかった。

「どうかしたように見えて？」

淑子は同級生の諸原《もろはら》雅子に訊《き》いた。

「なにかへんよ」

「ちょっと驚いただけよ。あの人たちったら、早苗先生の像のことを、夫婦の像って大きな声で云っていたのよ、四時に夫婦の像のところで集まろうって……」

「一年生か二年生でしょう、そういうことを云うのは。速い速度で時代が変って行くのよ。私たちとあの人たちとの間には、それだけの時間的ギャップがあるということよ」

「あり過ぎるわ、それ」

と云いかけて淑子は、そのことにはそれ以上触れずに、

「諸原さん、私を探していたんですってね」

「そうよ、あなたにどうしても、メンバーに加わっていただきたいのよ」

諸原雅子はそう云ってから図書室の方を指して、目で用があるのかと訊いた。

「図書室の方はあとでもいいの、そのメンバーっていうのはなにかしら」

「夫婦の像の前で話しましょうか」

諸原雅子はおどけた調子でそう云うとエレベーターの入口のボタンを押した。

講堂に入ったとき淑子は天井を見上げて静かな調子で云った。

「私は母校のあらゆる施設の中で、もっともすばらしいものはこの講堂だと思うのよ。この高い天井を山の頂にたとえたとしたら、天井の赤と白のまだら模様は雪に溶けこむモルゲンロート（朝焼け）の輝きだし、それと対照的に、白と黒とを折半した床の飾りは、雪と岩によって代表される山肌のようだわ」

淑子は天井から床の上に視線を落しながら云った。

「そう云えばそうね、でもあなたに云われるまで私はこの講堂の天井と床のコントラストなんか考えたことはなかったわ。あなたは審美眼があるのね、或《ある》いはこの大学へ来たことが間違っていたかもしれない」

雅子は最後の方は低い声で云ったが突然声を高くして、

「分った。あなたが山へなぜ行くか分ったわ。あなたは山があるから山へ行くのではなくて、山に存在するあらゆる美しさを吸収するために行くのだわ、ね、そうなんでしょう」

雅子が真顔になってそう云ったので淑子のほうが面喰《めんくら》った。

「そんなに、そんなに簡単にものごとに結論はつけられないわ。たしかに、あなたがいま云ったようなこともあるけれど、私が山にあこがれるのは、それだけではないわ」

「そうでしょうね、ものごとを手取り早く、しかも単純に片づけようとすると、横岡先生夫妻の像が夫婦の像になってしまいもするし、講堂の天井が白く塗りつぶされ、床には模様すら無くなってしまうようなことになりかねないわね」

雅子は妙にしんみりした調子でそう云うと、持っていた書類入れの中から一枚の紙片を出して淑子に渡した。

バルビタル系睡眠剤の性別及び年齢別効果の研究

駒井淑子
諸原雅子

橋辺《はしべ》英子
渡《わたり》　智子
指導　小藤良友教授

「これはどういうことなの」

「そういうことなのよ。小藤先生が研究テーマとメンバーを選んで下さったということ。研究期間は三カ月間、三カ月の間には結論が出る筈《はず》だっておっしゃっていたわ」

「同じような研究を他の人たちにも……」

与えたのかと訊こうとすると、雅子は首を横に振りながら云った。

「薬学に興味を持っているような学生を選んだという小藤先生の言葉の裏を返して考えると、薬学関係学科の成績の優秀な者を選んだということらしいわね。特に駒井さんは抜群の成績だったからピックアップされたのでしょう」

「いやねえ」

「研究がいやなの？」

「そのピックアップっていうことばよ、もっと適当な言葉はないかしら」

「では六十人の学生の中から、優秀なるもの一人を選抜し、その補助として三人を追加した――これならどう」

「尚《なお》、いけないわ、あなた方はともかく、私はけっして抜群の成績など取ってはいないわ。もし選ばれた理由を強いて探せば、やはり私が薬学に興味を持っていたからでしょう。私が、小藤先生にあれこれとうるさい質問をぶっつけたから名を覚えられてしまったということなんでしょう」

淑子はあとの方を強調した。

「勿論《もちろん》、オーケーでしょうね」

「反対する理由もなさそうだし、でもね」

淑子はその研究のメンバーに選ばれたことを名誉なことだと思った。ぜひやってみたいけれど、その研究の深さがどれほどのものか、また研究そのものより、それに影響される部分について知りたかった。つまり彼女は研究はしたいけれど、それがために休日まで返上してしまうようなことがありはしないかと思ったのである。意識の底には山があった。山が彼女の中に占めている位置はゆるがすことはできなかった。休日は山で過したい。

「でもねって、なによ」

「その研究、始めたら昼夜兼行、休みなしってことになるのかしら」

「そんなことないでしょう。休日なしの研究なんて困るわ、もしそんなだったら、私は真先におりてしまうわ、私は休日にはいろいろと忙しいのよ」

諸原雅子はそう云って笑った。

「では午後四時、小藤先生の研究室に集まること」

そして雅子は別れるとき、

「あなたにメンバーになっていただいたからにはこの研究は成功よ」

と云った。

＊

四人のメンバーによる研究という名の車は、スタートしたその日から軽快な音を立てて走り出していた。

それは四人乗りの車であって、その中の一人を欠いても走ることのできない車であった。共同研究のチームワークにいささかなりとも乱れがあると車は脱線しかねないし、もしも停車したら再び動かすことは困難のように思われた。

淑子はそのチームワークのあり方が登山のそれと似ていることに気がついていた。登山におけるチームワークの失敗は直接死につながることがあったが、この研究の場合は、そういうことはないかわりに、もし途中で研究を放棄したら、医学にたずさわるものとして生涯、その方面の人に顔向けならないことになるおそれがあった。四人のメンバーによって始められた研究は同級生六十人が注視しているばかりでなく、大学内の研究機関が多かれ少なかれ関係を持つことになるのだから、研究の成否は彼女たち四人の将来をも決定づけるほどの意味を持っていた。しかし、その研究を始めたころの四人は、それほど重大なことに考えてはいなかった。小藤教授が学生たちに与えてくれた云わば教材的研究のようなつもりでいたのだった。

「この研究が完成次第、英文の論文として纒《まと》めて日本薬学会誌に発表する予定です」と小藤教授に云われたときも彼女等はそれは、教授が彼女等を激励するための言葉の飾りであって、結果的には小藤教授が論文をまとめるのだから、彼女等は助手として教授に云われたとおりのことをしていればよいのだろうと考えていた。しかし研究に入ると、その仕事が単なる助手的なものではなく、彼女たちの役割は、小藤教授という大船長の乗る研究船に乗った一等航海士や一等機関士のような役割を負わされていることを知るに及んで、その責任の重さに溜息《ためいき》をついた。

研究はバルビタル系の睡眠剤をネズミのオスとメスに注射して、歩行失調（ataxia）の時間と睡眠時間を計測する仕事から始まったが、測定誤差を無くするために、多くのネズミを用いることや、そのネズミの体重を測定して、体重に比例した注射薬液量を決定するなど、基礎的なことが非常に多かった。

被実験体の状態を均一にするには、ネズミたちに実験開始前、共通した生活環境を与えねばならないし、一度注射をしたら、その瞬間から、そのネズミの観察を始めなければならなかった。

「問題は睡眠剤に対して、性別や年齢がどのように影響するかということではあるが、その結論を導くために、考えられるあらゆる場合を想定して比較実験を為《な》さねばならない」

と小藤教授は云《い》った。そして、

「その考え得るあらゆる場合がなんであるかはきみたちが考えることである」

研究の大方針を小藤教授は示したけれど、細かい部分については、彼女等の独創性を生かせということであった。

四人は研究を始めた当初において、充分にディスカッションした。四人の意見が一致したところで、小藤教授に相談してから実験にかかることにした。

四人は六年生であった。病院実習もあるし臨床講義もあった。朝から晩まで研究室に閉じこもって、ネズミを観察しているわけには行かなかった。そのやり繰りがむずかしかったが、このような場合にこそ、共同研究のためのチームワークの力が発揮できた。

その朝淑子は八時に大学の研究室にやって来た。既に十日間連続的に睡眠剤を注射している十二匹のネズミに更に注射を続行するためだった。

人が近づくと急に動きが活発になるネズミの収容籠《かご》の中で十七号だけが静かだった。十七号のネズミは籠の隅にうずくまるようにして死んでいた。指を触れて見て十七号の死を確かめたとき彼女ははっとして、しばらくはそのネズミの死体を見詰めていた。

「可哀《かわい》そうに……」

彼女はそう云ってから、生き残っている十一匹のネズミに皮下注射をした。注射が終った後で彼女は十七号を解剖した。可哀そうだという気持はもう無くなっていたが、その朝にかぎってネズミの死に心を動かされた自分がおかしかった。

十七号を解剖した結果、これと云って異常は認められなかったが、腎臓《じんぞう》がやや肥大しているように思われた。健康な状態のネズミと一対一で比較しなければはっきりとは断定はできなかったが、そのように思われてならなかった。彼女は、その結果と処置について、他の三人に相談した。

「睡眠剤が臓器に直接影響するとすれば、まず肝臓、腎臓、副腎などが考えられるけれど、その問題をこの研究ではどのようにして扱いましょうか」

三人はそろってたいへんだなあという顔をした。臓器の一つ一つについて、睡眠剤の影響を確かめることは、それまでのように、歩行不能の時間や、睡眠時間の計測のように簡単ではなかった。

「面倒だけれどもやらねばならないでしょう」

誰も発言しないから淑子が半ばひとりごとのように云った。

「なにかいい方法があるの」

雅子が訊いた。

「それは……」

と云いかけて淑子は口を閉じた。研究には違いないけれど、それを云い出すのになんとなく気が引けた。

「実験が終った時点でネズミを腑分《ふわ》けして、それぞれの臓器を測定して絶対値を比較するってことでしょう」

諸原雅子は、腑分けなどという古典的な言葉をわざと使った。それについて特にこだわってはいないようだった。他の二人もそれに賛成した。

淑子は雅子が自分の考えを代弁してくれたのでほっとした。それにしても、雅子の云ったことがなぜ云えなかったのだろうか。実験後に実験に供したネズミを解剖するということになぜこだわっているのか自分でもよく分らなかった。

（今朝の私はすこうしどうかしている。医学の研究者としての冷静さを失って、ネズミに憐憫《れんびん》の情を抱いているというのであろうか。十七号の死がいったいどうしたというのだ）

　彼女は黙ってみんなの云うことを聞いていた。雅子の主張がほぼ通って、実験後にネズミは解剖され臓器の重さが測定されることになった。

「十一月までにはすべてを済ませましょうよ」

　雅子が云った。

　十一月という言葉が耳に入ったとき淑子は山を想《おも》った。雪が降る前の晩秋の山はすばらしい。

　山には薬品の匂《にお》いはなかった。注射針のするどさもなかった。しかし死は常に手の届くところにあった。山における死を考えたとき彼女は数日前の日曜日に奥多摩の葛籠岩《つづらいわ》の岩壁で起った悲惨な事故を思い出した。既存ハーケンを信用しすぎたがために起った事故であった。ザイルを固く握りしめたまま墜死した若い男は、岩壁登攀《とうはん》を始めたばかりだということだった。淑子等のパーティーとは全然関係がないことだったが、事故が起ると同時に、葛籠岩にいたパーティーの総《すべ》ては練習を中止した。

〈どうも「黒いクモ」が現われるとろくなことはない〉

とその時白瀬達也が云った。

〈ばかなことを云うな、「黒いクモ」と今日の遭難とはなんの関係もないことだ〉

と佐久間博がすぐにたしなめた。

〈そうだ「黒いクモ」と今日の遭難とはなんの関係もない。しかしおれは、「黒いクモ」が現われた直後に起きた遭難を三度もこの目で見ているのだ。第一回目は三ツ峠山の岩壁だった。その時は大怪我《おおけが》をしただけで命は助かった。第二回目の金比羅山の越沢《こいざわ》バットレスでは即死だ。そして三回目が今日だ〉

白瀬は吐き捨てるように云った。

淑子が「黒いクモ」を見たのはその日が初めてだった。

〈おい「黒いクモ」が来ているぜ〉

とジャグの会員が話しているのを聞いて、葛籠岩の頂上に眼をやると、黒いベレー帽に黒シャツ、黒いニッカズボンに黒のストッキングという黒ずくめの男が、岩壁を懸垂下降しているところだった。一本の赤いザイルにすがって降りて来る彼の姿は、まさしく糸を伝わって降りて来るクモの姿そのままだった。岩壁登攀者のスタイルとして一時期、襤褸《ぼろ》スタイルが流行した。つぎだらけのチョッキやズボンを身につけていないと一流のロッククライマーとして扱われないことがあった。だから、わざと服をよごしたり破ったりして、見せかけの貫禄《かんろく》をつけようとした者もあった。しかしそういう時期は間もなく過ぎて、その反動のように、非常に派手な服装が流行した。真赤なチョッキだとか、セーターなどがよく使われた。登攀スタイルの流行もやがて落着いて現在では特にこれと云ったような傾向は見出《みいだ》せないが、部分的な流行は依然として存在するし、流行に関係なく個人的趣味によって独特なスタイルを続けているクライマーも僅《わず》かながらいた。「黒いクモ」はその一人であった。彼は黒ずくめの服装と、独自な登攀方法によって、その名が知られていた。彼は単独登攀しかしなかった。しかも目ざした岩壁があると、一般ルートを歩いて、その岩壁の頂に出て、懸垂下降によってその岩壁を取りつき点まで下降し、岩場の状態によってはそのまま消えてしまうこともあるし、改めて登攀に取り掛ることもあった。

彼の名は「黒いクモ」で通っていた。彼の姓名を知っている者はほとんどいなかった。他人との交際はなく、風のように岩壁の頂に現われ、それ「黒いクモ」が現われたと見る間に岩壁をほんもののクモそっくりに降りて来るのである。「黒いクモ」は登攀よりも懸垂下降を楽しむために岩壁に現われるのではないかと云う人があるくらい、彼の下降技術は卓越していた。

その日淑子が見た「黒いクモ」は、高さ四〇メートルの硅岩《けいがん》の岩壁を見事なフォームで懸垂下降をして見せてから、すぐ中の峰岩壁に取りついて、かなり速い速度で岩壁を登り切った。「黒いクモ」の姿が岩壁から消えて間もなくその隣りの西の峰の岩壁で墜落事故が起きたのである。

〈「黒いクモ」が現われたから遭難が起きたなんて考えちゃあいけないぜ、それこそナンセンスだ〉

佐久間博は淑子とその周囲にいた新人に向って云ったが、彼女はその言葉は特に自分に向って発せられたように思えてならなかった。それとなく若林美佐子の顔を見ると彼女もかなりの緊張を見せていた。それは目の当《ま》りに見た遭難によって受けたショックのようでもあった。

〈「黒いクモ」の山歴をもっとくわしく話してちょうだい〉

と彼女は佐久間に云った。

〈知らねえな、「黒いクモ」は「黒いクモ」でいいではないか、それ以上知ることもあるまい〉

そう云われてみればそうである。「黒いクモ」のことより、目の前で、遭難が起り、その血塗られた岩壁からいっせいにクライマーたちが去ったという事実こそ重大なことで、「黒いクモ」そのものの存在は二義的のものであった。たとえ「黒いクモ」が現われた直後に遭難が起るような事実が続いたとしてもそれは偶然以外に考えようはなかった。

「ちょっと駒井さん、どうしたの、元気ないじゃあないの」

諸原雅子にそう云われて、淑子は、目を研究室の窓の外に向けたまま、机の前に坐《すわ》っている自分に気がついた。

「元気ないように見えて」

「見えるわよ、なにかこう淋《さび》しそう」

「さては……」

と橋辺英子が云った。

「私だって淋しいわ、秋だもの」

と渡智子が云った。四人は同時に笑い、そして同時に真面目《まじめ》な顔になって、データの整理に向った。

淑子は、データをグラフに書き込みながら、十七号のネズミの死について研究日誌に記録するのを忘れていたことに気がついた。

彼女は研究日誌の頁《ページ》を開いて、日付を書き、そして十七号のメスネズミが死んでいたことと、解剖についての所見を書き加え、同じ研究メンバーたちの意見を書き添えた。書き終ったとき彼女は、諸原雅子に元気がないと云われたわけがなんであったかをはっきり知った。

(私は十七号の死とこの前の日曜日に葛籠岩で起った死とを結びつけて考えていたのだわ)

ネズミの死と人の死を結びつけたのは「黒いクモ」かもしれない。「黒いクモ」が葛籠岩壁をほとんど等速度で下降してその終着点に達するまでの姿は人間業とも思えぬほどの自然さの中に充分な気取りを用意していた。しかし華麗な離れ業の過程の中に彼女は何等かの矛盾を感じた。上手すぎるのが不安を呼んだ。そして、その直後にあの事故が起きたのだ。

「ファインプレイってのは一種のごまかしかもしれない。ファインプレイでないよりもある方が死につながるケースはよりプラスに考えられるべきである」

淑子のその言葉は他の三人の手を止めた。彼女等は、淑子が云ったことを訊《き》き返す前に、彼女がなぜそのようなまわりくどいことを口にしたかを考えているようだった。

「つまり、研究過程において上手すぎる整理というのは一種のごまかしに通ずるおそれがあるってことでしょう。勿論《もちろん》そうよ、見掛けが立派になることだけを考えて体裁をつくろっていたら、本質的なものを見失ってしまう、死とはつまり研究の失敗ってことでしょう?」

諸原雅子が云った。それに同調するような言葉が次々と出た。

淑子は自分が云ったことの意味がほんとうはなんであったかを説明しようとはしなかった。ただ、この朝にかぎって、山のことがなぜこのように仕事の中に食いこんで来るのかそれを考えていた。彼女は山は山、学業は学業とはっきり区別していた。父にも母にも、久松教授にもそのことは言明していた。なによりも自分自身の心の中にそのことだけははっきりと刻みこんでいた筈《はず》であった。当面は医師になることだが、将来は医学者の道を登りつめたかった。その理想と山とは別個のものだった。山は趣味であった。ただ、他の人と比較して、彼女の場合、趣味としての山の分野に熱が入りすぎているだけのことであった。しかし、その趣味が今や学業の場にまで頭を持上げて来るとは思いもかけないことであった。

(今朝は特別なんだ)

と考えようとしても、ではなぜ今朝だけが特別でなければならないかということになるといよいよ分らなくなってしまうのである。

（ここでは山のことは考えてはならない）

と彼女は自分に云い聞かせた。しかし、研究室を出て、大学の食堂へ行く途中に、ひょいと見上げた空の中に山を思い出すし、食堂の中にいても、ふと耳にする、言葉の端々《はしばし》から、山を想像することは数え切れないほどあった。山を思うと、「黒いクモ」が出て来る。よく考えて見ると、あの時以来、「黒いクモ」は折にふれて頭の中に浮び上っていたのだ。

（死に対する恐怖だろうか）

とも考えて見た。

（いままでは夢中だった。怖いもの知らずで、かなり危険な岩壁登攀をやって来た。そして今、自分は、佐久間博に云わせると、もはや教えることのないほどに岩壁登攀に熟達したのだ。そして、そのような急激な進歩に対する反作用として、恐怖が出現したのかもしれない）

淑子はそれが、見当はずれのものとは思わなかった。

「四時よ、四時に夫婦の像のところに集まるのよ」

その声が耳に入ったので、淑子は隣りのテーブルに眼をやった。ほとんど原色に近いようなグリーンのワンピースを着た学生が立上って、彼女の周囲のテーブルで食事を摂《と》っている人たちに呼びかけたところだった。

「ねえ、ちょっと……」

と淑子はひかえ目の声でグリーンのワンピースの学生に話しかけた。

「私たちがあなた方のころは、早苗先生の像のところとか、横岡先生夫妻の像の前というような表現を使っていたのですけれど」

淑子は強いて笑いを浮べようとした。

「夫婦の像ではいけませんか」

「いい悪いの問題ではないように思われます。言葉に現わすのはむずかしいけれど、ふうふのぞうっていうような言葉が耳に入ると、とても悲しくなるのよ。それだけ」

淑子は食堂を逃れ出るようにして外に出た。空はわざと見なかった。

＊

谷川岳、衝立《ついたて》スラブの途中で夜が明けた。立ちこめる霧を通してさまざまな音が聞えていた。ずっと下を流れる瀬の音や、風にそよぐ木々の音など手に取るように聞えた。人の声が間近に聞えるのも、朝霧が立ちこめた一の倉沢の特徴のようにも思われた。遠近がはっきりしなかった。遠くで話しているように聞えていたのが、突然すぐ近くで、会話の内容まではっきり聞えることがあった。一の倉沢出合《であい》にテントを張っていた幾組かの登山者が夜明けを待ち切れずにいっせいに一の倉沢に入って来たからであろう。声の遠近がはっきりしなかったり、声の強弱に変化があるのは、夜明けと同時に霧が動き出したからであった。

「おい、足もとに気をつけろよ、こんなところで怪我をするほどばかばかしいことはないからな」

淑子はその声を聞いてうしろをふりかえった。衝立スラブの末端のあたりに二人の人影が見えた。それ以外に誰もいなかった。その二人のうちの一人が云った言葉とすれば、それはあまりにも近く聞えすぎた。霧は急速に霽《は》れようとしていた。いつもなら、日が高く上っても未練がましく立ち去ろうとしない霧が、なぜ今朝にかぎって退散を急ぐのだろうか。淑子はすぐそれを、天気の変化の前兆に結びつけて考えようとした。昨夜《ゆうべ》、テントの中で引いた天気図では、日本列島は大きな高気圧のもとにあった。絶好な秋晴れが予想されていた。だが秋の天気は変りやすい。一夜明けると雨、というようなことはよくあることだった。天気が変りやすい季節の中にいることを忘れてはならないと思っていた矢先にその天気変化の兆候が現われたのであろうか。

衝立スラブはかなりの傾斜角度を持っていた。素人《しろうと》には登れないし、少しぐらい山を歩いた人たちでもザイルなしでは登れない一枚岩の連続だった。ここに踏みこむものは、日本における岩壁のうちでもっとも登攀困難とされている衝立岩正面岩壁を狙《ねら》う人に限られているとも云えた。

淑子と美佐子はその衝立スラブの中ほどに立っていた。

薄い霧の層が衝立スラブと平行に浮いていた。あたかもそれは、衝立スラブの上に一晩中押しつけられていた霧が、朝になって解放されて、そこから離脱しようとしている過程を見るようだった。霧の層は一枚ではなかった。薄い層となって一枚二枚と順を追って離れて行くようであった。それは、彼女たちの背の高さを越えたあたりで消滅していた。日没の際にしばしば起る現象だったが、ごく稀《まれ》に明け方起ることがあった。

淑子が身近に人の声を聞いたのは彼女たちの頭の高さに一枚の霧の層があり、そして彼女の腰のあたりに第二の霧の層ができたときだった。その二枚の霧の層は、衝立スラブの傾斜角度に忠実に平行を保ったまま衝立スラブの末端にいた二人の登山者のあたりまで延びていた。

二人の登山者の声は、二枚の霧の層の間を、ほとんど減衰することなしに走って彼女たちのところに届いたのであった。朝霧が伝声管の役を務めたのである。

淑子はその現象を一種の異常現象だと見た。音の異常伝播《でんぱ》というにはいささか大げさすぎるけれども、まさしく、今その異常現象が起きているのだと思った。もし下にいる二人が、淑子等の知人であって、仮に彼女等の悪口を云《い》ったとしても、その全部を聞き取ることができるだろう。

「地獄耳っていうことばがあったわね」

と淑子は美佐子に云った。

美佐子は返事のかわりにうなずいた。そのあとで淑子が、その地獄耳というのは、このような時のことを云ったのかもしれないと、美佐子に説明しようとしていると、それまで見えていた下の景色が新しく湧《わ》き上って来た霧に消された。耳に栓をしたように急に静かになり、それと同時に、反対側が明るくなった。霧が、衝立スラブを境として、上下に整理されたのである。一の倉沢の底深く霧はしばらく沈み、衝立スラブから上は晴れ上ったのである。

「ずっとこのままでいてくれたらいいわねえ」

と淑子は云った。

今起ったばかりの異常現象は局地的なものであって、優勢な高気圧の支配下にある谷川岳はここ二、三日は秋晴れのよい天気でいて欲しいと祈りたい気持だった。

「天気は続くわ」

と美佐子はその朝、一の倉沢出合を出発して以来初めて口をきいた。それだけに、その内容は重く確かなものに聞えた。

二人は天気は続くということを互いに確かめ合うように顔を見交わしてから、同時に目を衝立岩正面岩壁の方へやった。一点の雲も、一筋の霧もなく晴れ上った三〇〇メートルの垂直岩壁の頂は朝日に輝いていた。常には緑色に、時には霧によごされて灰色に見えていた衝立岩のとがった頂は、黄金色《こがねいろ》に輝いていた。鈍色《にびいろ》に勝った晩秋の憂《うれ》いのようなものはどこにも見られなかった。十一月上旬という季節とは無関係に、そこだけに秘められている美しさを彼女たちに見せつけているようだった。

その岩壁の頂から目を少しずつずらして、岩壁の下部に持って来たとき、淑子はそこに異様なものを発見した。彼女は思わず声を上げた。

岩壁の下の方に通常二人用テラスと呼ばれているところがあった。そこから懸垂下降している人影を発見したのである。

「黒いクモだわ」

と美佐子が云った。そうではないかと思っていた淑子の疑問に美佐子が答えたようであった。

「黒いクモだわね、間違いなく」

淑子は、「黒いクモ」の動きにじっと目をやった。二人用テラスから衝立岩正面岩壁の取付点までは約三五メートルほどあった。「黒いクモ」は赤いザイルにすがって、見事にそこまで降りた。一つの黒い物体が、垂直岩壁を鉛錘《えんすい》方向に等速度で通り過ぎたという感じだった。そこには何等の遅滞もないし、逡巡《しゆんじゆん》もなかった。人ではなく機械によって為《な》された行為か、それとも、巨大なクモがやった朝の見世物のようであった。

「黒いクモ」は岩壁の下のボサ（灌木《かんぼく》、喬木《きようぼく》などが下草とともに藪《やぶ》状に密生しているところ）に隠れて見えなくなった。

「まさかこんなところで黒いクモに出会《でくわ》すとは思わなかったわ、でもあの黒いクモは……」

なぜあんなところにいたのだろうかという疑問を淑子は持った。尾根伝いに、衝立岩の頂上に出て、そこで昨夜はビバークし、夜明けと共に、降りて来たのであろうか、それとも、今朝早く行動を起して、二人用テラスまで登ったところで降りて来たのだろうか。

「黒いクモが現われるなんて縁起でもない」

と美佐子が云った。

「そうね、たしかに不吉なにおいがするわ」

と淑子は葛籠岩で初めて「黒いクモ」の姿を見たとき、山男たちが彼の出現を不吉なものとしている中で、佐久間博ひとりが賢明にもそれを否定しようとしていた姿を思い出していた。

二人は頭の中に別々に「黒いクモ」のことを置いたままで登り出した。衝立岩正面岩壁登攀《とうはん》という大事を前にして現われた「黒いクモ」という不吉な前兆をどのように払いのけようかと考えていた。

「黒いクモ」が現われた直後に事故が起ったという事実を単に偶然として否定することもできなかった。二人は、「黒いクモ」のことを二度と口に出さなかった。

衝立スラブを登りつめたところでボサに入った。ボサの中に踏み跡があった。

淑子はボサの中で必ず「黒いクモ」に会うことができるだろうと思った。その時は、彼に向って少なくとも二つの質問をしてやろうと考えていた。何処《どこ》から降りて来たのか。その岩壁の状態はどうであったか。それは山に親しむ者である限り、訊かれたら当然答えねばならないことであった。その二つを彼が答えたら、なぜ単独で、この危険な岩場に挑戦するのかと訊いてみるつもりだった。

淑子は、彼女たちの存在を示すために、わざと大きな声で美佐子に話しかけながら周囲に気を配っていた。美佐子に合図して、足を止めて、耳を澄ますこともあった。ボサ地帯はしんとしていて人の動きは感じられなかった。「黒いクモ」はどこに潜んだのかついにその姿を見せなかった。

ボサ地帯を出たところで二人は登攀用具をつけた。そのあたりは、灌木付きの岩場になっていたが、自由登攀《フリークライム》が可能な岩場であった。淑子が先に立った。ワンピッチ三〇メートルを登ったところで二人用テラスを見つけた。淑子は美佐子に声をかけた。既に衝立岩正面岩壁に取りかかっているのだが、クライマーの専門家たちの中には、この二人用テラスが、偉大なる岩壁の取付点だと見る者もあった。衝立スラブの上端から七〇メートルほど登ったところであった。

二人はそこで一息ついた。二人の視線が偶然のように合った。

「私たちの登攀は大成功よ」

と淑子は美佐子に明るい顔で云った。

「なぜかお話しましょうか。黒いクモは私たちに会うのを避けて、どこかに逃げたのよ。黒いクモが、もし不吉の前触れだったら、それは、私たちの前から完全に尻尾《しっぽ》を巻いて逃げたということになるのだわ」

淑子はほんとうにそのように考えていた。「黒いクモ」は確かに彼女等を避けた。或《ある》いは「黒いクモ」は淑子の質問を避けたのかもしれない。淑子のわざとらしい動きの中に、いち早くそのことを窺知《きち》したかもしれない。おそらく「黒いクモ」は神経質な気の弱い男で、女性の前に立ってまともにものが云えるような男ではないと思われた。

「黒いクモなんてつまらない存在よ、山の仲間だけではなく、山そのものからも逃げ廻っているような男だわ」

淑子の中には「黒いクモ」に対する恐怖は完全に消えていた。

美佐子は淑子の言葉に何度か頷《うなず》いた。それまで、美佐子のどこかにかくれていた、「黒いクモ」に対する恐怖は、淑子の中のそれが消えたと同時に無くなった。

二人は登攀用具を念入りに確かめた。金属が触れ合う音を風がさらって行った。

＊

「お先に……」

と美佐子は、すべて登攀準備が終ったときに淑子に向って云った。控え目な云い方だが決意のようなものが動いていた。

淑子と美佐子がザイルを本格的に組んだのはこれで二度目であった。最初は金比羅山の越沢バットレスを登ったときであった。その時も美佐子は登攀の先頭を切った。途中で交替したけれど、美佐子がトップに立ったのは、その時点では美佐子のほうが、越沢バットレスに馴《な》れていたからであった。しかし、この衝立岩正面岩壁は二人にとって未知だった。また谷川岳の岩場に関しての智識《ちしき》や経験については全く同等であった。二人の山歴に差はなかった。年齢だってそう違ってはいなかった。が、なんのためらいもなく美佐子はお先にと云った。決して他人の前では出しゃばったことをしない美佐子がここでは先行することを一方的に宣言したのである。それに対して淑子は、

「どうぞ……」

と云った。美佐子が先行することをへんだとは思わないばかりか、そうするのを当然だとしている顔だった。

淑子の気持はその日の空のようにからりと晴れていた。二人がザイルを組んで登攀する場合は、必ず取付点からのワンピッチは美佐子が先頭に立つのだという二人の間のルールが確立できたのだと思った。

先行した美佐子は第一番目の大オーバーハングをアブミを上手に掛け替えながら登って行った。彼女の身体《からだ》から延びている赤と白の二本のザイルだけが淑子の目の前に

あった。頭上に庇状《ひさしじょう》に張り出した岩の陰になって美佐子の姿は間もなく見えなくなったけれど、彼女が快調に登っていく様子は、交互に動く白いザイルと赤いザイルの動きではっきりと認めることができた。ハーケンを打つ音が聞えないのは、この日本一の大岩壁には次々と人が登り、その人たちが残した埋め込みボルトやハーケンを利用して、ルートを間違わずに登って行ったことを示していた。

やがて、ザイルの動きが止った。

「登って来て」

という美佐子からのコール（呼び声）があった。淑子は岩壁に取りついた。日本一の衝立岩正面岩壁に取りついたという緊張感は特になかった。練習をやっているような気持だった。山全体が静かすぎることが気になった。特訓の過程だったら、近くに佐久間の目があった。たとえ声がなくても、じっと見られていると思うと、やはり緊張した。その彼はテントに残った。

〈二人だけでやって見ろ、必ずやれる筈《はず》だ。下手におれが顔を出さないほうがいい〉

と佐久間は云った。そして、二人がテントを出るとき、登山靴を突っかけて外に出て来て、

〈なんにも云うことはない。ゆっくりやることだ。時間的には充分余裕がある。だが

もし途中で天気がくずれたら無理しないで引き返すことだ〉

と云ったことが思い出された。

その岩壁は淑子が考えていたよりもはるかに悪かった。

この岩壁は人間共に見放されて長いこと神々の岩壁として存在していた。この岩壁に、三十本の埋め込みボルトと二百五十枚のハーケンを打ちこんで、人間のものとしたのは、東京雲稜会《うんりようかい》の南博人と藤芳泰《よしやす》の二人であった。神々の岩壁を人工登攀の岩壁――埋め込みボルトやハーケンなど人工的用具を使わないと登ることのできない岩壁――に変えた先駆者の苦労は言語に絶するものに相違ない。だが淑子にとっては、そこに、実在する埋め込みボルトとハーケンのルートがあっても、やはり困難きわまる岩場であった。

それまで読んだ本には、ルートは開かれているからカラビナの掛け替え、アブミの掛け替えだけで登れるようなことが書かれているけれど、そんな簡単なものではなかった。その掛け替えという動作の一つを取っても、ひどく神経が疲れる仕事だった。このような場所では、いかなる事故も許されなかった。もし事故を起した場合、その結果はきわめて悲観的なものであることを、淑子は充分に知っていた。生命を刻むような登攀が続いた。疲労で腕が震えた。二番を登っていても、これだけたいへんなんだから、トップを登って行った美佐子の苦労は大変だったろうと思った。

この岩壁のワンピッチは他の岩壁のツウピッチにもスリーピッチにも相当するのだ。

「交替しましょう」

淑子は美佐子のところまで行って云った。そうは云ったもののいま乗り越えた第一の大オーバーハングよりも更に一段と大きく見える頭上遥《はる》か上の大オーバーハングが果して自分の力で乗り越えられるかどうかが心配だった。

「どうぞ」

と美佐子はトップを淑子に譲った。

淑子はトップに立ったとき岩の冷たさを感じた。日が高く上っているのにそう感ずるのは気のせいだろうか。彼女は登攀を開始した。

第二のオーバーハングにはおびただしいハーケンや埋め込みボルトが打ちこんであった。彼女はそれらにじっと目をそそいで、アブミの懸け替えの順序や、彼女自身のザイルの持って行き方を考えた。そこだけに心を集中していると、間もなく手順が整理されて来て、やれるという自信が湧き上って来る。このような大オーバーハングにぶっつかった場合の、やや込み入った登攀上の技術は既に充分にマスターしていた。いままで練習でやったことをそのまま実施すればよいことだった。

(下手をやると宙吊《ちゆうづ》りになる可能性がある)

彼女はそれを充分に警戒した。この岩壁で宙吊りになったままで死んだ例があった。そうならないためには、ザイルの手順を間違えないことと、アブミを懸けるべき支点の強度を充分に確かめることであった。

やがて彼女はそれだけに夢中になった。垂直の岩壁でほとんど曲芸に近いことをやっている自分自身さえ忘れた。

埋め込みボルトやハーケンの多くは錆《さ》びていた。埋め込みボルトの環が取れて無いものや、丸い環が細長く延びたものがあった。おそらくこのようになった時には大きな事故が起きたであろう。そのようなものは利用したくなかったが、どうしてもその埋め込みボルトに頼らねばならない場合もあった。そんなときがもっとも緊張するときだった。

錆びたハーケンや埋め込みボルトばかりではなく真新しいものもあった。つい二、三日前に打ちこまれたようにぴかぴか光っているものもあった。

淑子はその新しいハーケンには一応は触れてみて、その確かさをためしてみるけれど、その近くに古いハーケンがあって、充分信用できるものだったら、古いハーケンの方を使うことにしていた。

彼女自身がハーケンを打ったり、埋め込みボルトを打ち込まねばならないようなところはなかった。その人工登攀ルートは、それを登攀できる技術を有する者だけに与えられた通路であった。

彼女はアブミの懸け替えによって少しずつ高度を稼《かせ》ぎ取って行って、とうとう、その大オーバーハングを乗り越えた。

しかしそれでオーバーハングが無くなったのではなく、上には前よりも大きなオーバーハングが行手《ゆくて》をはばんでいた。

第三の大オーバーハングは美佐子が先に越えた。時折霧が出たが、すぐ晴れた。上と下とで呼び合う声が途絶えると、岩壁の下から、コブシの花が咲くころのようなやわらかい風が吹き上って来た。日は高く上っていた。その風は、なにか彼女等の苦闘にむくいる自然の慰めのように思われた。

（だまされてはいけない）

と淑子は自分自身に云った。咽喉《のど》が渇いたが彼女は食事の時以外は水を飲まないという彼女自身の掟《おきて》を破らなかった。彼女が背負っている登攀用ルックザックの中には水筒が入っていた。動くと水の音が聞える程度に水を入れていた。彼女はその水の音を聞くと安心した。水はある。飲みたいときはいつでも飲めるのだと思うと、水に対する要求は減るのである。

ゆっくり腰をおろして食事を摂《と》りながら水を飲むような場所も時間の余裕もここにはなかった。二人は岩壁の途中で、それぞれ合図し合って、食べ物を口に入れた。淑子はチョコレート一枚とミカンを一つ食べただけだった。手もとから離れたミカンの皮が真直《まつす》ぐに落ちて行って、取付点のすぐ傍で止った。この岩壁が如何《いか》なる構造のものであるかを知らされたような気がした。

淑子がまた先頭に出た。アブミの掛け替えの時、上のハーケンまで、どうしても手が届かないところがあった。彼女はそのアブミの最上段まで登った。アブミは彼女の体重を受けて延びるから、それだけ高度差の損失になる。だがそれで、どうやら、次のアブミの掛け替えが出来た。このようなことは珍しくはなかった。その登攀ルートを開拓したのは男たちであり、その後を追って、ルートを完備させたのも男のクライマーたちであった。彼女は女性としては背の高い方であったが、男性の平均身長に比較すればやや低い。その僅《わず》かの差が、既存ハーケンや埋め込みボルトの掛け替えのとき現実的な問題となって現われるのであった。

二人は緊張の連続によってひどく疲れた。だが休むところはないし、ここまで来たら、あとは頂上を目ざす以外にはどうすることもできなかった。

天気がくずれたらあきらめろと、佐久間が云《い》ったが、もしこんなところで、天気の急変にあったら、下降することも登ることもできなくなるだろう。晩秋の岩壁に二人のコールがこだましていた。

ボサが多くなったが、傾斜角度はいささかもゆるくはなっていなかった。うっかりボサを頼りにしたら、その木と共に心中することは確実だった。

淑子は洞穴を越えたあたりで、猛烈な渇きを覚えた。背で鳴る水の音が気になった。彼女は、この岩壁を昭和三十四年八月に初登攀した南博人と藤芳泰の二人が、丁度この辺りで渇きと戦った話を思い出した。二人は登攀を開始してから三日目にこのあたりまで来ていた。水はすべて使い果していた。口が乾いてかさかさになり、唾液《だえき》が出ないので口に入れた飴玉《あめだま》はそのまま吐き出さねばならなかった。そのような苦しみの後、彼等はとうとう頂上に達したのである。彼女は唾《つば》を飲みこむことができた。唾が彼女の咽喉を通ったとき彼女は渇きに勝った。

洞穴から上七〇メートルのボサ地帯はもっとも警戒を要するところだった。その部分のトップは美佐子がやった。注意深く登りつめてその頂に達したのは午後の五時だった。彼女等は顔を見合せただけでものを云わなかった。

頂上にはハイマツが生えていた。

二人はそこで一夜を過すことにした。これ以上一メートルたりとも動けなかった。食事は欲しくなかったが、無理に食べた。衝立岩正面岩壁を女性だけのチームで登り切ったという感動は湧き上っては来なかった。二人は持っている着衣のすべてを身につけてハイマツの下にもぐりこんだ。羽毛服を着てぴったりと身体を寄せ合い、その上にポンチョ（山岳用に使われている一種の雨具）をかぶった。それで夜露は充分に避けられた。

淑子は口をきくのもいやなほど疲れていたから、そのまますぐ深い眠りに引き込まれるだろうと考えていた。眼をつぶって、深い呼吸を二、三回すると、自分自身の暗示にかかったように眠りこむのが普通だった。だが彼女はすぐに眠りには入れなかった。美佐子もじっとしてはいなかった。平面でない寝場所のせいでもあったが、それだけが原因ではなさそうだった。過度の疲労と興奮が眠りを妨げていた。二人にとって、衝立岩正面岩壁はあまりにもきびしい対象であった。丸々一日続いた緊張の連続がそう簡単に解けるものではなかった。淑子は眠りこもうとする瞬間、垂直岩壁から身体が離れたような気分になって、はっとして眼を覚ました。それが何回も続くと眠れなくなる。

靴先に全身の体重を支えて岩の角に立っているような不安定感からは未《いま》だに解放されてはいないのである。横になって足を投げ出していることがかえって不安を誘うのかもしれなかった。夜気の寒さを感ずる。風が無いのがなによりだが、あまり静かだと明日の天気が心配だった。

（そうだ。今日のことは忘れよう。明日のことを考えよう。そうしていたら眠れるかもしれない）

淑子は強いて明日に向って目を開こうとした。

（明朝は、この頂から懸垂下降で、コップ状岩壁の底に降り、そこからコップ状岩壁を登らねばならない）

衝立岩もコップ状岩壁も、共に岩壁を指しての呼称であって、岩塊もしくは岩の集団、という目で見れば、一の倉沢に向って、右側に聳立《しょうりつ》する大きな岩のかたまりの一面が衝立岩正面岩壁であり、同じ岩塊の隣り上方に位置している壁がコップ状岩壁であった。コップ状岩壁とは、いかにも日本人らしい表現であった。この岩を見たことのない人にその名を云っても、それだけでは形が想像できない岩壁であった。衝立岩はその名のとおり、衝立のような岩壁であり、コップ状岩壁も、近づきがたいほどの立上りを見せた垂直の岩壁であった。

創造の神が、谷川岳の岩根を創《つく》り上げるとき、たわむれに手に持っていたコップを未《ま》だ泥状にある岩頭の一部に押し当てた跡がコップ状岩壁であった。

衝立岩正面岩壁を登り、その頂上から懸垂下降して、コップ状岩壁の底に立ち、そしてコップ状岩壁を登攀《とうはん》するという連続登攀の偉業は昭和三十四年の十月、東京雲稜会によってなされた。それ以後、この二大岩壁を連続登攀した男性チームは何組かあったが、女性では居なかった。

〈もしきみたちがそれをやったら、自他共に日本一の女性クライマーとしての位置付けが出来たと見なされてよいだろう。だが、おれは、強いてそれをきみたちにすすめるつもりはない。すべては衝立岩正面岩壁を完登した後のコンディション如何《いかん》によって決ることである〉

淑子はその佐久間博の言葉を反芻《はんすう》しながら、もし美佐子が承知ならば、その冒険に挑戦してもよいと考えていた。

今度はそのことが気になった。こうなればいよいよ眼が冴《さ》えた。何度か美佐子に話しかけようとした。美佐子がそっと起き上った。着衣の乱れを直している様子だった。

「眠れないのよ」

と淑子は声を掛けた。美佐子の手の動きが止った。淑子はポンチョをはねのけて起き上った。星はなかった。何時《いつ》の間にか空は曇っていた。

「私も眠れないのよ、どうしてかしら」

美佐子が云った。二人は眠れないわけは知っていたが、それを口には出さず、強いて眠ろうとするよりも或《あ》る程度自然のなり行きにまかせたほうがいいのだと考えた。

「明日コップをやるとすれば、なるべく早く眠ったほうがいいのだけれど、でもあせることはないと思うのよ、明日までは充分時間があることだし」

淑子はあとを濁した。明日コップをやるとすればというような、曖昧《あいまい》な表現を取ったのは、一方的に明日コップをやろうと決めてかかれなかったからであった。二人は同等であった。淑子がリーダーでもないし、美佐子がリーダーでもなかった。わざわざそのような序列を決めないでもちゃんと通用するパーティーだと思ったから佐久間が二人にザイルを組ませたのであった。

「淑子さんさえよければ、ここまで来たのだからやはりコップを登りたいと思っています」

美佐子がはっきり云った。

「では決ったわ」

淑子は自分の声に驚いたように首をすくめた。二大岩壁の連続登攀の計画が決ると、彼女の全身を覆《おお》っている疲労の壁を突き破って、新しい力が盛り上って来るのを感じた。

「これでどうやら眠れそうだわ」

と淑子は云った。

「そうね、でも私はもう少し起きていたい。眠れないのは単に疲れ過ぎたというだけではないらしいから」

と美佐子が云った。

「なにかほかに眠れない原因でもあるの」

「これよ」

彼女はヘッドランプをつけて、手元のハイマツの葉の先を指した。

「ハイマツの葉で眼でも突いたの?」

「いいえ、ただ頰に触れただけ、しかしそれだけのことで、思い出したのよ、ずっと昔のことを」

美佐子の声が急に沈んだようだった。美佐子はヘッドランプを消して、暗い夜の中でひとりごとをつぶやくように、

「私はなぜこうなのかしら」

と云ってから、すぐその自らのつぶやきに答えるように、

「淑子さんと冬の八ヶ岳で初めて会ったとき、あなたは子供の時のことをすっかり話してくださったわね、その話を聞きながら私が涙を流したことを覚えている？　私は、なにか自分と共通したものを発見するとすぐ感動してしまって、それが涙になるのよ」

淑子は、闇《やみ》の中の声に目をやった。

今夜の美佐子はへんだと思った。彼女を別人のようにしゃべらせているものはいったいなんであろうか。

「私は自分のことを他人に話したことは一度も無いわ。でも今夜はそれを話したいのよ」

そうだ。この夜が彼女に語らせようとしているのだ。美佐子は過度の疲労によって昂奮《こうふん》しているのでもないし、眠れないから時間つぶしに話をしようなどと考えてもいない。谷川岳一の倉沢衝立岩の頂上のこの静かなしっとりとした夜気が彼女の口を開かせたのだ。淑子は美佐子の方に身体《からだ》の向きを変えた。ハイマツが揺れた。

＊

「淑子さん、あなたの記憶の中で一番古いものはなんでしょうか」

「私の一番古い記憶……さあ」

幼時の記憶は断片的に幾つかあった。その中で一番古いものはなんであるかをすぐ決めることはむずかしそうだった。

「なにかあるでしょう、怖いこととか……」

「そうね、田舎に疎開したころ、大きな白いニワトリに追いかけられたことがあったわ、それが羽搏《はばた》きしながら私を追いかけて来て、背中を突つくのよ。怖かったわ、とても。おそらくそれが私のもっとも古い記憶でしょう」

淑子はそう云ってからもう一度、それがもっとも古い記憶かどうかを考え直して見た。まとまった記憶としてはそれ以外のものはなかった。

「私の記憶は、寒い寒い貨車の中から始まるのよ。真暗だったわ。時々誰かが戸を明けると外の明るさが一度に飛びこんで来るの。ああよかった明るくなったと思うと、すぐ誰かが、しめろ、はやくしめろ、ロスケが来るというのよ。その貨車の中には麻《マア》袋《タイ》が敷いてあった。怖いのと寒いのと両方で、そこにうずくまると麻の繊維の先が私の頰をちくちく刺すのよ。ハイマツの葉の先が頰に触れたとき私はそのときのことを思い出しました」

美佐子の一家は満州里にいた。満州とソ連との国境の町だった。その町の指導的地位に居た彼女の父の若林公雄は終戦の一カ月前に応召した。

満州里は日本人にとってもっとも早く終戦を迎えたところであった。昭和二十年八月九日早朝ソ連軍が国境を越えて満州里に侵入した。美佐子は母と、生れて間もない弟の太郎と共に抑留生活に入り、そして、十月になってハルピンに送還された。

「その貨車の中で太郎は小さい声でよく泣いていたわ、泣くと母は太郎を抱いて乳房を吸わせるけれど、やっぱり泣くのよ、乳が出ないからなんです。母も私もほとんど食べ物らしいものは食べていませんでした。同じ貨車の中の日本人たちもそうでした。乳が出ないけれど、それにかわるべきものはなにもないのです。ミルクなど手に入るような状態ではありませんでした。母はなんとかして太郎の生命をつなぎ止めようとしていました。でも貨車からは一歩も出られないような情況でした。ハルピンに着いたら、ハルピンに着いたら……と母は云い続けていました。しかし、太郎は貨車がハルピンに着いた朝、母に抱かれたまま息を引き取りました。その太郎に母はごめんなさいと何度も何度も云っているのです。母が悪いのではないのです。でも母は太郎にそう云ってあやまっていました」

美佐子の声が途切れた。泣いているらしかった。

「私はその寒い朝のことをよく覚えています。乳が足りなくて死んだ太郎の顔もはっきり覚えています。母が泣くと私も泣きました。私も太郎にごめんねと何度か云ってやりました。私が生きて、太郎が死んで行くのが不思議でなりませんでした。母は太郎の遺体を日本人収容所の近くの墓地に葬《ほうむ》りました。小さな箱に入れられた太郎の姿が土の下にかくれたとき、私はほんとうに太郎は死んだのだと思いました」

そして美佐子は淑子に念を押すように、

「これが私の記憶の始まりでした。でもこの悲しい記憶はそこまでで、それから日本へ引き上げるまでの一年間の苦しい生活はほとんど覚えてはいません。終戦の翌年に引き上げて来て、母と共に父の生家へ落ちついてから、父が帰って来るまで、私はずっと一人で夏は野の花を摘み、冬は空を眺めて暮していました。いろいろのことが断片的に記憶に残ってはいますけれど、野の花を摘んで束にしていたことが特に鮮明に残っています。花は太郎にやるつもりで摘み取っていたのです。死んだ太郎は、私の中にずっと生き続けていました。私はひとりぼっちのように見えていて、けっしてひとりぼっちではなかったのです」

ソ連で抑留生活を送っていた若林公雄が帰還すると、一家は揃《そろ》って長崎に移った。若林公雄はこの地で新しい事業を始めた。

美佐子は長崎で小学校を卒《お》えた。

小学校五年生のとき、成績表の終りに担任の教師が書きこんだ一文は当時の彼女をよく表現している。

〈成績は抜群ですがそれを鼻にかけることはありません。おとなしく、内気で、すぐ涙ぐみます。思いやりが深く、友だちのめんどうをよくみます〉

彼女はミッションスクールに進学した。中学、高校を通じて女性ばかりの学校だった。六年間を通じて首席だった。絵が好きで、高校の上級生になると、周囲の者たちは、美佐子が絵の才能を生かす方面へ進むだろうと考えていた。

高校を卒業する少し前、若林公雄は鎌倉に転居した。彼の事業が順調に伸び、東京の方が仕事がやりやすくなったからであった。

美佐子は高校を卒業すると、自ら希望して女子短期大学に進学した。

〈あの子はおとなしいからやはり女の大学がいいのだろう〉

と両親は話し合っていた。

中学、高校、大学を通じて美佐子は山には無縁であった。その美佐子が山に目を向けたのは就職してからだった。

彼女は多くの就職口の中から家にもっとも近い藤沢の会社を撰《えら》んだ。会社に山岳会があった。ハイキング程度の会であった。社長が山が好きだから山岳用品は充分に買い揃えてあった。が、ザイルやハーケンなどは買ったときのままになっていた。丹沢山が近いので、休日にはよくその方面へ出掛けて行った。

美佐子は誘われて山岳会に入った。そしてはじめて山に行った。疲労よりも倦怠《けんたい》が残った。二度目には、峰の笹鳴《ささな》りが心にしみた。三度目には、頂上に立って眺める山並みを美しいと思った。だがこのころは、休日ごとの山岳会員としての登山であって、彼女自身の登山ではなかった。彼女はいつもうしろから黙って蹤《つ》いて行った。

冬の寒い日であった。会社の帰途、救急車に運びこまれる幼児の姿を見た。よちよち歩きのその子は自動車にはねられて死んだのだと周囲の人々は囁《ささや》き合っていた。そう云《い》われてみると、ぐったりと手足を伸ばした様子は死んでいるようでもあった。その子の顔を彼女は知っていた。目が合うとなにかわけのわからぬことを話しかけて来る男の子だった。足は不確かであったが、母親がちょっと目をはずすと、マキの生垣の間から道路に出ていた。一度は美佐子が抱き上げて、その家の庭に連れて行ったことがあった。その子の顔はどこか太郎の顔に似ていた。

〈かわいそうに、あの子は死んだかね〉

と云う老女の声が耳に入ったその瞬間、美佐子は、間違いなく、あの子は死んだのだと思った。あの子があの子が……と悲しみをこらえながら、数歩行ったところで、突然貨車の中で死んだ弟の太郎の死に顔を思い出した。このごろはほとんど思い出すことはなくなっていたその太郎の最期《さいご》の姿を彼女ははっきり思い出したのである。なぜそうなったのか彼女には分らなかった。ただ、太郎の死が、いまそこで起ったことのように長い年月をへだてて甦《よみがえ》ったことだけは事実だった。

（太郎が死んで私だけが残った）

太郎は私のために犠牲になったのだと考えると、死んだ太郎に申しわけなかった。彼女は涙を流しながら歩いた。それを他人に見られるのがいやだから俯《うつむ》いた。

そのころから彼女は太郎の夢を見たり、太郎のことをよく思い出すようになった。箸《はし》を取り上げた時や、電車からプラットフォームに降りたときや、オフィスのドアを開けたときなど、突然、太郎のことを思い出すのである。ほとんど一日中、太郎が彼女から離れない時もあった。

太郎の思い出はいろいろの形で現われた。時には笑っていた。彼女の思い出の中に、太郎の笑顔はなかった。母が大事に持ち帰った太郎の笑顔の写真を何度か見ているうちに、その表情が彼女の脳裏に焼きついたのである。太郎は腕を振ったり、わけのわからぬことを云ったり、泣いたりすることがあった。すべて彼女の想像から出るものだった。その一連の太郎の動きの後で、母に抱かれたまますべてをあきらめたような目を彼女に向けている太郎の最期の姿が思い浮ぶのである。それは死ぬ直前の、もはや泣く力さえ失ってしまった太郎の、貨車の中での顔だった。彼女は身の凍る思いで、その太郎から離れようとした。

（ごめんなさいね、太郎ちゃん）

と彼女は詫《わ》びた。その心が涙になった。人前ではやたらに涙は見せられなかった。しかし、涙が突然溢《あふ》れ出ることがあった。彼女はその涙を他人に誤解されることを極度に虞《おそ》れた。

長い年月を飛び越えて帰って来た太郎に彼女はおびえていたのではないが、できることなら、太郎のことは忘れたかった。山歩きをしているときは、不思議に太郎のことは思い浮ばなかった。考えることよりも、歩くことのほうに気を取られるのかもしれなかった。山へ行って来るとよく眠れるから、余計なことは考えないのかもしれない。太郎のことは誰にも話さなかった。自分以上に太郎を失《な》くしたことで苦しんでいると思うと親にも云えなかった。

彼女の山行は活発になった。会社の山岳会のハイキングの真似《まね》ごとでは満足できなかった。なまはんかの山行などして帰って来た夜は、続けて何回となく太郎の夢を見た。彼女は他人《ひと》にすすめられてやや名の通った山岳会に入会した。しかし、この山岳会も、一年目には幻滅を感ずるようになった。全力でぶっつかることのできるような山行はめったになかった。だらだらした山行から帰って来ると、また太郎の思い出に悩まされた。そして彼女は第三の山岳会に入会した。女性会員は一人もいなかった。後半は雨にたたられた。茶臼岳《ちゃうすだけ》の県営茶臼小屋まで来たときに、集中豪雨にあった。諸河川は溢れ出した。帰途の橋が渡れないために、帰れなくなった。

会社に帰ると上役が、遠まわしに彼女に注意した。

〈山へ行ってはいけませんか〉

彼女は涙をためて云った。

〈山へ行ってはいけないというのではない。そのために会社を無断で休んではこまると云っているのです〉

彼女は大きく頷《うなず》いた。そのとおりだと思った。しかし、今後も山へ行くだろうし、山からはどんなことがあっても離れられないだろうと思った。

気がついてみたら、彼女は山にかなり深入りしていた。そして、彼女はもっともっと奥深いなにかを求めて山へ入っていった。

会社はやめた。

〈そうね、もうあなたも年ごろだから、お稽古《けいこ》ごとをしたほうがいいわね〉

彼女の母はそう云って美佐子にお稽古ごとをすすめた。だが彼女は彼女の母が期待しているようなお稽古ごとにはあまり身を入れず、大学時代から興味を持っていた鎌倉彫の勉強に力を入れるようになった。松磬堂《しょうけいどう》に毎日通った。そして気が向けば山にでかけて行った。彼女はもはや山からは絶対に離れられなくなっていた。

ある日曜日の朝だった。雨がかなり激しく降っていたのにもかかわらず、彼女は、山行きの支度を始めた。丹沢へ行くつもりだった。

〈雨だというのに山へ行くのか〉

父が云った。彼は彼女を山へやるまいとした。しかし彼女は是が非でも山へ行きたかった。口答えしないかわりに雨具をつけたままで泣いた。母は父と娘の間に立って泣いた。若林公雄は涙こそ出さないが、心で泣きながら娘の無謀を責めた。

彼女は泣きながら家をとび出した。こうなったらこうするより仕方がなかった。両親に反抗してまで山へ行こうとする頑《かたく》なな自分を捨てたいほど憎みながら、自分でもはっきり分るほどの声を上げて泣いた。

雨の音に泣き声は打ち消されたが、どうしても消えない泣き声があった。それは彼女自身の心の中から発せられる泣き声だった。美佐子の中でもう一人の人間が声を上げて泣いていた。

（ああ、太郎だ。太郎が私の中で泣いている）

彼女の心の中で泣いている太郎は、もう赤ちゃんではなかった。立派に成長した青年の太郎が彼女とともに泣いていた。

「そのとき以来、太郎はいつも私と山を歩くようになりました。貨車の中の太郎はほとんど姿を見せなくなりました。女性にとって単独行はあらゆる意味で、危険なことだと知っていましたけれど、単独行をやるようになったのは、私の中に太郎というパートナーがいたからなんです。淑子さんと冬の八ヶ岳でめぐり合ったときも、私は太郎と話しながら歩いていました」

美佐子の話はどうやら終りのほうに近づいたようであった。

「今でも太郎さんはあなたの中にいるの」

「いないと云えば嘘《うそ》になります。けれど今はいないと云ったほうがほんとうのような軽い存在になっています。私は山におけるほんとうの意味のパートナーを発見したし、目的もはっきりしたのです」

「目的ってなんでしょうか」

淑子はそう質問しながら、実は自分自身、山における目的がはっきりしないで困っているのだと云った。

「自分の生命を賭《か》けて惜しくないほどの対象があった場合、それが生きる目的になるのではないでしょうか、私にはそれがあるのです」

「山なの、それ」

「いいえ、鎌倉彫と山なんですわ、その二つが今の私にとっては目的なんです。目的が決ったとき、すべて迷いは消えたと思います。太郎は私自身の迷いの姿だったかもしれません」

「すると私の目的は医学と山の二つなのでしょうか。——」

淑子はそう云ったあとで、それではいったいなぜこれほど山に情熱を燃やしているのだろうかと自分に反問した。美佐子の云うところの目的がかえって理解しにくくなった。

静かな山の中にも物音はあった。それは高い高い空を吹き通って行く風の音であろうか。

*

翌朝は手が届きそうなところまで雲の底が下っていた。二人は起き上ると簡単な朝食をすませて、ビバーク地点の上のローソク岩まで登り、そこから二度の懸垂下降によってコップ状岩壁の底に降りた。朝が早いので、まだ誰も来ていなかった。

コップ状岩壁は取付点のすぐ上に大オーバーハングがあった。この大オーバーハングに、昭和三十五年六月、日本で初めて埋め込みボルトを打ちこんだのは雲表クラブの松本竜雄であった。その記念すべき埋め込みボルトはその歴史の錆《さび》を庇《ひさし》状《じよう》岩壁の上に残していた。

淑子と美佐子は念入りに準備した。そして美佐子はなんのわだかまりもないような自然さで、

「お先に……」

と云って、そのオーバーハングに取り付いて行った。昨夜の美佐子は別人のようによくしゃべった。そして今朝の彼女は充分に睡眠を取ったあとのさわやかな表情で、お早うございますを口にし、お先にを云った。しかし、彼女はそれ以外に余計なことは云わなかった。美佐子の本来の姿になっていた。美佐子の身体《からだ》は岩壁の上をしなやかに動いた。アブミの掛け替えもスマートだった。大げさに動かず、すべて静かな調子で難所を切り抜けて行った。

美佐子のコールが頭上の岩の陰で聞えた。淑子はそれに応《こた》えながら、全身を延ばし

た。手懸りの岩は冷え冷えとしていた。その日の登攀《とうはん》が始まった。

衝立岩正面岩壁を登ったという経験は二人に大きな自信をつけた。衝立岩正面岩壁をやれたのだからコップ状岩壁もやれるという自信が二人の登攀行動を安定させた。コップ状岩壁の構造やルートは充分に研究していた。写真とも対照してルートを間違わないようにしていた。しかしそのような心配はなかった。ハーケンと埋め込みボルトのルートがちゃんとでき上っていた。カラビナの掛け替えと、アブミの掛け替えが連続した。美佐子と淑子は途中で一度交替しただけで頂上に登りつめた。登攀開始してから三時間半の速度だった。

二人はそこで昼食を摂《と》った。

日本を代表する二大岩壁を女性二人だけで完登したという感懐は湧《わ》いてはこなかった。無我夢中で登ってしまったという気持だった。美佐子は食事の途中で、ルックザックの中から画帖《がちよう》を出して、谷川岳の尾根を越えて滑り落ちる雲のスケッチを始めた。

それは滝のような雲だった。滝のようになだれ落ちて、岩壁の途中で消える。谷川岳の東壁から南壁にかけて、時々現われる雲であった。極端な表現を使えば、日本列島の気象を二分する脊梁《せきりよう》山脈の焦点にも当る谷川岳にかぎって起る雲の演技であった。

雲の滝には音がなかった。音のかわりに、動きによって、そのすさまじい落下速度を見せていた。雲の滝は岩壁にそって流れ落ち、岩壁から離れたところの空中で逆巻き、そして消えた。美佐子は、その絶え間なく続く雲の滝をスケッチしていた。雲が流れ落ちて来て逆巻いて消える瞬間の形を写し取っていた。雲の滝の流れは急で、その速さは水の滝と大差がなかったが、流れ落ちて消える間ぎわに最後の形がしばらく静止するところだけは違っていた。

西洋人の少女の頭髪の末端のカールを連想させるものや、稚児車《ちごぐるま》のような小さな渦があるかと思うと、はっきりと縦に廻転しかけたまま停止する大きな渦があった。蛇の舌のように長く延びたものや、怪鳥の足の爪《つめ》のように鋭く曲ったものもあった。

美佐子はそれらの雲の末端の様相を次々と写し取っていた。雲の先端が静止して消える瞬間をとらえるのだから、丁寧に写し取ってはおられなかった。彼女のイメージに残ったものを、次々と画帖に描いていた。

(なぜ、雲の末端の変化をあのようにとらえようとするのであろうか)

淑子は、美佐子の画帖を見ながら思った。無雑作に書き並べているようで、ちゃんと配列の順序があった。簡略な形のものはそれだけを並べて描き、やや複雑なものは別の紙に書き取っていた。

(美佐子さんは雲の末端の動きの中から、なにかの形を得ようとしているのではなかろうか)

そしてすぐ淑子は、美佐子が鎌倉彫に打ちこんでいることと思い合せて、

(きっと、生きた雲の形を鎌倉彫の文様《もんよう》に写し取ろうとしているのだわ)

淑子の家には、鎌倉彫の硯箱《すずりばこ》があった。祖父の代から伝えられているものだった。淑子はその硯箱の文様のどこかに雲の形があったように記憶している。

(美佐子さんは絵が上手だわ)

と淑子は美佐子の手もとを見ながら感心した。そして彼女自身も少女の頃から絵が好きで、高校時代には特に絵に凝っていたことを思い出した。

(美佐子さんと私とはずい分似ているところがある)

二人とも、高校までミッションスクールに行っていた。そして二人とも女性ばかりの大学に進学した。絵心が共通していた。

(でも私と美佐子さんの性格はずいぶん違っているようだわ)

淑子は泣かない子であり、美佐子は涙もろい子であった。

(しかし、その正反対な二人の性格がなぜ岩壁ではぴたりと一致するのだろうか)

岩壁における美佐子は、冷酷に見えるほど感情を動かさなかった。常に積極的であ

りながらすこぶる慎重だった。こまごました動きは見せず、大胆な登攀をやって見せていた。

(泣かない子も泣く子も、それはごく狭い範囲内での性格の表現であった。ほんとうは、私と美佐子さんとは同じような人間なのかもしれない)

淑子がその結論らしきものに到達したとき、雲の滝の様相が変った。突然幅を拡《ひろ》げたのである。二人は霧に包まれた。風が霧粒を吹きつけて来た。

美佐子は画帖をしまいこんだ。淑子は画帖にスケッチされた雲の形が、鎌倉彫になるのかどうかを訊《き》いてみたかったが、黙っていた。美佐子の気持の中に深入りしてはならないと思ったからである。

二人は一の倉尾根を登り、稜線《りょうせん》を歩いて谷川岳の頂上に出た。深い霧だったが、歩き馴《な》れた道だったから迷うようなことはなかった。急ぐことはなかった。ゆっくり山をおりて家へ帰るだけのことである。西黒尾根を降りて、谷川岳指導センターの前まで来ると、ジャグの会員が待っていた。口々におめでとうを云った。とうとうやったねとも云った。

「お二人さんは押しも押されもせぬ、日本第一の女性クライマーの資格を取ったのだ」

と杉山がおどけた調子で云《い》ったあとで、

「腹が減ったでしょう。おにぎりがあるよ」

と云った。杉山は彼女たちが岩壁登攀に出発するに当って荷物を軽くするために、飯類はいっさい持っていかなかったことを知っているからそう云ったのである。

「ではいただこうかしら」

淑子は素直に手を出した。その手に糠雨《ぬかあめ》が降りかかった。

「どうだった」

と佐久間は二人に登攀の内容を聞きながらそれをメモに取ったあとで云った。

「これでいいのだ。これで一応の下準備は終ったというものだ」

彼はひとりごとを云いながら指導センターの方へ行った。

「おれたちは適当に岩登りをやって楽しんでいたが、会長はあなたたちを双眼鏡でずっと追っていたんだぜ」

と会員の一人が云った。

淑子と美佐子はおにぎりを食べるのをやめて顔を見合せた。好意はありがたかったけれど、技術を信用して貰《もら》えなかったのは心外だった。

列車の時間があるので、指導センターに行ったまま長電話を掛けている佐久間をそのままにして一行は土合駅へ向った。コンクリートの舗装道路の上を落葉が舞い舞っていた。

佐久間は列車の到着する一分前に走って来て淑子と美佐子に云った。

「上野に着いたら、新聞記者がどっとおしかけて来るぜ。とにかく、女性だけのパーティーによって、谷川岳衝立岩正面岩壁とコップ状岩壁の連続登攀が為《な》されたのだから、すごい」

彼は列車に乗ってからも昂奮《こうふん》した顔でしゃべりまくっていた。

「おれは記者団に向って、駒井淑子と若林美佐子は、おそらく来年の夏、マッターホルン北壁に、世界で初めての女性だけのパーティーとして挑戦するだろうと発表するつもりだ」

会員がいっせいに佐久間のほうを見た。

「困りますわ、そんなでたらめを云っちゃあ」

淑子が云った。

「でたらめではない。おれは前からそう考えていたのだ」

「でも私たちはそんなことぜんぜん考えてはいなかったし、今の私たちにマッターホルン北壁がやれるわけがないじゃありませんか」

「いや、やれるのだ。そのわけを話そう。従来、マッターホルンの北壁のようなところは経験を積み重ねたクライマーだけしか登れないと、誰もが考えていたが、それには大きな誤謬《ごびゅう》がある。年齢のことを忘れていたのだ。いくら経験を積んでも、或《あ》る年齢以上に達すれば成功の可能性はなくなる。まず第一に年齢的制限を考えるべきである。若いうちにできるかぎり努力して登攀技術をマスターすれば、マッターホルン北壁登攀は不可能ではない。技術の上手下手よりも、体力とファイトが決定的なものだとおれは考える。だから――」

佐久間は叫ぶように云った。

「だからさ、おれはきみたち二人に特訓したのだ。他の連中なら十年かかるところをきみたちは三年で覚えた。登攀記録が実力を証明している。もう習うべきことはない。後は試すだけだ」

「なぜマッターホルン北壁でなければいけないの」

「世界中の人に認めて貰うためには、ヨーロッパ三大岩壁の一つのマッターホルン北壁は絶好の檜舞台《ひのきぶたい》じゃあないか、な、そうだろう。きみたちだって登ってみたいと思うだろう。やればやれるさ、絶対間違いなくやれる。おれは日本人でマッターホルン北壁をやったことのある連中に会ってくわしく話を聞いた。充分研究した上で云っているのだ」

「佐久間さん、あなたはなぜ自分が登るって云わないの」

「おれは今のところ、プロデューサーだ。きみたち二人を世界一の女性クライマーとして送り出すことだけを考えているのだ」

佐久間博はまだしゃべり足りないようだった。

＊

淑子が研究室に入って来るのを待っていて諸原雅子が云った。

「駒井さん、英文のほうを引き受けてくださらない？」

淑子は、一瞬とまどったが、すぐ彼女等四人の研究論文のことだなと思った。研究を指導している小藤教授は、実験が終った段階で、その研究のまとめ方を彼女たちに教えた。データを整理して、それを論文とするにはどう処理したらいいかを、従来の論文を例にとって説明した後で、

〈各自がそれぞれ論文を作って見ることだ。できることなら英文で書いて貰いたい〉

小藤教授はそう云った。

「小藤先生は私たちに論文の書き方まで教えてくださったけれど、私たちの書いた論

文がそのまま学会誌に載ることは今の段階ではちょっと無理だと思うわ、まして先生は、英文で発表すると云っておられるのだから、いよいよ私たちにはむずかしいと思うのよ」

諸原雅子は、まず前提となるべきことを云って置いて、でもねと云った。

「私たち考えちゃったのよ。日本語の論文は書けても、英文は誰も書けないとなると、四人のグループとしてもちょっと淋《さび》しいし、人聞きもよくないわ、だから、あなたに代表して書いて貰うことにきめたの」

「きめたって誰が？」

「私たち三人でそうきめたのよ、あなたは四人のうちで一番英語に強いようだし、だいいちファイトがあるでしょう、私たちはよく知ってるのよ、あなたは高校三年のとき学園祭の英語劇に出演してハムレットの役をやったんですってね」

ちょっと待ってと淑子は云った。たしかに高校三年生のとき英語劇に出演してハムレットをやったし、英会話は、家庭教師に習って、少々自信があるけれど、それと英語の論文とはなんのかかわりもなかった。英語の論文が書けるという自信はなかった。

「ひどいわ、あなたたち、私になにも相談しないで」

淑子は諸原雅子をなじった。

「でもあなたならやれるわ、岩壁に登るつもりでやればやれないことないでしょう」

雅子が発したその岩壁という言葉は淑子の胸を突いた。この人岩壁のことなど、なにも知らないくせにと思った。知らないから云ったので悪意あってのことではないとはっきり分っているけれど、こんなところで岩壁を出されたのが淑子の心を傷つけた。だから怒ればよかった。はっきりことわればよかった。しかし淑子はその怒りを組み伏せた。むしろ怒りに組み伏せられたような顔で、

「ではやってみましょう。できるかどうか分らないけれど」

彼女は云ってしまって、自分が少々情けなくなった。チームワークになぜこれほど、とらわれねばならないだろうかと思った。研究の最後の段階でトラブルを起すことは、もう少しで登攀終了点に達する手前で、もめごとを起すのと同じようなものだと思った。彼女は唇を嚙《か》みしめた。

雅子は淑子が英語の論文を引き受けてくれたことをひどく喜び、はげましの言葉を残して研究室を出て行った。

淑子は彼女の机の前に坐《すわ》った。引出しの中から先週までにまとめた論文を出した。図が十二、表が五、論文枚数は五十八枚になっていた。それを全部翻訳しなければならないのだ。

「これはマッターホルンの北壁に登ることよりたいへんなことだわ……」

彼女はひとりごとを云ってはっとした。マッターホルンの話が出たのはきのうのことであった。佐久間が新聞記者の前で発表すると云ったが、上野駅へは一人の新聞記者も現われないし、彼女の家へ電話がかかっても来なかった。

新しい紙を出すと写真で見たマッターホルンの幻影は消えた。彼女は論文の冒頭を声を上げて読んだ。

「性と年齢差によるバルビタル系睡眠剤の効果について……概要……」

そして彼女はペンを取り上げて横文字を書き出した。

On the effects of Barbiturates from the viewpoint of sex and age

Summary

In the effects of Barbiturates, some remarkable differences were found between adult female and male rats.

そこまで書いたとき電話があった。久松教授の明るい声が淑子の名を呼んだ。

「あなた、今朝の新聞見た？　あなたのことが出ているわよ」

久松教授は淑子のことが載っているスポーツ紙を学生から貰って読んだので電話を掛けて来たのである。

淑子の家で取っている新聞にはなにも出ていなかったし、もしやと思って大学へ来る途中で買った新聞にも彼女等の記事はなかった。それがスポーツ紙に載っているのは意外だった。おそらく佐久間が売りこんだものと思われた。淑子は久松教授の研究室へ急いだ。記事を見たいという気持よりも、いやなことが書かれてはないかということのほうが心配だった。

「とうとうほんものになったのね」

久松教授はスポーツ紙を淑子に渡しながら云った。

記事はかなり大きく扱われていた。記事よりも、衝立岩正面岩壁とコップ状岩壁の写真の方がはるかに大きかった。駒井淑子と若林美佐子がザイルを組んで、この二つの岩壁を、連続登攀したことを報じ、そのあとに、

「……来年の夏は二人でザイルを組んでマッターホルンの北壁を登りたいと思っていますとこもごも語った……」

と書いてあった。驚いたことには、淑子と美佐子が並んで立っている写真が載って

いた。

「マッターホルンへ登るの？」

と久松教授は淑子が新聞を置くのを待って云った。

「まだなんとも考えてはいません。困ったわ、こんなこと書かれて」

「ほんとうに困ったような顔ではないわ」

そして久松教授は急に思いついたように、

「淑子、あなた来年卒業でしょう。三月に国家試験を受けて、六月に正式に医者になる――」

「国家試験に合格すればでしょう」

「あなたなら大丈夫よ。ところで淑子、勿論《もちろん》大学に残るでしょう。だとしたらちゃんとしなければならないわ」

淑子には、そのちゃんとするということがよく分らなかった。

「マッターホルンに出掛ける場合のことよ、あなたは大学生ではないのだから、ちゃんとしなければならないのです」

「ちゃんと、学長の許可を得て出掛けねばならないっていうことかしら、それとも、大学から派遣されたような形をちゃんと取れっておっしゃるの」

「それは淑子の自由、要はちゃんとすることです。ちゃんとして置かないと後で困ることが起きます」

久松教授はそれだけしか云わなかった。考えて見ると、まだマッターホルンへ出掛けるとも出掛けないとも決めてはいないのに、ちゃんとするもしないもなかった。だが、淑子は久松教授の好意を感謝した。

その日、家へ帰ると、母の貴代が淑子の帰りを待っていて云った。

「来年の夏マッターホルンへでかけるんですって？」

スポーツ紙の記事を見て、自宅へあちこちから電話が掛って来たのである。淑子は当惑した。佐久間の過剰な演出のせいだと思った。しかし、彼女はそのことを怒る気持にはなれなかった。佐久間の用意した船にふらふらと乗りこんでしまったような気持だった。

（これではいけない。このままだとこの話はほんとうになるかもしれない）

なってもいいじゃあないかという声が何処《どこ》からか聞えて来た。なってもいいが、その前に、一つだけはっきりさせて置かねばならないことがあった。

（美佐子さんが参加するかどうかが一番問題だわ）

もし美佐子とザイルを組むならば、マッターホルン北壁登攀《とうはん》も不可能ではないように思われた。そして、美佐子以外にザイルを組むべき女性はいまのところ見つからなかった。

淑子は美佐子へ電話をかけた。おそらく、彼女のところへもスポーツ紙の記事について あちこちから電話があったであろう。それについてまず話すつもりだった。

美佐子は電話に出ると、

「こちらから電話をかけようと思っていたところよ」

そして、美佐子は、スポーツ紙の記事のことで、両親が驚いていると話した。まだなにか云いたそうだったが、そこで彼女は口をつぐんだ。

電話の相手が黙ってしまうと、どうにもやり切れなくなる。淑子は思い切って云った。

「もし仮に、ほんとうにこれは仮定の話よ、来年マッターホルンの北壁をアタックできるチャンスが与えられたとしたら、あなたは私とザイルを組んでくださる？」

ザイルを組んでくださるというのは丁寧すぎておかしかった。淑子はいささかあがっていた。

「喜んでザイルを組ませていただきます。あなたとならば絶対安心よ、マッターホルン北壁だって怖くはないわ」

美佐子ははっきりと云った。それはもう既定のことのような云いっぷりだった。むしろ淑子のほうが、言葉の継ぎ穂を失った。

「じゃあ――」

と淑子は言葉を飲んだ。そうなったときはお願いしますと云うつもりだった。

「じゃあね」

と美佐子もそれに応じた。

受話器を置いたとき淑子は、マッターホルンの北壁へ向って踏み出している自分をはっきり見た。そしていままで曾《かつ》て経験したことのないような不安が彼女を覆《おお》った。

（マッターホルン北壁は一流のクライマーが狙《ねら》っている岩壁である。果して、女二人でザイルを組んで登れるだろうか。佐久間の言だけを信じてよいであろうか）

簡単に考え過ぎているのではないかとも思う。胸が痛む気持だった。

（もし、マッターホルンへ行くとすれば……）

そう考えると、数え切れないほどの障害が雪崩《なだれ》のように彼女に向って襲いかかって来るのが見える。隊の編成、渡航費、技術的準備、資料の蒐集《しゆうしゆう》……。行くとすればやらねばならないことが山ほどあった。

〈淑子、行くとすればちゃんとしなければならないわ〉

と云った久松教授の言葉が大きく浮び上った。久松教授は具体的なことを云わなかったが、ちゃんとすることが、今一番大事なことだと思った。

(大学を主体とするか、ジャグ山岳会を主体とする登攀隊にするか)

まずそれから考えるべきだと思った。

淑子は庭の方に目をやった。夜のとばりの中にヒマラヤ杉が超然と立っていた。彼女が夜な夜な忍んで行って、ぶらさがった下枝が黒い影を抱いていた。晩秋の寒さが、その影のあたりから湧《わ》き出して来て彼女を包んだ。

突然彼女の頭の中に何度か見たことのある冬のマッターホルンの写真が白衣を着た巨人のように浮び上った。巨人の姿はすぐ消えて白衣だけが残った。白衣は自分の将来の姿である。

彼女は肩を縮めて食堂の方へ歩いて行った。マッターホルンの北壁を登ることよりも、その前に家族たちの同意を得ることのほうが、遥《はる》かに困難なことだと思った。淑子は深い溜息《ためいき》をついた。

第五章　その前夜

　淑子は黙って聞いていた。

　話が途切れると遠くを走る自動車の音が聞えるが、それも気になるほどのことはない。東京の中心地にいながらなぜこんなに静かだろうと外に目をやると、闇《やみ》の中に聳《そび》え立つ高層ビルが視界をさえぎっていた。上の階ほど光芒《こうぼう》に溢《あふ》れているせいか、巨大なビルの頭の部分に重心が移り、いまにもビル全体がなだれ落ちて来そうに見える。

「われわれの山岳会にとって海外遠征のチャンスなんだ。いまこそ大挙して行くべきである」

　佐久間博はさっきから、何度かこの言葉を口にしていた。チャンス、海外遠征、そしてその次に来るのが、

「駒井、若林両君を中心としてのスケジュールを組んで、それを会全体でサポートするのだ。ジャグという山岳会が母体となり、二人の世界的女性クライマーを生み出す

のがわれわれの目的だ」

という文句だった。

「なんと云《い》っても先立つものは金さ」

と白瀬達也がぽつりとひとこと云った。

チャンスだろうがなかろうが、渡航費がなけりゃあ行くことができない。最低に見積っても一人当りの自己負担金は五十万円ぐらいかかる。その金はどこから出るのだという白瀬の現実的な発言があると、座はしらけわたってしまうのである。

白瀬はよく調べていた。今まで海外遠征隊を出した山岳会をいちいち訪問して廻った結果をまとめて云っているのである。

「その隊の内容が充実していると同時に遠征目的がはっきりしており、応援することによって、間接的な利益があるという確証が得られる場合は山岳用品の製造販売会社、その他から、装具や食糧などの現物寄付を受けることができる。また新聞社、雑誌社等がこの話に乗ってくれた場合も、フィルム等の現物支給があったり、若干の金が出ることもあるが、それは、隊員の自己負担金に影響するほど多額なものではない。結局はなんとかして自分たちだけで渡航費を捻出《ねんしゅつ》する以外に方法はない」

寄付を受ければ、それにふさわしいだけのお返しをするために、その商品を背景に写真を撮らねばならないし、新聞社からフィルムを貰《もら》えば、命がけで撮ったフィルム使用の優先権や、時によると記事の発表についても或《あ》る程度の制限を受けねばならない。

「金や物を貰うことはたいへんなことだ。こういうことは当初からあてにならないものときめてかからないと駄目だ。問題をふり出しに戻して考えると、海外遠征費の自己負担金五十万円をぽいと出せる目安がつかない人は遠征を論ずる資格さえもないということだ」

白瀬の云い方は冷淡に聞えるほどだったが、確かに彼の云うとおりであり、佐久間がいかにチャンスだチャンスだと云ってみたところで金の工面がつかねばどうにもならないことであった。

「しかし、われわれは理想だけは高く掲げるべきだ。まずそれを決めてから実行に移すべきだと思う。おい白瀬、そうじゃないか」

「会長の理想ってやつは、少々甘いけれど、まあ別に反対することはない。駒井、若林パーティーの実力を以《もつ》てすれば、天候にさえ恵まれたら、マッターホルン北壁完登は可能だろう。そして、その世界記録樹立によって二人の所属団体の名前がいささか世に出るだろう」

白瀬は云った。

「いささかってことはないだろう。ジャグの名は世界的なものになる」

と云い張る佐久間に、杉山が云った。

「やっぱり世界的な名声を得るのは駒井さんと若林さんの二人じゃあないかな、ジャグの名前なんか全然出さない新聞もあるだろうよ。しかし、おれはそれだっていいんだ。二人が成功するために、その陰の人であったということだけで大満足だ」

杉山は流行語を考え出して、会の中にはやらせるのが得意だった。大満足もその一つである。

「いったいきみたちは賛成なのか反対なのか」

と佐久間が云った。

「誰も反対なんかしていません。ただ金がねえ――」

と後をのばした杉山の云い方がおかしいのでその場にいる十名ほどの会員がどっと笑った。誰もが、ヨーロッパアルプスへ行ってみたかった。マッターホルン北壁登攀《とうはん》を駒井、若林のパーティーがやるならば支援隊としてでかけてもよいと考えていた。だが、五十万円という自己負担金の額が示されるとすべては遠い他人《ひと》のことのようになり、沈黙せざるを得なくなるのである。

山岳会としての登山計画を検討するいつもの例会ならば、技術的な問題が中心となって、かなり活発な議論が交換されるのだが、この夜の会合には、そういう空気はなかった。佐久間ほか二、三人の発言があっただけで、あとはこれと云った提言もなく、沈滞した空気はどうしようもないほど暗いものになっていった。

そこに集まった会員は例外なく独身だった。学生もいるし、職業を持った者もいたが、五十万円の金をすぐ都合できる者はいなかった。彼等はやり切れないような目をビルとビルの谷間にやる。そこには樹木にかこまれた一区劃《くかく》があり、戦前と少しも変らないような、二階屋や平屋が集まっている。それはあたかも、東京の真中に起きた突然変異のようでもあり、なにかの奇蹟《きせき》のようでもあった。

佐久間博の家は戦前からここにあった。この二階建の家には赤坂の料亭を経営している彼の両親の他、古くから料亭で働いている家族持ちの従業員が住んでいた。

「だいぶ時間が経《た》ったようだ。意見を訊《き》くべき人にはちゃんと訊いたうえで、結論をつけたらいいのではないかな」

白瀬が云った。これ以上遅くなると家人が帰って来る。彼の頭の中にはそれもあった。

「そうだ。まだ二人の意見を聞いてなかった」

佐久間は淑子へ目をやった。淑子は並んで坐《すわ》っている美佐子の方をうかがってから、

「私はマッターホルンの北壁に登りたいと思っています。もし仮にそのようなチャンスが来たとしたら、ザイルパートナーになっていただけるかどうかを美佐子さんに電話で訊いてみました……」

淑子はみんなの顔を見廻した後で、

「そして美佐子さんから快諾を得ました。女性だけでマッターホルン北壁をやるとすれば、私のパートナーは美佐子さん以外にはありません、そう思っています。しかし、どういう形ででかけるか、私自身の気持はまだ決っていません、おそらく美佐子さんもそうだと思います」

「どういう形って？」

佐久間はとがめるような目を彼女に向けた。

「個人的な形で行くか、団体として行くか、またその目的だって、よほどはっきりしないと、物笑いの種になります」

「きみの云うことは分った。とにかく君も、若林君も、行く意志があることは確実と見ていいだろうね」

「行きたいと思っています。おそらく、ここにいる人たちは誰だって行きたいと思っ

ているでしょう。つまり私たちは、根本的にはみなさんと少しも違ってはいないってことですわ」

しかし君は、と佐久間は云いかけたがそれ以上は云わなかった。淑子と美佐子の間の約束は、あくまでも仮定であって、何等具体的に話が進行しているわけではなかった。

「自己負担金五十万円……」

と杉山が悲しそうな声を出したあとで、

「今夜はこれで閉会にしましょうよ、この次の会では、如何《いか》にして五十万円をおやじのふところから引き出すか、それについての研究をやろうではないか。そして金の見当をつけたところで遠征計画ということになる」

杉山は半ばは冗談、半ばは本気で云っていた。

美佐子はずっと黙っていた。帰るとき淑子がこれから鎌倉まではたいへんだろうからよかったら私の家へと誘ったが、美佐子は親戚《しんせき》の家に泊めて貰うことになっていますからと小さな声で答えた。

＊

ヨーロッパアルプス遠征の話は立ち消えの形になったように見えたけれども、実際は、会員たちの心の中でそれぞれ生長していた。

佐久間はヨーロッパアルプス遠征についてはその後口に出すことはなかったが、彼の行動の中には明らかにヨーロッパアルプスを対象としての訓練の過程が盛りこまれているように見えた。

十一月から十二月にかけての週末の登攀山行のテーマとなるものが、従来の岩壁における特殊技術から、氷壁に対する登攀技術の研究に変ったのをみても佐久間の意図が奈辺にあるかが窺知《きち》された。

ヨーロッパアルプスは日本の山と違って、夏期においても氷壁が存在する。特にマッターホルンの北壁の大部分は氷壁であった。そこへ出かけるためにはそれなりの訓練を積み重ねる必要があった。だが、氷のないところで氷壁の訓練は完全にはできなかった。氷壁におけるアイゼンの使い方がもっとも大事なのだが、真冬にならないと、それを試すことはできなかった。十二月は、まだ雪が固まらないから表層なだれの可能性が多くて、うっかり山へは入りこめなかった。どうやら氷雪が安定するのは一月に入ってからであった。佐久間はそれを充分知っていた。しかし彼は、それまで待ってはいなかった。

彼は十二月の初めの休日は、鷹取山や三ツ峠山の岩壁で人工登攀の練習をやった。

岩壁を氷壁に見立てての訓練だった。

「いいか、岩壁をつるつるぴかぴかの氷壁だと思って登れ」

佐久間がしばしば、つるつるぴかぴかを口にするので、若者たちは、この訓練をつるぴか登攀と呼んだ。

淑子と美佐子は土曜日曜ごとに顔を合わせた。佐久間は雨の日でも人工登攀の練習を休まなかった。岩壁に埋め込みボルトをやけに叩《たた》きこんだり、氷壁に見立てた、数メートルの岩壁をアイゼンをつけて登らせたりした。無茶な話だったが、そのような誰も思いつかないようなことを考え出すのが佐久間の登攀家としての身上《しんじょう》だった。雪も氷もない岩壁をアイゼンを履いて登ることは危険なことだった。だから彼はその場所を選んだ。

（とにかくアイゼンになれることだ）

彼はそれを繰り返していた。

「あいつら、少々頭がいかれてるんじゃあないか」

などと、聞えよがしに云う他の山岳会の男たちを尻目《しりめ》に、佐久間特有のつるぴか訓練は続いた。

十二月に入ると谷川岳に雪が降った。だがまだ近づくことはできなかった。危険信号の表層なだれがいたるところで発生していた。

年が変って一月の中旬を過ぎたころ、日光の雲竜峡谷の滝が凍ったという情報が入った。

「いよいよ氷壁登攀の練習ができるぞ」

佐久間はその情報を淑子のところへ電話で知らせて来た。声がはずんでいた。同じことを美佐子のところへも云ってやっているだろうと思うとおかしかった。佐久間は、マッターホルン北壁のことは口にしない。しかし、彼の頭にまかれた種は発芽して、どんどん伸びているようだった。彼は彼自身が後見人となって、ヨーロッパアルプスに出掛け、淑子と美佐子のパーティーによるマッターホルン北壁完登を狙《ねら》っていることはもはや疑う余地のないことのように思われた。

(たとえ、成功したとして、それによって彼が得るものは少ないのに)

と思うと、いささか佐久間の甘さが気の毒にもなるのである。

「雲竜の滝が凍ったそうですよ、第一登はぼくと組んでみませんか」

白瀬からも電話がかかって来た。

(雲竜の滝が凍っても、それはほんとうの氷壁ではない)

何処《どこ》からかそんな声が聞えて来る。だとすれば、氷壁はどこにあるのだろうか。厳密に云って、日本の山には部分的には存在してもヨーロッパ的規模では存在しないのである。そうなると雲竜の滝が大事なゲレンデにも考えられる。

淑子は多忙だった。

二月に最後の試験をひかえていた。その試験が終ると六年間の医学生の生活は終り、そして、一カ月後の三月には国家試験を受けねばならぬ。その結果が発表されて、晴れて医師になるのは六月である。

二月の試験は彼女にとって重大だった。しかし、それと同じぐらいに、氷壁登攀も彼女にとって大事であった。彼女は、表面にはいっさい出さないけれど、マッターホルン北壁に向って既に歩き始めていた。佐久間がそのようにしむけているのをそしらぬ顔で受けながら、

（岩壁における偉大なる記録は経験の積み重ねもさることながら、むしろ若さによって樹立される）

と佐久間がしばしば口にする言葉を反芻《はんすう》していた。マッターホルン北壁登攀をやるとすれば、今だ。学生から医師へ切り替ったそのときだ。彼女はむしろ本能的にそう考えていた。

彼女は二月の試験を前にひかえて日光へ発った。氷壁と化した雲竜の滝のことばか

り考えていたら勉強にはならない。こういうときは、むしろ出掛けるべきである。帰って来てからみっちり勉強に力を入れたほうが能率的だった。

一行は五人だった。

日光に着いたのは早朝だった。東照宮の裏でタクシーを降りて、雪の道を稲荷川《いなり》に沿って歩いて行った。堰堤《えんてい》を過ぎると川面《かわも》は氷に覆《おお》われ、大、小の氷の滝が行く先々に現われた。

友知らずの滝は既に氷に包まれていた。一行は友知らずの氷の滝で軽い練習をやってから、更に川上へ向った。

登るにつれて高度は増し、山が近くなると寒さが身にしみる。雲竜峡谷に近づくと登りは更に急になった。雲竜峡谷には十ほどの滝があり、例外なく氷に覆われていた。冬の短い一日は暮れようとしていた。彼等は明朝を期して、氷の滝の近くでビバークすることにした。

雪の上にテントを張った。完全な防寒具を身につけ、寝袋にもぐっていても寒かった。テントの外が明るい。月が出たようだ。

「これだけ寒けりゃあ、明日の氷の状態は絶好だ」

と杉山が云った。杉山は、ここに来た経験があった。

「この凍った滝をすんなり登れたら、マッターホルンの北壁なんか、平ちゃらさ」

杉山はそう云ったあとで、

「駒井さん、明日はぼくとザイルを組もう」

と云った。淑子が黙っているのと同じことを美佐子に云った。

「明日のことは明日のことさ、なにも、いまここで、プロポーズすることもあるまい」

と白瀬が云った。みんながいっせいに笑った。ローソクが消された。

滝は氷で覆《ふた》をされているのに、滝の音が聞えた。淑子はそれが気になって眠れなかった。単調な音のようで、ちゃんとリズムがあるように思われる。圧縮されたリズムが、突然爆発したら、それは雷鳴になり、嵐の叫び声になるように思われた。滝は大地を打ち続けていた。その地動が、直接に寝袋の中の彼女の頭に響いて来た。

彼女は一晩中、滝の音に打たれていた。もの憂《う》い朝を迎えたとき、僅《わず》かながら後頭部に痛みを感じた。

五人はほとんどいっせいに起き上った。早朝ほど氷は固い。登攀は日が昇らないうちにやらねばならないと例外なく考えていた。

テントの外に出ると思わず身震いをするような寒さだった。素手でピッケルにふれると吸いついた。簡単な食事を済ませて五人は、凍った滝の下に立った。

凍った滝は氷壁ではなくやはり滝の形をしていた。滝は流動していたが氷の滝は静止していた。水と氷、動と静との違いが、神秘的な陰を形成していた。

氷の滝は滝の化石のようであった。流動していた滝が、なにものかの力によって、突然化石にされたような感じだった。そこには岩壁で見かけるような構造はなに一つなかった。飽くまでもそれは滝の化石であり、それ以外のなにものでもなかった。

垂直な滝は垂直な氷の滝となり、二段の滝は、二段の氷の滝となっていた。

「シュタイクアイゼンをつけろ」

と佐久間は淑子と美佐子に云《い》った。二人に向ってシュタイクアイゼンをつけろと云ったとき、その朝のザイルパーティーの第一番は淑子と美佐子に決った。

アイスハーケン、アイスステッチェル、アイスバイルなどの氷壁登攀用具がそこに並べられた。それはすべてきのう既に使ったものばかりだった。

淑子と美佐子はそれらの氷壁登攀用具の使い方についてはきのうのうちに教えられていた。アイスハーケンは、V字形とU字形とネジ込み式の三種があった。一般岩壁用のハーケンとは構造が違うけれども、扱いは特にむずかしいことはなかった。アイスステッチェルとアイスバイルについてはちゃんとした氷壁で実際に応用してみないとその実感は得られなかった。

「きのうやってみせたが、もう一度やってみる。おれの身体《からだ》の動きをよく見ていろ」

佐久間は淑子と美佐子に云ってから、尚《なお》、念を押すように、

「氷壁では、シュタイクアイゼンの牙《きば》とアイススステッチェルの錐《きり》と、そしてこのアイスバイルの先端を交互に氷壁にたたきこみながら高度をかち取って行くのだ。見ろ、このつるつるぴかぴかの氷壁には、手懸りになるようなものは一つもないだろう。だからこういう道具が必要なんだ」

佐久間は久しぶりにつるつるぴかぴかという言葉を出したが、それは必ずしも、氷の滝には当ってはいなかった。氷の滝は極端な云い方をすれば、垂氷《つらら》の集合体だった。氷は全体的に縦のつながりを持ち、縦に流れる陰影があった。氷であるが故《ゆえ》に光ってもいたし、滑らかでもあったが、一枚氷の氷壁のようにつるぴかではなかった。

佐久間は右手のアイスバイルの先で氷を打ちくだいて、手懸りを作り、左手のアイススステッチェルで氷の肌を刺しとおし、そして、両足のシュタイクアイゼンの牙を氷壁に蹴《け》りこんで足掛りをこしらえながら、氷の滝を登って行った。

右手の指のかわりに、アイスバイルを使い、左手の指のかわりにアイススステッチェルを使う——そして、靴先のかわりにシュタイクアイゼンの牙を氷壁に蹴り込んで行

くとなると、すべてが間接的な動作になるけれど彼は別に気にしていないようであった。アイスハーケンを氷に打ちこむときは、ハンマーのかわりにアイスバイルを使った。けれん味はどこにもなかった。

佐久間は六メートルほどの氷の滝を頂まで登りつめると、そこに捨て縄を取りつけ、ザイルにすがって懸垂下降で降りて来た。

「さあ、二人でやってみろ、無理だったらパーティーを組み直そう」

と佐久間は云った。無理だったら、二人を別々にして、杉山か白瀬とパーティーを組ませて練習させようといういたわりの言葉だったが、淑子にはそれが素直には受け取れなかった。

「ちゃんと二人でやってみせます」

彼女はそう云って美佐子のほうを振りかえると、

「私が先に行きます」

と云った。淑子と美佐子とザイルを組んだのはこれで三度目だった。第一回目の越《こい》沢《ざわ》バットレスのときも、第二回目の一の倉沢衝立岩《ついたていわ》正面岩壁のときも、取っかかりは美佐子が先だった。そして、途中で交替しながら登りつめた。しかし、今度は淑子が先行した。佐久間が、無理だったらパーティーの組み直しをやろうと云ったとき、淑子の気持は決っていた。

淑子は氷の滝と正対した。岩壁登攀をやる直前に、祈るような気持で岩壁を見上げるあのときと同じだった。頭の中がしいんとして、一瞬厳粛なものが流れ、そして、平静な気持になる。やるぞ、やれるという自信のようなものが、その次に湧《わ》いて来るのである。

彼女は氷の滝に向って目を閉じた。滝の音がした。馴《な》れ切って、もはやその存在すら忘れていたその音が再び耳についた。と同時に、後頭部のかすかな痛みが気になった。氷の一部が青くすき通って見えた。その青さは生より死に通ずる青さだなと思った。

(氷をおそれているのだろうか、ばかな)

自分を叱《しか》りつけた。いままで一度もなかった気持だった。恐怖ではなかったが、いままでのように岩壁に向ったとき直面する、胸に熱くこたえて来る期待はなかった。

アイスバイルを右手に強く握りしめると、気持の動揺はなくなった。左手にアイスステッチェルの柄を握ると、氷壁の人になっていた。

淑子は氷壁登攀《とうはん》用具を上手に使って少しずつ高度を稼《かせ》いで行った。

「その辺でアイスハーケンを打ちこめ」

「少しばかり右にルートを変えろ」

などと佐久間が下から声を掛けて来る。淑子はその指示に従っていた。手の指が直接、氷の壁に触れなくとも、両手に握っている道具をとおして確かな手応《てごた》えはあったし、靴先を直接、氷壁に乗せないでも、アイゼンの牙が氷に突きささる足応えはしっかりしていた。

彼女にとってむしろそれは単調な登攀だった。岩壁のオーバーハングを乗り越えるときのように腕力がいるわけではなかった。ただ同じ動作を繰り返せばよかった。しかしその単調な登攀もそう長くは続かなかった。右手のバイルの手応えがなんとなく不確かになった。氷がもろくなって必要以上に欠け落ちた。同じことが、左手のアイスステッチェルにも感じられた。力いっぱい打ちこむ錐の先から欠け落ちる白い氷を見ながら、大丈夫かなと思った。アイゼンの牙も一度蹴こんだだけではきかないことがあった。

(おかしい)

と彼女は思った。この氷壁を佐久間はなんのためらいもなく、ひょいひょいと登って行ったのだ。彼はアイスハーケンを実に簡単に打ちこんで行ったのに、そのアイスハーケンがうまくきかないのである。

V字形ハーケン、U字形ハーケン、双方ともに心もとない。氷に密着しないのである。打ちこんでいるうちに氷が欠けてしまうことがあった。彼女はネジ込み式アイスハーケンを使った。これでも安心はできなかった。

きのう友知らずの滝で練習をしたときのアイスハーケンはよくきいた。アイスステッチェルも一発で決ったたし、シュタイクアイゼンの牙もうまく氷に突き刺さった。友知らずの滝の氷はどちらかというと青みがかっていた。そしてこの滝の氷は白い。

(固いがもろい白い氷、それほど固くはないがねばりがある青い氷)

淑子は頭の隅で、二つの氷を比較した。もろい氷には、それなりの方法で立向わねばならないと思った。

淑子はバイルを振って、白い氷を削り取ってテラスを作った。そこで美佐子と交替しようと思った。氷壁上で交替する練習は大事なことだ。美佐子もおそらく、この白い氷の弱さに気がついて、適当な方法を取るだろう。

(多分美佐子はステップを切りながら登るだろう)

白い氷を、これ以上登るにはそれしかないと思った。

どうやらテラスができ上った。彼女は注意深く、その上に這《は》い上ろうとした。三点確保で左足を浮かして、テラスに移動させようとしたとき、右足に掛った重さで氷が崩れた。身体が氷上を滑り落ちた。両手では支え切れなかった。彼女の身体は氷壁を音を立てて流れた。

ネジ込み式アイスハーケンが抜け、続いて次のハーケンが抜けた。滑落の途中で彼女の身体が氷壁から離れ、背中を下にして雪の上に落ちた。

雪が深かったことと、背負っていたルックザックの中に入れてあった、セーターや雨具などがクッションの役目をした。彼女は、しばらくは呼吸《いき》ができなかった。その一瞬の苦しみを通りこして、一息ついたとき、助かったと思った。怪我《けが》はなかった。

「どうした、大丈夫か」

と口々に叫びながら寄って来る同行者たちに向って彼女は、大丈夫よ、どこもなんともないと云った。しかし、墜《お》ちたということで彼女は心に傷を負った。

彼女は雪の上に起き上って、氷の滝に目をやった。くやしかった。涙が出そうなのをこらえていると視界がかすみ、白い滝の氷が天にまで届くほど高々と連なっている氷壁に見えた。写真で見たマッターホルンの北壁とそれが彼女の中で入れ替った。マッターホルン北壁の取付点で氷壁に拒絶され、雪の上に投げ出されたように自分の姿がみじめだった。

「淑子さん、ほんとうに大丈夫なの」

と美佐子が傍《そば》にしゃがみこんで云った。男たちは、淑子がなんでもないことがわかると、氷の滝の方へ行って、氷のもろさについて、高い声で議論を始めていた。

「大丈夫よ。でもちょっとショックだわ、氷の滝で落ちるなんて」

淑子は自嘲《じちよう》するように云った。

「氷の滝はやはり氷の滝だと思うわ、ほんとうの意味の氷壁ではないわ。だからこういうところで……」

美佐子は後のほうを聞えないほど小さい声で云った。美佐子は黙っているけれど、本質的なものを見ていた。どう理屈をつけて見たところで氷の滝は氷の滝に過ぎない。そこにできたものは山体《さんたい》にできた氷壁ではなかった。こういうところで、氷壁登攀の訓練をすべきではないと彼女は云おうとしているのである。

「私たちはあせってはいけないわ、まずマッターホルンの氷壁がどのような構造のものであるかを、よく勉強して知ることだわね」

淑子は私たちと云った。マッターホルン北壁登攀は私たちでやろうと話しかけたも同然のことであった。

「そうね——そしてそのようにできると思います」

そのようにできるということは旅費の問題を含めて、すべてがうまく行きそうだということであった。淑子は美佐子のほうが、マッターホルンに向ってずっと先を歩いている人のように思われた。

「でもね、女性二人で登るという目的だけでいいかしら、ほかによい名目はないものでしょうか」

淑子はいままで考えていた疑問をそこに出した。

「それはあなた自身で決めて下さい。そのほうがいいのよ。私はあなたの決めたことにおそらく反対しないでしょう」

美佐子が云った。

あなた自身で決めて下さいと美佐子に云われたとき、淑子は久松教授が同じようなことをずっと前に云ったことを思い出した。久松教授は、個人として行くか、大学を背景にした団体で行くかは、あなた自身で決めることだと云った。そして、久松教授はこの正月、淑子の家へやって来た時、母の前で、

〈バルビタル系睡眠剤の効果が雌雄によって著しい相違があるというあなたたちの実験研究の結果については小藤教授から聞いたわ、あの論文は三月早々に発表されるそうよ。立派なものよねえ。ところでどう、今年卒業して医師になったら、その第一番

目の仕事として、『登山における疲労度の男女差の研究』をやったら、こういう研究はあなた以外にはできないからね〉

そう云ってから、久松教授は母と声を合わせて笑った。

(そうだ。その研究テーマを持ってマッターホルンに出掛けたらどうだろうか)

淑子は目の前がいきなり明るくなったように感じた。

「すばらしい」

と彼女は氷の滝を見詰めながら云った。

「この氷の滝がかい——朝日がさしかけて輝いたところで、このぼろぼろ氷が青氷に姿を変えるってことはないさ、おれたちは友知らずの滝まで引き返すことにきめたんだ」

と白瀬が来て云った。

佐久間と杉山は未練がましい顔で、朝日がさしかけている氷の滝を見上げていた。

美佐子は、淑子が、氷の滝を見上げてすばらしいと云ったとき、すばらしいのは、その氷の滝ではなく、自分とザイルを組んでマッターホルン北壁に登ることを指しているのだと思った。

「美佐子さん、決ったわ、遠征の目的が」

淑子は雪の中から立上って、雪を払いながら云った。

＊

淑子はヨーロッパアルプス遠征の母体を日本女子医科大学山岳部とし、遠征目的は「高所医学の調査研究」というような幅広いものにすべきだと考えた。久松教授が冗談に云った「登山における疲労度の男女差の研究」のほうがテーマとしては明瞭《めいりよう》だったが、それを発表するのは少々照れくさかった。目的が決ったところで大学の山岳部を母体とした遠征隊を組織し、この中にジャグのメンバーの何人かをコーチとして参加させることがもっとも合理的だと考えた。

しかし、この計画は彼女の頭の中でいろいろとこね廻されているだけですぐには発表されなかった。彼女はこの件についてはすこぶる慎重だった。

彼女は二月の末に最後の試験を受け、大学を卒業した。

三月には国家試験に臨み、六月の国家試験の結果の発表と同時に正式な医師となり、大学に残ることにした。それまでの三カ月間はフリーであった。

彼女は卒業試験が終った日、大学山岳部の部会で、はじめてヨーロッパアルプス遠征計画を発表した。今年の夏休み中に実現したい旨《むね》を明らかにした。

山岳部員の中に理屈っぽい女がいた。

「遠征って言葉はどうかしら、なにか戦争にでも出て行くみたいだわ」

と淑子の計画に灰を掛けた。

「遠征には三つの意味があります。遠くの国に征伐にでかけること、遠くの国へスポーツの試合にでかけること、そしてもう一つは、調査、研究、探険などのために遠くの国へ団体ででかけることです。登山の場合はこの三番目に該当します。遠征は調査や研究、探険が基礎になっている団体旅行であり、登山そのものが目的ではないのです。エキスペディションという意味はそのように解釈されています。だから私たち山岳部は調査研究を主体として遠征に出掛けねばならないと思っているのです。単にヨーロッパアルプスの山々に登ってくればよいというものではないと思います。私たちはそれぞれの体力や山の経験にふさわしいグループを編成してヨーロッパアルプス地方を歩こうと考えています」

「でもあなたはマッターホルン北壁へアタックするでしょう。それが主なる目的ではないかしら」

「たとえそうなっても、私はやはり、エキスペディションの定義を忘れるつもりはありません。山にはただ登ればいいっていうことはいつの時代にだって通用しません」

淑子はそう答えながら、自分が先輩らしい口ぶりになっているのをわびしく感じた。

遠征という字句についての質問以外には特に質問らしいものはなかった。山岳部員のほとんどは、その案に賛成した。それぞれの体力や山の経験にふさわしいグループを編成して、ヨーロッパアルプス地方を歩くというのだから、誰もが行きたいと云った。いますぐにでもでかけたいような口ぶりだった。彼女たちの多くは夢を見るような目をしていた。ヨーロッパ遠征の発表は大成功だった。

その日から淑子は多忙になった。実際の計画を樹《た》てねばならなかった。去年の秋、佐久間からヨーロッパアルプス行きの案が出て以来、ひそかに資料を集めていたことが今となって役に立った。

おおよその構成ができた。希望者二十名をワンゲル班、登山班、岩壁登攀班の三班に分けて、それぞれ組織的行動を取る。三班共に調査研究テーマは「高所医学の調査研究」であった。

淑子はその案を持って行って大学当局の許可を得た。さしさわりとなるものはなかったが、大学からの資金的援助は期待できないことがはっきりした。だが、そのことはそれほど気にすることはなかった。参加希望者の多くは医者の娘であり、経済的に恵まれていた。

大学の方が固まったところで、彼女はこの遠征計画の支持者を探した。それまでの海外遠征隊が例外なしにやっていることで、支持者の対象もほぼ決っていた。彼女は山岳用品の会社や新聞社、雑誌社を廻った。結果は白瀬達也が予《あらかじ》め調査したとおりだった。期待できるような結果は得られなかった。だが、彼女が訪問した新聞社のうち、一社だけが、反応を示した。一言も質問を発せずに最後まで彼女の話を聞いていた社会部長は、

「できるかぎり援助いたしましょう」

と云《い》った。しかしそのできるかぎりの援助の内容がどの程度のものかは分らなかった。

その新聞に彼女等の計画内容が掲載された。その中にマッターホルン北壁のことが書いてあった。天候その他の条件がよかったら、女性だけのマッターホルン北壁登攀を試みる予定だとひかえ目に書かれていた。それがきっかけとなって、他の新聞や週刊誌が興味を示し始めた。なかには、マッターホルン北壁登攀だけが目的のように書き立てるところもあった。

淑子にとってまことに困ったことが起った。日本女子医科大学山岳部とマッターホルン北壁のことがなにかに報ぜられるたびごとに遠征隊希望者が脱落して行った。親

たちの強い反対に会ったためである。最後に残ったのは淑子を含めて三人であった。発表してから僅《わず》か二週間のことである。

多少は脱落者はあると思っていたが、ほとんどが脱落してしまったことは淑子にとって大きな痛手であった。しかし、彼女自身の家庭を中心にして考えてみると、そういうことは当然起るべきことであった。

淑子を隊長とする日本女子医科大学山岳部がマッターホルン北壁に挑戦するという記事があちこちに出るようになってからの、父の顔はまともに見ることができないほど憔悴《しょうすい》していた。いまさら、なにを云っても、どうしようもないことが分っていながら、それでも遠征中止の奇蹟が起らないかとひたすら待っている父の哀願するような視線に会うと胸を衝かれる思いがした。父の重造は彼女が責任ある立場として行くことを心配しているようだった。淑子は重造がなにか云ってくれたらいいのにと思った。怒鳴られてもいい、蹴とばされてもいいと思った。そうはしないで、悲しそうな目で俯向《うつむ》いている父を見ると、こうまでして山へ行かねばならない自分の不幸な性《さが》を呪《のろ》いたくなった。母の貴代のほうがはっきりしていた。いうべきことはちゃんと云った。他人様に迷惑をかけるようなことは慎めとくどいように云ったが、行くなとは一言も云わなかった。淑子は、その貴代の姿の中に自分を見出《みいだ》したような気がした。母の気の強さがそのままこの身に遺伝したのかもしれないと思った。妹たちは姉のやることに無邪気な声援を送っているだけだった。

ヨーロッパ遠征の旗をかかげてからも淑子は山を欠かさなかった。むしろ以前よりその回数は多くなった。

土曜、日曜ごとに鷹取山のゲレンデや越沢バットレスの岩壁でいつものメンバーと登攀技術の練習に身を入れていた。

「出発はいつごろになりますか」

と会員に訊かれることがよくあった。出発は六月の中旬と彼女はきめていた。ジャグからは美佐子と佐久間と杉山が行くことがほぼ決っていたが、白瀬は行けるかどうか分らなかった。

淑子は今度の計画を大学の山岳部で発表した夜、まず美佐子にその内容を知らせた。

「コーチなんて気がひけるけれど喜んで参加させていただきます」

と云う声ははずんでいた。

佐久間は錆《さ》びた声で、

「そんなことだと思っていたよ。目的だの名義なんてどうでもいいんだ。おれはきみたち二人をあの高慢面《づら》をしているマッターホルンの北壁に追い上げればそれでいいのだ。勿論《もちろん》コーチは引受ける」

と云った。

杉山はそのころ、問題だ、問題だ、という流行語をさかんにはやらせていた。

「さあ問題だ。だいいち渡航費をおやじがぽんと出すかどうか。それは問題だ」

しかし、その杉山はその翌日にはコーチを引受けると云って来た。彼の家は東京郊外の農家であった。土地成金というほどではなかったが、彼の家は裕福だったし、彼の勤務先は親戚《しんせき》が経営している会社だから、無理がきいた。白瀬達也は渡航費はなんとかなっても、会社を休むことがむずかしかった。彼は大学を出て四年目の技術者だった。

三月の末に谷川岳一の倉沢へ出掛けた。雪の状態は決して油断はできなかった。いたるところにデブリ（なだれによっておし出された雪の堆積《たいせき》）があった。

杉山、白瀬、淑子、美佐子の四人は二つのパーティーに別れて一の倉衝立岩中央稜《ちゅうおうりょう》を登った。淑子は白瀬と組んで登り、その後から、杉山、美佐子のパーティーが登った。積雪期は過ぎていたが、景色は積雪期と同じだった。岩壁のところどころに残雪や氷があった。淑子はずっとトップをやった。困難なところはなかった。

衝立岩の頭に登りつめて、後続の二人を待っている間に白瀬はヨーロッパアルプス

について二こと三こと話した後、

「おれもきみたちと一緒に行くよ」

とぶっきら棒な云い方で、参加を約束した。

「会社のほうはいいの」

淑子が訊いた。

「いざとなったらやめるつもりで出掛ける。そうきめたんだ」

白瀬は、これで遠征隊員の全容が決定したのだから、早速荷物をまとめて送るべきであると云い、

「荷物のほうはおれが引受けよう」

と、そのもっとも面倒な仕事を引受けた。白瀬は隊員が向うについて、装具待ちというようなことになってはならないと、しきりに心配していた。

「ほんとうに会社を辞めてまでも行くつもりなの、でも、それでは……」

淑子は白瀬の顔を見た。職を辞してまでとなると、たいへんなことだと思った。彼にとって、今度のヨーロッパ山行がそれほど価値あるものには思えなかった。

「誰のためでもない、おれは行きたいから行くのだ」

彼はそう云うと急にだまりこんだ。彼の言葉をもう少し深くうがって考えると、淑

子等のために行くのではない、自分自身が行きたいからだというふうに取れる。そうは云っていても結局は、彼女等の遠征目的に協力することになり、そのために自分を犠牲にすることにもなる。佐久間にしても杉山にしてもなぜ行くのかと訊けば白瀬と同じように答えるであろう。淑子にはその三人の男たちのほんとうの気持がよく分らなかった。佐久間は、彼の主宰するジャグから世界的女性クライマーを出すために、ヨーロッパアルプスに行くのだと、筋が通ったような通らないようなことを口にしているけれど、その真意は分らない。それを、率直に山の友人としての好意と解釈してよいであろうか。同じ山岳会で苦労を共にして来た友情がこのような形で現われたのだと考えていいのだろうか。

「あなたが参加してくれればほんとうにうれしいわ、どうもありがとう」

淑子は白瀬に通りいっぺんの挨拶《あいさつ》しか云えなかった。

「お礼なんか云って貰《もら》いたくはない」

白瀬はそれまでに見たことのないような不機嫌な顔をして、それからはなにを話しかけても答えなかった。

＊

美佐子は谷川岳一の倉沢衝立岩正面岩壁とコップ状岩壁の連続登攀《とうはん》に成功した直後に見た雲の滝を鎌倉彫に生かそうと試みていた。幾つかの試案ができたが満足できるものはなかった。写し取って来た雲をそのまま絵にすることもできるし、彫ることもできた。が、鎌倉彫の特徴とするところは具象より抽象であり、写実より文様に生かすことによって、彫刻としての生命が躍動するものであると考えている彼女にとっては、これこそというものがなかなかできなかった。一時、彼女は屈輪《くり》文様にとらわれて、目に入るものをすべて屈輪文様に変えないと気持がおさまらなかったが、今は屈輪文様にはそれほどこだわらず、屈輪文様を基礎とした新しい文様への発展を考えていた。そう思っているとき、たまたま雲の滝を見たのである。一般的に云って雲には速度も大きさもあったが重さに欠けていた。重さのないものを質量として受け取るのは不確かであった。だが、彼女が見た雲の滝の軽さは明らかに質量を表現するものであった。そこが彫刻に生かすことのもっともむずかしい点である。

(雲の軽さをどのようにして現わしたらよいであろうか)

彼女はそればっかり考えていた。絵なら描ける。彫ることも不可能ではない。しかし、その雲の軽さを文様として抽象化することはほとんど至難の業のように思われた。が、それをしなければならないのである。

彼女は多くの絵を描き、それを文様化し、そしてそれを彫った。しかし、多くは途中で中断せざるを得なくなった。続ける意欲を失ったからであった。

宮沢松磬は彼女が新しい発想に苦心していることを知っているから、彼女の手を煩《わずら》わすようなことをなるべくさけていた。急ぐ仕事があっても、彼女の重荷にならない程度にまかせていた。いよいよ行きづまったら、相談に来るだろう、その時には力になってやればいいと考えていた。

（おれは、いままで天才といわれる人を見たことはない。もしかすると、若林美佐子はその天才かもしれない）

松磬はふとそんなことを思うことがあった。天才は幼児のときからその才能を発揮するものだと聞いていた。もしそれが本当ならば、美佐子の才能は、弟子入りした瞬間に発揮された筈《はず》だった。しかし、美佐子にはそんなふうなところはどこにもなかった。彼女は朝来たときにお早うございますと云い、帰るときありがとうございましたという以外に一言も云わずに、しなさいと云われることだけを飽かずにやっていた。その彼女が天才ぶりを発揮したのは、屈輪文様に取り組んでからだった。人が変ったように彫刻刀には力が入るようになり、そして、彼女自身で次々と新しい文様を考え出して行った。

日が落ちると室内は急に寒くなる。石油ストーブが燃え出した。

「思案に暮れたときには、魚釣りに行けと師匠に云われたものだ」

松磐は、ありがとうございますを云いに来た美佐子に云った。

「このごろは魚釣りにも行けなくなったから、思案に暮れたら、庭いじりをしている。その点、あなたは山という趣味があるから、いざとなればそこへ行けばいい」

美佐子は膝《ひざ》の上に手を置いてじっと聞いていた。

「でも先生、魚釣りに行ってもいい思案が湧《わ》かなかったときにはどうなさいましたか？」

おやという目で松磐は美佐子を見た。こんな質問をしたのは始めてだった。それだけ、思いあまっているのだ。その思いつめたような顔に、曇りがないのが不思議だった。

「師匠は酒を飲めと云ったが、おれは酒が飲めないから、饅頭《まんじゆう》を食べた。食べ過ぎるとかえって思案は浮ばなくなる。しようがないから頭から水をかぶった。それで風邪を引いた。肺炎になって生きるか死ぬかの目に会った。やっと病気が治ったときに、問題は解決していた。それからは思案に暮れてもそのままにすることにした。時期が来ると自然に道は開かれる。あせっちゃあいけない」

松磐はそう云って笑ったあとで、ひとことつけ加えた。

「あなたは雲の流れを彫り出そうとして苦しんでいるようだが、雲の流れを真正面からだけでなく、角度を変えて見たらどうか。雲がないところにだって雲があってもいいではないか」

美佐子は松磐の言葉を頭の中で吟味しながら家路についた。

彼女が雲の滝を彫りたいという願望の基礎になるものは今度の海外遠征にあった。

彼女には一つの夢があった。

(自分自身が彫った鎌倉彫を胸に抱いてマッターホルン北壁に登りたい)

その気持が浮んだのは淑子から、いよいよ今年の夏、海外遠征にでかけるという電話を受け取ったときであった。

(鎌倉彫は私の分身である。私がマッターホルンに登るときは、私の分身の鎌倉彫もつれて行くべきである)

彼女はその考えを感傷に堕《だ》したものだとは思いたくなかった。鎌倉彫に打ちこんでいる自分にとってはそうすることが、もっともよく自分を見詰めることだと考えていた。

(鎌倉彫を胸に抱いてマッターホルンに登るとすれば、それにふさわしいものを創《つく》ら

ねばならない。また、別な考え方をすればマッターホルン北壁に成功するかしないかは、胸に抱いて登る鎌倉彫のよしあしで決る)

彼女はそれを考えすぎだとは思いたくなかった。自ら創った鎌倉彫をお守りとして持って行くのだとも考えたくなかった。強いて云うならば、若林美佐子とその分身が心を合わせて、マッターホルン北壁に向うのだと思っていた。

(小さい手鏡がいい)

と彼女は最初からきめていた。鏡は女性として身につけて置くべきものだ。その手鏡の裏に彼女の分身として恥ずかしくない鎌倉彫を秘めて置くのだ。それにはあの雲の滝を抽象化した文様以外にない。

彼女は師の松磬が云った謎《なぞ》のような言葉をずっと考え続けていた。角度を変えて見ろ、これは初歩的な注意というよりも一般的な教えであった。

〈雲のないところに雲があってもいいではないか……〉

これが解けなかった。

「このごろ顔色がよくないわね、あまり山にばかり行っていて疲れ過ぎたのじゃあないかしら、しばらくは朝のマラソンを止《や》めたらどうなの」

と母の邦子が云った。

「そうだ。大事の前だ。身体《からだ》だけは丈夫にして置かないといけない。疲れたと思ったら、休むことだ。しかし、マラソンを急に止めたらかえってよくないだろう。どうだ。うちの前の池のまわりをチビと駈《か》けっこをしてみたら……その程度で我慢して置け」

父の公雄が新聞から目を離して云《い》った。

父がそのようないたわりの言葉を美佐子に直接掛けて来ることは珍しかった。思っていても彼はかたくななほど表面には出さなかった。父の態度の急変は、やはり、彼女の海外遠征を心配しているからであろうと美佐子は思った。その父に反対して、七里ヶ浜の海岸までマラソンにでかけることはできなかった。

彼女は父の言葉に従った。

彼女の家は南向きの狭い谷の中にあった。鎌倉付近に点在する谷又《やつ》は谷戸《やと》に相当するところだった。付近は開発という自然破壊の波に乗って、ほとんど住宅地に化していたがこの一角だけは昔のままに残されていた。池は年中水をたたえていて、その周囲の草藪《くさやぶ》は蛇の棲息《せいそく》地になっていた。

近所の農家の人たちは、

「まわりが住宅地になったので、マムシが谷戸へ逃げこんだ」

と云っていた。マムシばかりではなく青大将や縞蛇《しまへび》の類もこの一角に逃げこんでいた。

　春はそこまで来ていた。もともと常緑樹の多い森の中に萌黄色《もえぎいろ》が加わって来ると、谷戸の景色はふくらんだように見える。池の周囲には春草が芽を出していたが、朝はまだ寒かった。

　美佐子は池の周囲をチビと駈けっこをした。こんなことをしたのははじめてだった。家の近くにこんなよい運動場があるのを見落していたのがおかしかった。

　池の周囲を大まわりするとかなりの距離があった。一帯が沼沢地《しょうたくち》だから、走るのに快適ではなかったが、足を取られるようなことはなかった。彼女は池の周囲を駈け廻るうちに、次第に馴《な》れて少しずつ池に近づいていった。やがて、彼女の姿が池の水に映るところまで来たとき、とうとう足を沼地に取られた。

（やっちゃった）

　彼女は取られた右足を抜き出そうとしたとき、池に映っている白い雲を見てはっとした。

〈雲のないところに雲があってもいい……〉

　と師の松磬が云ったのはこの場合を指しているのだ。

（師は雲の滝が水に映った姿を彫り出せと云っているのだ）

彼女は一の倉沢を思い浮べた。雲の滝を映し出すような池はないが、渓谷には水が音を立てて流れていた。本物の滝が幾つもあった。

(そうだ。雲の滝の下に水の滝を彫り出したらどうだろうか、それによって雲の軽さは対照的に表現できないだろうか)

頭の中で文様がぐるぐる廻った。停止したときに一つの図柄ができ上っていた。

「おうい、どうした」

父の呼ぶ声がした。彼は突然動かなくなった美佐子が怪我《けが》でもしたと思いこんだようだった。

「なんでもないのよ、お父さん」

美佐子はめったに呼んだことのない父の名を呼んだ。

＊

美佐子は黙ってそれを師の松磬の前に置いた。ようやく出来上りました、どうぞ見て下さいましというかわりに深々と頭を下げた。それは両手を合わせたその中にすっぽりと隠しこまれてしまいそうなくらいに小型な手鏡だった。その裏に雲の滝と渓流の滝とをたくみに組み合せたものが彫ってあった。絵と云えば絵であり、文様と云えば文様だった。どっちにしても、それが雲の滝と水の滝とを対照的に彫りこんだものであることは明らかだった。

雲の滝の末端には特徴ある数個の渦巻が屈輪文様化されていた。その雲の流文《りゅうもん》を支えるように渓流の滝が動的な渦文《うずもん》を縦に並べていた。渓流の滝が作り出す渦文には重量感があり、それと対照している雲の滝には必然的に軽さが浮揚していた。雲の滝を陽にたとえれば渓流の滝は陰であった。陰を強調することによって、陽をおぎなう手法であった。それは特に新しい手法ではなく、古来からしばしば使用されていたものであったが、美佐子のそれは彫刻の手法そのものより、雲と滝との対照の美に重きを置いているようだった。終局的には屈輪文様に生かしたところが非凡であった。

「一時あなたは屈輪文様から離れた。再び屈輪文様に帰ったときには、私には近よることもできないような新しい境地を歩いていなさる」

と松磬は彫刻に向って話しかけるように云った。よくできました。すばらしいものですなどという陳腐な讃《ほ》め言葉ですまされるようなものではないし、そうかと云って適当な言葉を直《す》ぐ見出《みいだ》すことはできなかった。他の弟子の手前もあった。美佐子が手鏡を師の前に置いたとき、弟子たちは音を立てないように近寄って来て、師の周囲をかこんだ。師の背後に突立って見おろすような不心得者はいなかったが、師の肩越しに鋭い視線を投げている者はいた。異常に緊迫した静けさが、美佐子の作品の評価となって現われていた。

「すぐ塗りに出しますか」

「…………」

美佐子は顔を上げてなにか云おうとしたが云わなかった。

「これ以上手を加えることはないと思うけれど——」

松磬はもう一度手鏡を手に取って眺めた。周囲の弟子たちにも見せてやってから、それを机の上に置いた。美佐子は黙っていた。

「それとも塗りに何等かの注文をつけたいのかね。それもいい。悪いとは云えないが……」

松磬は考えこんだ。云うべきかどうかに迷っているようだった。

「もともと鎌倉彫は彫刻と塗りとを一貫作業としてやっていた。そして現在もそうやっている人もいる。しかし時代の流れとともに彫刻と塗りとが分業化し、それぞれが相手の長所を認め合いながら鎌倉彫を発展させて来た。彫刻師は彫ることだけに専念する。塗師《ぬし》は彫刻のできを見て、その本質を生かすように工夫をこらして塗り上げる。完全な分業が成立すると、そこに一つの垣根ができる——」

彫刻師が分業の垣根を越えて塗師に注文をつけることはなかなかむずかしいことを松磬は婉曲《えんきょく》に説明して彼女にあきらめさせようとした。

美佐子は終始黙って聞いていた。松磬を見詰めている目は瞬《まばた》きもしなかった。

「な、これは塗りに出そう。一流の塗師は、ものを見ただけで、どのように処置したらいいかは分るものだ。まかして置いてもまず大丈夫だ」

美佐子の目が潤《うる》んだ。こらえられなくなると彼女はうつむき、そして涙が膝に落ちた。

松磬はあわてた。多くの内弟子の前で彼女をいじめつけて、とうとう泣かしてしまったように泡《あわ》を食って、その場のつくろいにまごついた。彼は立ったり坐《すわ》ったりしながら、口の中でなにかしきりにつぶやいていた。

「分った。あなたの考えをそのまま、相手にぶっつけてみるのもいいだろう。新しい人には新しい考えがあってもいい。そうでなければ進歩はない。これから文朱堂さんに紹介状を書くから、それを持って行ってみるがいい。文朱堂の主人はこのごろ身体を悪くして店にはいないそうだが、若い息子がいる。話せば分ってくれるだろう」

松磬は席を立った。紹介状など書かなくとも電話を掛ければいいのに、わざわざ手紙を書きに自宅のほうへ行く松磬の後姿を目で追いながら、美佐子はその場に坐り続けていた。

内弟子の一人が、これはすばらしいできばえだから、塗りの注文をつけるのは当然だと彼女の耳もとで云った。第二の内弟子は、文朱堂への道筋を紙に書いてくれた。そして第三の内弟子は鏡そのものの材質にも注文をつけたほうがいい、安ものの鏡は曇りが早いし、うぬぼれ鏡用のガラスを塡《は》めこむと、品《ひん》が落ちると云った。

美佐子は弟子たちの好意に対して頭だけ下げたが、ひとことも口をきかなかった。師の松磬から紹介状を貰《もら》ったときはそれでも低い声でありがとうございますと云った。

文朱堂は長谷《はせ》にあった。稲瀬川がその近くを流れていた。耳をすませば由比《ゆい》ヶ浜《はま》に打ち寄せる波の音が聞えて来そうなところだった。

ベルを押しても誰も出て来なかった。玄関は半開きになっていて中が見えた。石油缶《かん》のようなものや、板や、袋などが雑然と積み上げられていた。奥からは物音や人の声が聞えていた。かなりの人数がいるようだった。

彼女は、もう一度ベルを押そうかと思ったがやめて、目を長谷観音の方角の緑の山へ投げた。そのあたりは早朝のマラソンでよく走るところだった。

「どうぞ中へ入って下さい」

と若い男の声がした。風采《ふうさい》の上らぬ男が立っていた。美佐子は玄関に入り、小さな声で松磐堂から来たことを告げながら、師の手紙を差出した。男はその手紙を受取ったが、すぐ封を切らずに美佐子の顔をしげしげと眺めていた。

「失礼ですが、あなたはジャグの会員じゃあありませんか、鷹取山でちょいちょいお見掛けしましたよ。実は私も山屋なんです」

山屋は、登山愛好家の自称だった。

美佐子は男の顔を改めて見直してから頷《うなず》いた。

「やっぱりそうでしたか、すると今年の夏マッターホルン北壁登攀《とうはん》をやるという、あのグループのお一人というわけですね」

男は、彼女に家の中へ上がるように指さした。玄関と物置場とを一緒にした、足の踏み場もないような、その狭いところの隣が事務室兼応接間になっていた。

「失礼しました。私は文朱堂の村岡又兵衛です。おやじが病気中ですので私が代理を務めています」

村岡又兵衛と名乗ったとき美佐子は昔の侍のような名前だなと思った。

「家は代々又兵衛なんです。父も祖父も又兵衛ですから、私も又兵衛なんです」

そう云ってから彼は松磐の紹介状の封を切った。

「用件はよく分りました。あなたのおっしゃるように塗りましょう。だが、あなたが鎌倉彫をなさるとは思いもかけないことでした。いったい山と鎌倉彫となんの関係があるのですか」

美佐子はそれには微笑したまま答えず、幾重にも布にくるんだうえ、箱に入れて来た彼女の手鏡の包みを彼の前でほどいた。

村岡はそれを手に取ってしばらく見詰めていたが、そっと机の上に置いて云った。

「数《かず》ものばかりこなしているところへこういう上《じょう》ものが持ちこまれると思わず目を見張ってしまいます。塗師として生甲斐《いきがい》を感ずるのはこういう時でしょうね、やっぱりおやじの後を継いでよかったと思います」

彼は、三人兄弟の長男に生れたばっかりに、無理矢理に家業を継がされた話をちょっぴりした。

「ところで御注文のすじは」

と云ったものの、その改まった云い方が照れ臭いのか、頭を掻《か》きながら、

「ほんとうのところを云うと、ぼくはまだ駈《か》け出しなんです。塗師は十年と云いますが、はじめてからまだ数年しか経《た》っていません。登山という道草を食っていたからなんです」

むずかしい注文をつけられてもそのようにできるかどうかは分らないと頭を掻きな

がら云う村岡の顔を見詰めながら、美佐子は、村岡の飾り気ない姿勢に好感を持った。頼りになる人だと思った。

「それは一の倉沢で見た雲の滝とその下を流れる渓流の滝とを組み合せたものです。主眼は雲の滝です。それを生かすように塗っていただきたいのです」

「狙《ねら》いは干口塗《ひくちぬり》ですね」

村岡は直ぐに応じた。彼の顔が引きしまった。

「そうしていただきたいと思っています」

「私は鎌倉彫の塗りは製品を飾るものではなくしていかにして彫刻を生かすかにあるのだと思っています。このような手の込んだ上《じよう》ものを生かすには、干口塗以外にはありませんな、干口塗によって明暗を出し、陰の部を強調することによって、雲の滝を浮き出させる。そういうことでしょうか」

村岡と美佐子の目が合った。美佐子は大きく頷いた。自分の考えていたとおりのことを村岡が云ってくれたことを心から感謝していた。干口塗というのは彫刻面に朱漆《しゆうるし》を塗り、その乾燥過程の一瞬間に手早くマコモの黒穂粉《くろほ》(又は煤玉粉《すすだま》)をふりかけて固着させ充分に乾いた後で磨きをかけ鎌倉彫特有の渋い朱色を出す技術であった。

「ではお願いします」

「お急ぎでしょうか」

「六月の十日までにお願いしたいのです」

美佐子は立ちかけた。

「念のためにお伺いしますが、この手鏡の柄の穴はなんのために彫ったのでしょうか」

普通手鏡の柄には穴などなかった。

「そこに紐《ひも》を通して首にかけるためです。私はそれを持って、あの山へ出掛けるつもりなんです」

マッターホルンとは云わずに、あの山と彼女は云った。だが村岡又兵衛はすぐ彼女の気持を察した。

「私があなただったら、やはりそうするでしょうね」

村岡は予期しなかった感動に迫られて、彼女を見詰めたまま突立っていた。

＊

村岡又兵衛は美佐子の置いて行った手鏡の虜《とりこ》になった。彼女が肌身につけてマッターホルン北壁に登るそれを、いい加減な塗りで誤魔化《ごまか》したくはなかった。彼の工房には十人の職人が居て、その半数は十年以上の経験者であった。彼はそのうちでもっとも腕のいい男に任せてみようかと一度は思ったが、それができなかった。これは自分自身でやらねばならない、それが彼女に対する義務のように考えられたからであった。(山をいくらかでも知っているものでなければ、この仕事はできないのだ)

彼は自分自身に云い聞かせていながら、実は、これは私が仕上げましたと云って彼女の前に差出すときの自分自身の姿を思い浮べていた。彼女はその成果を言葉に出さないかわりに、表情で示すだろう、それが見たかった。

どうしたらいいかを考えた。工法は決っていたが、ただやればいいというものではなかった。問題は朱の色をはっきり出すところと朱をそのまま出さずに黒色で押える調和の塩梅《あんばい》であった。

構想を練って紙に書いてみたが、なかなか仕事に取りかかることができなかった。美佐子の彫った彫刻を見ると手が震えた。その桂《かつら》の白木に彫りこんだ鋭い刀の跡におされた。塗ることが作品を傷つけるような気がしてならなかった。

「どうもおれには無理だ」

彼はひとりごとを云った。

三日目に彼は、その手鏡を持って、鎌倉八幡宮の近くにある鎌倉彫会館を尋ねた。

会館は鎌倉彫の技術の粋《すい》を一堂に集めて、これを一般に公開しているところである。一階は展示室で、二階、三階、四階が、教室に当てられ、流儀や、熟練程度によって、教室が違っていた。彫刻だけでなく、塗りの技術も教えていた。

村岡又兵衛は一階の受付で、近藤新太郎の居場所を訊《き》いた。

近藤新太郎は展示室で二人の外国人に鎌倉彫の製品を見せながら説明している最中だった。流暢《りゆうちよう》な英語が村岡の耳を打った。

村岡は展示品に眼をやりながら近藤を待っていた。鎌倉時代の物から現代にいたるまでの作品がガラスケースの中に収容されていた。数百年の歳月を経過してもいささかも姿を変えず、今でき上ってそこに陳列されたような新鮮さを持っているのは、その彫刻文様が現代においても充分に通ずるものであり、そして塗りがいささかも褪色《たいしよく》していないからだった。

「しばらくぶりだね」

その声で振り返ると近藤新太郎が立っていた。外国人は帰ったらしい。

「お願いがあって来たのです」

村岡は哀願するような目を向けた。近藤新太郎は鎌倉彫の伝統を二十八代にわたって継承して来た名家の出であり、現在の鎌倉彫を代表する作家の一人であった。八幡神社前に博考堂という店と工房を持って鎌倉彫の製造販売に当っている一方、鎌倉彫会館の理事長として鎌倉彫の普及に当っていた。五十歳とはとても見えない精力的な顔の中に、芸術家特有の厳しい眼があった。

「そっちで話を聞こうか」

近藤はロビーの方を指した。

「塗りを頼まれたんです。しかし、どうしてもぼくにはできないんです。もともと干口塗は先生の先祖が発明したものでもあるし、できることなら、その本家の伝統を継ぐ先生に塗っていただきたいんです」

村岡はそれだけ云《い》うのも一所懸命だった。

「君は塗師としての経験もあり、鎌倉彫会館の研究科の第一回の卒業生でもある。できないものなどある筈《はず》がない」

「ところがそれがあるのです。とにかくものを見て下さい」

村岡は後生大事に抱えて来たかばんの中から、美佐子が持って来たときと同じように幾重にも布にくるんだ上に箱に入れてある手鏡を取出した。

近藤はそれを手に取った。彼の目に光がともった。厳しい目が、鋭い目になった。彼は瞬《まばた》きもせずその彫りを見詰めていたが、やがて低い声で、

「若林美磬《みけい》さんの作だな」

と云った。

「御存知ですか先生は……」

「作品を通して知っている。秋の展覧会の金賞の候補になった人だ。現代の鎌倉彫新人作家の頂点に立つ一人だと云っても過言ではないだろう。この人の彫った雲は確かに生きている」

「では、先生、お願いできますね、六月十日までに塗って欲しいんです」

「相手は君を見込んで頼んで来たのだろう、君自身で塗りなさい。おそらく君は、この彫りに圧倒されたのだろう。まずこの彫りの拓本《たくほん》を取って、それを型紙にしてこれと同じようなものを君自身で彫ってみたまえ、三つも彫れば手当りは出て来るだろう。そこで、君が彫ったそのイミテーションに塗りをかけてみるのだ。つまり、研究してから、本物に手をつければ失敗は少ないということだ。君は塗師の腕もあるが、彫刻師としての腕もある。研究科のとき君が彫った竜紋はなかなかの傑作だった。あのころのような勇気を出してやってみろ。きっとできる」

近藤新太郎はその手鏡を村岡に返そうとしたとき、もう一度、柄の末端にある穴に目をやった。

「彼女はそこに紐を通して、その鏡を肌身につけて、マッターホルン北壁に登るのだそうです」

村岡は云ってしまって、まずかったなと思った。それは美佐子の秘めごとであり、自分だけに洩《も》らしてくれたことかもしれない。しかし、近藤の顔には、村岡の云ったことについて何の反応も起らなかった。

「君はこの穴は単なる緒《お》を通す穴と見ているのかね」

厳しい眼で云った。

「若林さんがそうだと云いました」

「彼女は用途を云ったのだろう。用途だけを云えば、これは手鏡だ。そんじょそこらの小物屋に並んでいる手鏡と違ったところはない。だが、ひとたび、目のある人が見ればこれは芸術品になる。鎌倉彫はそういうものだ」

はいと答えて村岡は頭を下げた。

近藤に叱《しか》られていることは分っていても、なぜ叱られたのか不明だった。

「この鏡の柄の末端の穴は緒を通す穴である。しかし、彫りの上から解釈すると、これは渓流を受け止める淵《ふち》である。雲の滝を受け止め、更に渓流の渦をがっちりと受け止めた永遠の淵なのだ。この淵があるかぎり水は永遠に流れる。そして雲もその流れを止めることがないのだ。この構図の要《かなめ》に当るのがこの淵になっている」

近藤は手鏡を村岡に渡して更に云った。

「意味が分れば、仕事はできるはずだ。塗師として一番大事なことは彫刻師の心を盗むことだ。彫刻師の気持になり切ることだ」

近藤新太郎は村岡又兵衛をその場に置いたまま去った。

＊

五月に入るとヨーロッパ遠征隊員の合宿訓練が実施された。駒井淑子、若林美佐子、木谷正子、静川明子、佐久間博、白瀬達也、杉山文男の七名は残雪の北アルプスにでかけて行った。

大町から、北鎌沢右俣《みぎまた》に入り、北鎌尾根を経て槍ヶ岳、南岳、北穂高岳までの縦走を終ったあとで、北穂高岳の松濤《まつなみ》岩の下に雪洞を掘って、そこを根拠地として、滝谷の岩壁登攀を連日にわたって実行した。松濤岩のすぐそばに、滝谷へ降りて行く道があった。あぶなっかしい、石ころ道を降りて岩壁の取付点に達し、そこから登攀を始めるのである。

彼等に取って雪洞合宿の経験はそれほど豊富ではなかった。彼等は徹底してロッククライミングに重点を置く練習を積んで来ていた。ハーケン、カラビナ、ザイルなどによって、身体《からだ》を狭い岩壁の岩棚《テラス》の上に繋《つな》ぎ止めて休養に入るような訓練はやったが、雪洞を塒《ねぐら》とするような経験はそれほど多くはなかった。

雪洞はしっかりしていて内部は意外に暖かだった。しかし五月という雪崩《なだれ》の季節を思うと、一夜にしてそこを逃げ出さねばならないことも考えねばならなかった。北穂高小屋が近かったからいざという時はそこに逃げこむことを考えていた。

彼等がやって来てから天気はずっと続いた。

「おれたちはついているぞ」

と佐久間は云った。彼等にとって、滝谷の岩壁は初めてではなかった。

雪洞合宿に入ってから、淑子は、医学実験を始めた。彼女は身体の変化を血液、血圧、脈搏《みゃくはく》、心電図、尿《にょう》でみることを計画していたが、この山行に大きな機械を持って来ることはむずかしかったから、血圧、脈搏、尿を調査項目とした。血圧と脈搏については別に面倒なことはなかったが、尿の検査になると男たちはその採取に協力することを必ずしも喜ばなかった。

採取された尿はウロペーパーによって検査された。ウロペーパーは蛋白《たんぱく》、糖、pH（ペーハー）を手軽に検出する試験紙であった。

それは黄色っぽい地の色をしていた。尿にひたした場合、蛋白があれば緑色に変化し、糖があれば紫色となった。

淑子は美佐子とザイルを組んだ。滝谷の岩壁は全般的に暗い表情をしていた。崩壊の限りをつくした垂直の岩壁も、日が西に廻ると急に明るい表情になった。古い傷跡は黒く、新しい崩壊の跡は白っぽく見えた。

ルンゼ（岩溝《いわみぞ》）には残雪があり、そこに立って、岩壁を見上げると、滝谷にはまだ春が来たとは思えなかった。だが、その岩壁に取りついて、ちょろちょろと水が流れる、いかにもあぶなっかしい岩のでっぱりを越えるときなどにふと春の匂《にお》いを嗅《か》ぐことがあった。日当りのいい岩と岩の間に挟《はさ》まった雪が解けて、そこに苔《こけ》のように取りついている枯れ草の間から、ちょっぴりのぞいている、あるかなしかの緑を発見すると、植物の囁《ささや》きを聞いたように楽しくなった。

そんなとき淑子はその発見を美佐子に知らせてやろうと思うけれど、すぐ自分がいま、滝谷の岩壁にいるのだと自省して、その場から眼をそらすのである。

岩壁登攀《とうはん》を終って、松濤岩まで帰って来るとき、飛驒《ひだ》側から吹き上げて来る強風に吹かれた。風にこたえながら、目を雲海上に投げると、夕陽を浴びて笠岳《かさだけ》が浮び上っていた。

「天気が変るかもしれない」

と淑子は云った。そう幾日も天気が続くわけがないと思った。

その夜から天候が変った。彼等は翌朝早く涸沢《からさわ》に降りて、そして、昼頃には、屏風《びょうぶ》岩《いわ》の下にテントを張っていた。

「さあ、最後の仕上げだぜ」

最後と云っても出発までにはまだ一カ月もあるのに、佐久間は二人に向ってそう云った。前穂高岳の屏風岩が、谷川岳一の倉沢衝立岩正面岩壁に匹敵する大岩壁として知られていたからだった。

淑子と美佐子にはその岩壁は顔なじみであったが、まだ登ってはいなかった。天候の恢復《かいふく》を待って登ることにした。悪天候は三日間続いた。七人のうち二人が一足先に東京へ帰った。杉山と佐久間もその翌日に帰った。淑子と美佐子と白瀬の三人だけがそこに残っていた。

「あなたは会社のほうはいいの」

と淑子は白瀬に訊いた。そんなに続けて休暇が取れることについて不審に思ったからであった。

「会社？　辞めたよ」

白瀬は出発を一カ月先にひかえて既に会社をやめていた。そうなるらしいことを口にしたことはあったが、まさか辞めてしまうとは思ってもいなかった。淑子はそれについて何も云えなかった。そうなるまでにはおそらく一口では云えないようなことがあったのだろうと思った。それにしても白瀬が佐久間以上に山に没入していたのは意外な感じがした。白瀬はいささか神経質なくらいに用心深かった。合理性を強く出したがる男で、ジャグ山岳会のまとめ役としては最適だった。その彼が、ヨーロッパアルプスへ行くために会社を棒に振ったことはにわかに理解できないことだった。

三人はザイルを組んで屏風岩の岩壁にアタックした。白瀬はラストを引受け、トップは淑子と美佐子が交替でやった。

登攀終了点に立ったとき、白瀬が、

「はじめて、この岩壁を登って、この頂に着いたときには日が暮れかかっていた。そして間もなく赤い月が出た。あんなに赤い月を見たことはなかった」

ひとりごとのように云った。

夜の来ないうちに三人は稜線《りょうせん》へ出て雪洞を掘った。寒い一夜だった。

東京に帰ってからも、彼等は連絡を取りながら、山へでかけた。出発準備があるので全員が揃《そろ》うことはめったになかったが、淑子と美佐子はつとめて行動を共にするようにしていた。マッターホルン北壁のことが常に二人の頭の中にあった。

既に荷物は送ってあったし、手を打つべきことはすべて終っていた。そう思っていても、なにか忘れ物をしているようで不安だった。お互いに顔を合わせると、ほっとした。生れて始めての海外渡航だということがなにかにつけて重荷になった。

彼等の行くべき山についての資料は充分検討された。マッターホルン北壁について書いた本は暗記するほど読んだ。頭の中に岩壁のあらましはそのまま入りこんでいた。

六月に入って、彼等は谷川岳一の倉沢に入った。

淑子と美佐子は衝立岩正面岩壁を七時間で完登した。二度目の登攀だったし、天気もよかったが、これだけの短時間で登れたのは、二人の呼吸がぴったり合っていたからだった。そして、二人の登攀技術と体調が申し分ないところに行っていることを示すものであった。

「おそらく、この記録は当分破られないだろう」

と佐久間は云った。女だけでザイルを組んで日本におけるもっとも困難な岩壁の一つといわれている衝立岩正面岩壁をたった七時間で完登したことは、女流登攀者《クライマー》の世界に黎明《れいめい》をもたらしたものであり、マッターホルン北壁に挑戦する資格を与えられたものでもあった。

「短いようで、長い道だった。しかし日本でやるべきことはすべて終った。あとは海を渡るだけだ」

佐久間は二人にかけてやるべきその言葉を自分に向って云っていた。二人を此処《ここ》まで引張り上げて来た自分の過去をふり返っているようでもあった。

佐久間のその言葉を聞くと、淑子は身体の奥になにほどかの倦怠感《けんたいかん》を覚えた。休んではいけない、とすぐ彼女は心に鞭《むち》を当てた。

「ほんとうに、もうなにもすることはないのでしょうか。準備はすべて終ったのでしょうか」

淑子は佐久間から美佐子に目をやった。

美佐子はその目を受止めはしたが、なにか不安そうな目差《まなざし》で立っていた。登攀技術の問題以外にまだまだしなければならないことが数多く残されているのではないかという不安は、二人に共通するものだった。

淑子は咲き遅れたコブシに視線を移すともう一度、同じことをつぶやいてみた。

「恋人でもいたら、さよならを云うことだな。ついでにこの谷川岳にもさよならを云って置かなくちゃあ。ひょっとするとこれが最後かもしれないからね」

杉山が云った。

未知の山へ出かける前のしこりのようなものが、やり切れないほどの固さで彼等を包んだ。いつもなら、陽気な声がブナの樹林帯をゆすぶるように騒々しいのだが、その日に限って彼等は一様におし黙って歩いていた。

残雪がところどころにあったが、春はたけなわだった。ブナの新緑と木の幹のつややかな白さが谷川岳山麓《さんろく》の山々をはなやかなものに見せているのに、彼等の歩き方にはなんとなく力が感じられなかった。

マッターホルン北壁へ登るのは彼女等二人だけではなかった。何回か会合を開いて研究した後、彼女等二人がザイルを組んで登る前に、男たちだけで登ってみようということになっていた。男たちによってルートを確かめ、岩や氷の状態を確認してから、淑子と美佐子が登ることに方針はほぼ決っていた。

おそらく、マッターホルン北壁登攀の時だけは、テントキーパーを務めることになるだろう、木谷正子と静川明子以外の隊員には、それはすべて恐怖の岩壁だった。

＊

美佐子が家へ帰ると、村岡又兵衛から届けられた包みが待っていた。包みは二つあった。小さなほうの包みを開くと、雲の滝と渓流の手鏡が出て来た。すばらしい出来ばえだった。

彫刻の凸部は朱を生かし、谷の部分は黒色をきかせて立体感を強調するという、鎌倉彫特有の基礎的な塗りを更に進歩させ、陽と陰との境界に自然のつながりを見せようとした努力が歴然としていた。渓流の渦の陰の部が強調されたことによって雲の滝が主役となり、雲の流れが、渓流に導かれ、渦となって淵の中に落ちこんで行く音が聞えて来るようだった。

鏡には注文をつけなかったが最高級品がはめこまれていた。

大きな方の包みの中には、幾つかの手鏡が入っていた。彼女の彫ったものと同じ型の手鏡が二つ出て来た。二つとも塗り方が違っていた。一方は明るさを強調し過ぎていたし、一方はなんとなく全体が暗かった。

他にシャクナゲを彫りこんだ手鏡が五個あった。それぞれ、朱蒔塗《しゆまきぬり》、堆烏塗《ついう》、堆青塗《ついせい》、湍慶塗《たんけい》、色絵塗《いろえ》の五種に塗り分けられていた。村岡又兵衛から彼女に宛《あ》てた手紙が入っていた。

「せいいっぱい努力いたしましたが、御満足いただけるかどうか自信がありません。シャクナゲの手鏡五個は餞別《せんべつ》として贈呈いたします。あちらの人は鎌倉彫をたいへん喜ぶそうですから、なにかの折にお使いになって下さい。御元気でいっていらっしゃい」

それだけしか書いてなかった。

美佐子は直《す》ぐ電話を文朱堂にかけて、村岡に礼を述べた上、塗り代のことにふれた。

「とんでもない。お陰でたいへん勉強させていただきました。塗り代など頂くつもりは毛頭ありません」

彼はつっぱねた。言葉の調子から、お世辞で云《い》っているのではないことは明らかだった。

美佐子は言葉に窮した。ではいったい村岡の好意にどのように謝意を表したらいいか分らなかった。

美佐子はいよいよ出発する前日に村岡又兵衛の工房を訪問した。

「おかげ様で心置きなく出発できます。きっとよいお知らせを持って帰って来ることができるでしょう。ありがとうございます」

それは誇張ではなかった。彼女は、村岡が塗り上げた手鏡を手に取ったときにマッターホルン北壁完登は間違いないと思った。

「どのようなお礼をしたらよろしいでしょうか」

「お礼ですか」

村岡はいやな顔をした。

「ぼくは、あなたに成功していただければそれで満足です。それ以外なにもありません。ぼくの塗り上げたそれが、マッターホルン北壁を登るのだと考えただけで胸がいっぱいです。ぼくにできないことをそれがやってくれるからです」

村岡は顔を紅潮《あか》らめながら云った。

美佐子は何度か頭を下げた。おそらくこの工房へは塗りを頼みに、今後もしばしば来ることになるだろう。村岡に近づいたことが彼女の鎌倉彫の分野を一歩前進させたことになったと思った。

その夜は、家族三人揃って食事をした。

「いよいよ明日か」

と父の公雄は盃《さかずき》を口に運びながら云った。

「水が違うと腹をこわすというから気をつけなさいよ、ちょっとへんだと思ったらすぐ薬を飲むことだな」

公雄はそんなことを云うかと思うと、

「西洋の肉は固くてまずいそうだ。どうかね、日本の缶詰《かんづめ》の肉でも持って行ったら」

などと云った。母の邦子は、

「あなた、お裁縫道具持ったでしょうね、糸はどれだけ用意したの」

などとこまかいことを訊《き》いた。

美佐子は必要のこと以外は答えなかった。今日に限ってことさら口にするようなことはなかった。

父も母も海外旅行のことは話題にしたが、山のことは一言も云わなかった。ましてや、マッターホルンのことなど、おくびにも出そうとしないあたりが、美佐子にはかえってつらかった。これから二カ月余、父母は、美佐子のことをほとんど寝ずに心配し続けるだろう。それなのに山のことを話題からさけようとしているのだ。

「美佐子、忘れるといけないから、今夜のうちに渡して置く。向うへ行けば先立つものは金だ、これを持って行くがいい」

公雄は紙幣の入った封筒を美佐子に渡しながら云った。

「スイスの銀行では日本円をあちらの金に取り換えてくれるそうだ」

美佐子はその封筒の中味を改めた。十枚の一万円紙幣が入っていた。

美佐子は登山の条件の基礎となるものは自力であると考えていた。それは体力だけの問題でなく、登山に要する費用も自力で捻出《ねんしゅつ》しなければならないと思っていた。口でこそ云わないが、彼女の中にあるこの完全登山思想は、彼女の登山経験が積まれるに従って固定化し、いまや何人《なんぴと》によっても抜き難いものになっていた。だから、今度の海外遠征についての打合せのとき、後援者探しに力を入れようとする他の隊員に比較して、彼女はむしろ消極的であった。

(自分のことはすべて自分でやる)

という信念でおしとおし、最低の海外渡航費五十万円は彼女自らの貯蓄を当てた。鎌倉彫という職によって得た金だった。海外遠征が決ってからの彼女は、結婚披露宴の引出物《ひきでもの》のような数物《かずもの》もかなり多く手掛けてその報酬を渡航費に当てた。五十万円という額は飽くまでも最低額であり、それだけでは済まないことは分り切っていた。彼女はそのプラスアルファを自らの手で作り出すためにしばしば徹夜をすることがあった。父はそれを知っていたのだ。

「これはいただいていいの」

と美佐子は封筒を押し頂くようにして云った。

「少ないが持って行ってくれ、おれにできることはそのくらいのことだ」

美佐子は泣きそうになった。そうしてはならない。門出に不吉なことだと思ったが溢《あふ》れ出る涙を押えることはできなかった。彼女は顔を覆《おお》って外へ出た。なんとしても両親に涙を見せたくなかった。

庭に出るとチビが飛びついて来た。

「チビ、チビ、お前とはしばらくマラソンができないのよ」

チビと別れるのが悲しいのではなく、チビに悲しみを転嫁《てんか》しながら、不孝を重ねている自分の在り方に泣き、両親にすみませんと泣いて詫《わ》びたのである。

星のない暗い夜だった。沼で鳴く蛙《かえる》の声が湿って聞えた。


淑子は最後の一日を出発前の挨拶《あいさつ》廻りに当てた。隊長として当然のことだった。今度の遠征にあたって援助してくれた人たちは、笑顔で彼女を迎え、無理をするな、気軽に行って来なさいと、判で押したような言葉を掛けてくれた。

最後に彼女が訪問したのはヨーロッパアルプス通《つう》で、今度の遠征になにかと援助を与えてくれた、大高久雄だった。彼は大学の研究室にいた。

「荷物は送りましたか」

大高はまずそれを訊いた。送った荷物は既に現地に到着したことを話すと、

「それは立派だ。いままでの遠征隊の多くは、人間は着いたが、荷物は着いていないというようなことになり、大騒ぎをしたものだ。遠征計画の発表が今年になってからだというのに、よくまあ手際《てぎわ》よくやれたものだ」

大高は大きな声で云った。

「そうそう、或《あ》る男が、きみたち二人の山歴を調べたものを私に見せながら、驚くべき経験量とその速度は、まるで岩壁に向ってがむしゃらに吶喊《とっかん》している女兵士の姿を見るようであり、記録を狙《ねら》うにしてはいささか危険だと云った。私はそれに対してこう云ってやった。水泳選手に若さという年齢の制限があると同じように岩壁登攀《とうはん》の選手にも年齢の制限がある。若すぎてもいけないし、若さを失ってもいけない。肉体と精神が充実した、二十代《はたち》でなければ記録を作るのは無理だ。彼女等が比較的短い期間に想像を超えるような実績を作り上げたことは、なるべく若い間に記録に挑戦する下地を作ったということであり、意義深いことだ。この二人は、マッターホルン北壁登攀に必ず成功するだろう……」

淑子には大高教授の云い方はどこか佐久間博のそれと似て聞えた。

「ありがとうございます」

と淑子は頭を下げた。挨拶廻りで、マッターホルン北壁に必ず成功すると云ってくれたのは大高教授一人であった。

「しかしそれも天気次第だ。天気が悪ければなにびとも近づけないし、近づいてもいけない。登攀記録を樹《た》てるのは、実力の他にその時の天気が大きく効いて来る。この運、不運はいかようにも為《な》しがたいものだ」

淑子は、きっと運が味方をしてくれるに違いないと思いながら帰途についた。

その夜のテーブルは妹たちによって賑《にぎ》やかに飾られていた。

万国旗を張りめぐらせた天井の下の大テーブルの真中に、マッターホルンを形取ったデコレーションケーキがあった。頂上から七合目あたりまでが砂糖の氷壁で固められていた。

淑子は妹たちの拍手でその席に迎え入れられた。

話題は淑子を中心として展開し、笑いが絶えなかった。

母の貴代も妹たちに負けずにしゃべった。

婆《ばあ》やも、

「お嬢様、そのマッターホルンという山は富士山より高い山ですか」

などと素朴《そぼく》な質問を出した。そんなときは、妹たちがその答えを引受けて、座を陽気にした。

父の重造は時々口もとに微笑を浮べる程度であった。重造は危険なものに近づこうとしている娘に、もはや行ってはいけないと声を掛けられなくなった悲しみをこらえながらそこに坐《すわ》っていた。ときどき淑子を見る目にはあきらめに近い光があった。

「ケーキのマッターホルンには姉さんがまっさきにナイフを入れるのよ。つまり姉さんはこの席上においてマッターホルンに宣戦を布告し、そして勝利の甘さを味わうのよ」

妹の直子が云った。

「姉さんは挑戦するだけでいいのよ、甘さの方は私がかわって味わってあげるわ」

末の妹の光子が云った。それでまた笑いが起きた。

お茶になったところで貴代が淑子に云った。

「あなたたちの秋のオーバーを注文したいと思っているのよ。直子と光子は好みがうるさいから、きめるのはなかなかむずかしいでしょうけれど、あなたはどう、お母さんにまかせてくれる?」

「いいわよ、お母さんにまかせるわ」

淑子はそう答えながら、母のさりげなく話しかけたその言葉の中に、母の心の奥を見たような気がした。

(母は秋が来るまでには無事に帰って来てくれと言葉を替えて云っているのだ。山で死んじゃあいけないと私に頼んでいるのだ)

母の思いやりが心苦しいほど痛かった。

淑子は部屋に帰った。一応は整理したつもりだったが、まだ完全ではなかった。しかし書棚の本を直しただけで手をひっこめた。なんとなく落ちつけなかった。居ても立ってもおられないという気持はこういうものだろうと思った。

ジャグの会員から電話があった。

「出発はたしか明日だったね、飛行機ですかそれとも船?」

船だと答えると、ああ、やっぱりシベリア経由ですかと相手は云った。飛行機で行くよりもシベリア経由で行くほうが経費が安くてすんだから、ヨーロッパの山へでかける若者たちの多くはそうしていた。

続けてまた電話があった。送りに行けないから、電話で挨拶したいというのである。

妹たちがやって来て、どうせすぐには眠れないでしょうから、トランプでもやろうと誘った。

「手紙を書かねばならないのよ」

淑子はそう云って妹たちの誘いをことわった。

手紙を書かねばならないようなところはなかったが、なにか書き残して置きたい気持だった。二度とわが家へは帰って来られないのではないかと思ったりした。マッターホルンの北壁の姿が目の前にそそり立って見えた。いままでは、それに向ってまっしぐらに走り続けていた。が、今は違う。それは、恐ろしいものに見えた。近づいてはならないものに見えた。

その夜彼女はマッターホルンの夢を見た。彼女はたった一人で、ナイフを片手に氷壁に挑んでいた。

第六章　マッターホルンの北壁

石の巨人は白い衣をまとい、東を向いて坐っていた。暗い樅《タンネ》の森を貫くように一条の渓流が巨人の方へ向っていた。森はまだ眠っていた。渓流のせせらぎがあっても、しばらくそこにじっとしていると、その音さえ、森の奥に引きこまれて行って、気にはならないほど静かな朝だった。

ツェルマットの村はずれに来ると、マッターホルンはよく見えた。森を越え、山を越え、そのずっと奥の牧草地《アルム》の上に立つマッターホルンははけたはずれに大きく、他のすべての景観はこの偉大なる石の巨人のために存在しているようであった。極端な云《い》い方をすれば、それは他の事物とつり合いが取れないほど大きくて、光に満ちあふれていた。

日本の山はどれを例にとっても、その高さや大きさは付近の山や湖と調和が取れるだけのスケールを持っていた。そのように創《つく》り出された美しさはごく自然であって、真直《まっす》ぐにそのふところへ飛びこんで行けそうな親しさを持っていた。

マッターホルンには美しさといかめしさはあったが親しみはなかった。それはタンネの森の上で超然としていた。近づけば、直ちに撥《は》ねつけられそうな固さが感じられた。

森も山もローネ川（フランスへ流れこめばローヌ川）の源流もすべてまだ眠っているのにマッターホルンだけが眼を覚ましているのも異常だった。この谷が深いのだろうか、マッターホルンが高いところにあるからであろうか。

空には一点の雲もなかった。その空の数分の一ほどを占領するくらいに、マッターホルンは大きく見えた。

淑子と美佐子はツェルマットの村はずれの渓流にかけられた橋の上に立尽したままマッターホルンを仰ぎ見ていた。

二人は、ホテルを出てここまで森の中を歩いて来た。川を渡って小高い丘に立ってマッターホルンを見ようと思ったからであった。そして、二人はまるでマッターホルンを見るために作られたような橋の上で足を止めたのであった。

淑子は胸の動悸《どうき》を感じた。マッターホルンに面会ができたという感激もあったが、マッターホルンが予想以上に大きく、そして、目の前にはっきりと見せた北壁の偉容

マッターホルン北壁

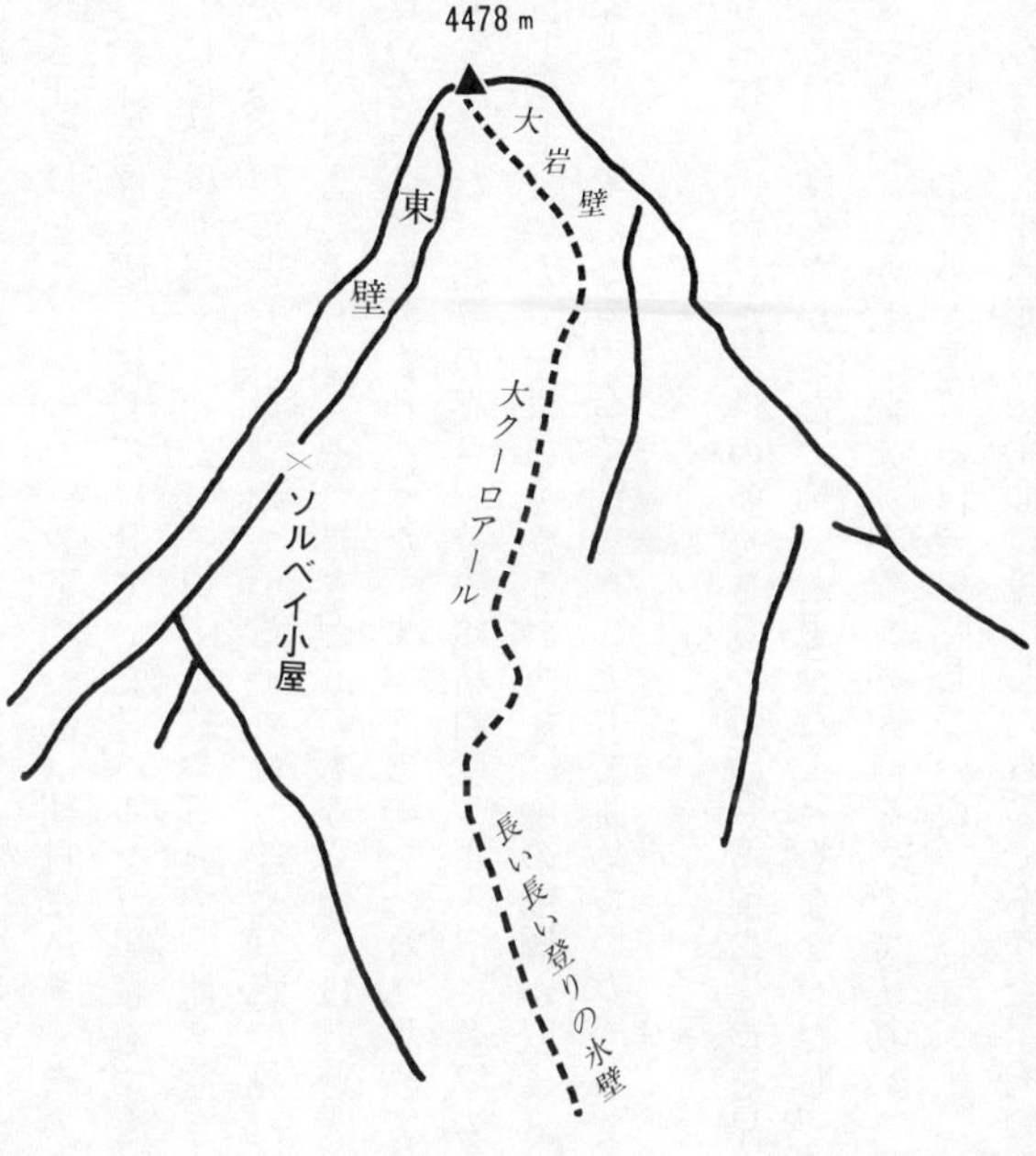
4478ｍ
東壁
大岩壁
大クーロアール
ソルベイ小屋
長い長い登りの氷壁

が、彼女の心に強く応えたからであった。

美しく、そして恐るべき北壁はそこにあった。北壁の一部は朝日に輝き、その大部分の黒い陰影はかえって全体を浮き彫りにして見せていた。ヘルンリ尾根を境として、左方に東壁、そして右方には北壁が見えていた。その姿は絵や写真で、飽き飽きするほど見たものであったが、今、現実として見詰めているそれは、絵や写真で見たものとは全体違ったものだった。見方によれば、それは、どうにもならないほど尊大にかまえ、あらゆる悪意を秘めた石の怪物のようだった。すべての美を一身に集めて石となった魔女の姿のようでもあった。北壁の高さ、その傾斜角度、ルートや登攀《とうはん》の困難さについては、充分研究し尽していた。それにもかかわらず、胸の動悸が収まらないのは、それを登攀の対象としてではなく、全く別なものとして眺めていたからであった。

淑子は日本の山の最も困難と云われた岩壁の多くを登った。登る前に岩壁を見たとき、胸の動悸を感じたことは一度もなかった。怖いと思ったこともなかったし、不安を覚えるようなこともなかった。しかし、いま、かなりの距離をへだてて初めて見るマッターホルンの前では、明らかに小さ過ぎる自分を感じていた。

それまで彼女が見ていたマッターホルンは平面に投影したものであった。肉のない、薄い紙片でしかなかった。いま見るそれは、充分過ぎるほど肥え太った石の怪物であり、突如として、アルプス全山をゆるがすような咆哮《ほうこう》を始めそうに見えていた。山には違いないが、それはなにか人を思わせた。千万人もの執念をこめてでき上った人間の化石のように見て見えないことはなかった。

頂上には冷たい光があった。モルゲンロート（朝焼け）の時間はもう過ぎて、朝はマッターホルンの下部のアルムに達しようとしていた。

淑子はゆっくりと呼吸した。朝の空気が、タンネのにおいを運んで来た。このにおいは日本の山のにおいとよく似ていたが、どこかが、なにかが違っていた。違っていることははっきりしていても、それがなんであるかが分らないもどかしさをこらえかねて、隣りに立っている美佐子に目をやった。美佐子なら、それがなんであるかをはっきりと教えてくれるような気がした。

美佐子もまた自分を失いかけたような顔でマッターホルンを見詰めていた。彼女の頰を涙が濡《ぬ》らしていた。

淑子は美佐子の涙を見たとき、この際なにも話しかけてはならないのだと思った。淑子の胸の動悸と同じものが、美佐子の場合は涙になったのだと思った。淑子はマッターホルンまでの遠かった道をふりかえっていた。

空気が透明だった。日本の山の朝は靄《もや》か霧の中に夜が明けた。夜が明けてから、靄や霧が一度に押しよせて来ることもあった。どっちにしろ、山の朝はしばらくはねむたい表情をしているものだった。

しかし、ツェルマットの朝の中には、視界をさえぎるものはなにひとつとしてなかった。狭い谷なのに、そこにたまっている靄も霧もなかった。

川の色が次第にはっきりして来た。それは乳白色をしていた。氷河から流れ出て来る水の色だと淑子はなにかの本で読んだことがあった。登山家が、その白く濁った川を見て、ああ、またアルプスへやって来たのだと感嘆の声を上げる水の色がそれだった。

充分な光が当てられたら、この川の色はどうなるだろうかと彼女はふと考えた。そしてすぐその直後に、そのローネの源流に沿ってなぜ霧が発生しないかについて疑問を持った。川があるのになぜ朝霧が出ないのだろうか。はっきりと霧と分るものでなくてもよかった。少なくとも、その川を中心として付近のタンネの森が朝靄の中に静かな表情であるべきだった。それは理屈ではなく、山の生理現象のようなものだった。

そんなことを考えているとき、彼女は突然、タンネの森のにおいと、日本の山のにおいとの相違がなんであったかに気付いた。

(乾燥しているのだ。全体的に水蒸気が不足しているから、朝霧も出ないし、朝靄もかからないのだ。そしてこのタンネの森のにおいは乾いた山のにおいなのだ)

彼女はそう考えた。シベリア経由でヨーロッパに入り、ジュネーブで荷物をまとめて受取って、この地に入るまでの途中、彼女は乾いた空気をずっと吸い続けていた。同じ山のにおいでも、空気が乾いているといないでは随分と違う。

夏の盛りであった。牧草畑にも牧草地にも草が生《お》い繁《しげ》っていた。美佐子と二人でここまで歩いて来る小道にも草があったし、道の両側に木立があったが、朝露に濡れてはいなかった。彼女は橋の欄干を左手で支え、右手を伸ばして、橋の方にさし伸べているタンネの枝に触れて見た。そこにも露はなかった。

(昨夜《ゆうべ》は曇っていたかしら)

そしてすぐ彼女は自分自身にノーと答えた。

横浜を出航してナホトカに向って以来今日まで、彼女は熟睡したことはなかった。特にヨーロッパに入ってからの彼女は雑用に追われっぱなしであった。隊長としての責任を重く感じたのではなく、実際問題として、様々な用事が彼女のところにふりかかって来たからであった。日本語が通じない世界では一歩動くのもたいへんなことだった。懸命に外国語をしゃべっても、通じないことがあった。ヨーロッパ人は表情は豊かであると同時に露骨である。大きな身振りで、あなたの云うことは分りませんとやられると、次の言葉が出なくなった。言葉の不自由さのために生ずる行動の齟齬《そご》について は、誰も責めようとはしないけれど、彼女自身は自分を責め続け、それが不眠症の原因になった。隊員の中には、彼女以上に外国語を話せる者はいなかった。

淑子はその前夜、夜半に眼を覚ました。天気のことが心配だったので、カーテンの隙間《すきま》から外を見た。満天の星空だった。

(昨夜は晴れていた。だのに露は降りていない)

やはり、水蒸気が少ないからだ。空気が乾燥しているのだという簡単な答えになるのだが、そのようにきめつけてしまうのには、なんとなく物足りなかった。彼女はその問題から一歩退いて、

「とにかく天気はよくなったのよ」

と云った。それだけでいいのだ。低気圧が去って高気圧がやって来たのだと、彼女は、きのう村の広場の掲示板で見た印刷天気図を頭に浮べながら云った。

「そうのようね、ずっと続いてくれればよいけれど」

美佐子がそう答えてくれたので、淑子はずっと楽な気持になって、

「だいたい、このあたりの天気も、五日ないし七日ぐらいの周期で良くなったり、悪

くなったりするらしいわ」

と云った。このあたりの天気もというのは、日本の天気と同じようにというべきだったかもしれないし、北半球の中緯度という言葉を敢えて出すべきだったかもしれなかった。

「でも年によっては、一夏雨ばっかり降っていたり、またはずっと天気だったりすることがあるんだって……その点、日本よりはこちらのほうが、なにか大まかなところがあるらしい……」

淑子はそれまでに得ていた知識をつけ加えた。

「どっちにしても、晴れたのだから、いよいよぶっつかるわけね」

美佐子はマッターホルン北壁登攀についてぶっつかるという表現を使った。まさに目の前に立っているマッターホルンの北壁には、登るというよりも、ぶっつかると云ったほうが当っていた。全身でぶっつからないかぎりどうしようもないほどの壁に思えてならなかった。

「なるべく天気が変らないうちに」

淑子がそう云ったのと、マッターホルンの頂上に旗のような雲が出たのとほとんど同時だった。どこを探しても一点の雲もないのに、突如として頂上に旗のような雲がかかったのは、マッターホルン自体が手品でも使ったように見えた。旗はひるがえっているし、旗の先が千切れて飛んでいるところを見ると、頂上を非常に強い風が吹き通っていることを示していた。雲の旗が消えた。かき消すような消え方だった。そして次の瞬間、また雲の旗が頂上に掲げられた。雲の旗が、できたり消えたりするのを見ていると、怪奇な現象を見せつけられているような妙な気持にさせられた。こんな現象は日本の山にはなかった。山の頂に笠雲《かさぐも》ができたり、時によってはこれと同じような雲が現われることがあった。だがそれは徐々に現われ徐々に消えた。瞬間に現われ、瞬間に消えるような早業は見たことがなかった。高さの差だというにしては、なにか納得しかねるものがあった。マッターホルンの高さは四、四七八メートルであり、富士山の三、七七六メートルと比較しても、それほど高いとは思われなかった。

「なにか悪い兆候ではないでしょうか」

美佐子が云った。

「そうねえ……」

確かにそれは尋常ではないことのように思われた。天気が悪くなる前兆かもしれない。だが、淑子は、なにかの本でこれと同じような現象について読んだことがあった。話を聞いたのかもしれない。

「マッターホルンがパイプをくわえたっていうのは、このことではないでしょうか」

淑子はやっとそのことを思い出して云った。

「ね、それに違いないわ。見方によれば、パイプから吐き出される煙のようにも見えるでしょう。マッターホルンがパイプをくわえると天気が続くっていうこの地方の俚《り》諺《げん》のことをなにかで読んだことがあるわ」

そのパイプの煙は消えた。二度と吐き出そうとはしなかった。空は飽くまでも青く澄み切って行き、マッターホルンは日が高くなるにつれていよいよ白く輝いて見えた。二人は顔を見合せてから橋の上を去ろうとした。朝食を終ったら出発だと、二人の腹の中はほぼきまっていた。

橋の向う側の丘の方から、少女が一人、大きな牛乳の缶《かん》を背負って降りて来た。少女は、二人の傍《そば》を通り過ぎるときに、ちゃんと、お早うございますの挨拶《あいさつ》をした。ふわりと長いスカートが地を這《は》うようだった。少女は革の紐《ひも》がついた、ひらべったい靴を履いていた。

少女の姿がタンネの森の中に消えたところで、美佐子がなにか小声でひとりごとを云った。写真機を持って来るのを忘れたことを悔いているようだった。淑子も同じ気持だった。マッターホルンがパイプをくわえた一瞬を撮って置きたかったが、もうどうしようもなかった。散歩に出るのにカメラを忘れたなんて、よほどどうかしているのだと思った。

（私は疲れているのかもしれない）

自分だけではなく、隊員のすべては馴《な》れない海外旅行で疲れているに違いない。疲れを取るには山に入ることだ。

「今日中にシュワルツゼーまで荷物を運び上げようと思うけれど、どうかしら」

淑子は美佐子の意見を聞いてみた。

シュワルツゼーというのは、ツェルマット村の上部からロープウェイに乗って行った終点だった。そこにはシュワルツゼーの名のとおり、黒い小さな湖があって、その付近がキャンプ地になっていた。彼等はそこにテントを張って、テント生活に入る予定を立てていた。マッターホルン北壁を目ざしての基地であった。既にきのうのうちに現地を見て、テント予定地も決めてあった。

「そうねえ、今日中になにもかも終ってしまいたいわね」

美佐子がなにもかもというのは登攀準備をすべて整えたいということだった。テントの中で登攀用具を再点検して、不足品はツェルマットの運動具店で買って、そして、いよいよ北壁に向って出発ということにしたいと彼女は云っているのだ。美佐子がいますぐにでも登りたい気持は淑子にも分りすぎるほどよく分った。そうしたかった。面倒なことはいっさい棄《す》てて、マッターホルン北壁登攀に専念したいと彼女も思っていた。テントの中に入ったときが、旅の終りであり、その日が山への出発だった。雑事からはすべて解放され、ただ登攀のことだけを考えればいいことになるのだ。淑子は隊長という名を捨てたかった。一刻も早く美佐子とザイルを組んで北壁にアタックしたかった。

＊

そこには短い草が生えていた。いたるところに高山植物の花の群れがあるので、テントを張る場所を決めるのに戸惑った。ようやく呼吸《いき》をしているような貧弱な草原になぜこのように美しい花が咲き乱れているのだろうか。大地のすべてのエネルギーはその花に吸い取られているようだった。どの花も色が濃く美しく、どの花も日本の高山植物と似ていたが同じものは一つとしてなかった。どこかが少しずつ違っていた。

シュワルツゼーは黒い湖というよりも、丘から眺めると黒い池に見えた。水が澄んでいて、池のふちに立つと、ブライトホルンが映って見えた。池から目を上げると優雅な曲線を描いているテオドル氷河の左隣りに撫《な》で肩をしたブライトホルンがあった。その隣りのリスカムはいささかきびしい表情をした美しい山だった。そして視界の左はずれにあるモンテローザ山群は一段と大きく、どっしりとかまえていた。デュフールシュピッツェの頂はモンテローザ山群の中から一段と高く突き出ていた。すべてが、白銀一色で覆《おお》われ、光が溢《あふ》れすぎていて遠近がはっきりしなかった。

目をテオドル氷河にもどすとその右側には何度眺めてもびっくりするほど大きいマッターホルンがひかえ、マッターホルンの北壁と東壁の境界線を形成するヘルンリ尾根の基部に四角な建物が見える。ヘルンリの小屋であった。サングラスをかけていてまぶしすぎるので、長いこと見詰めてはおられなかった。それでも、その光量の海に溺《おぼ》れてしまいそうだった。

七人は黙々とテントを張った。ロープウェイの終点で荷物をおろして、そこからテント場までの運搬の途中ではしばしば声を上げて、その絶景を賞讃《しょうさん》した彼等が、いざ幕営地の建設になると黙りこんでしまったのは、とうとうここまでやって来たという感動を通り越して、これからなにをなすべきかの段階に入ったことを、一人々々が認識したからであった。

荷物はテントの外で拡《ひろ》げられて、一つずつ、テントの中に整理されて行った。その中に、携帯心電計の機械があった。それは、テントの一番奥に、安置されたような恰《かっ》好《こう》でおさまり、その近くに医薬品や研究材料が置かれた。整理が終ったところで、七人はテントの外に出て、そのすばらしい景色を見ながら山行予定について相談した。

天気が変らないうちに、まず第一にヘルンリ尾根を登ることによって、マッターホルンそのものをよく観察し、そして、北壁登攀に取りかかろうという者と、一般尾根なんか登ろうと思えば、何時《いつ》でも登れる、それよりも、まずアイステクニックをマスターするために、テオドル氷河からブライトホルンに掛けて歩いて見るべきであり、場合によってはリスカムやモンテローザに登ることを考えてもいいという者もあった。

彼等はそのすばらしい山々の前で、しばらくは勝手な熱を上げていたが、やがて、日が西に廻って、僅《わず》かながら北壁に西陽がさしかけると、申し合せたようにそれまでの云いたい放題は止《や》めて、黙ってマッターホルンに見入ってしまった。誰かが独りごとのように、まず、マッターホルンに取掛るべきであるというようなことを小声で云ったのがきっかけで、全員でヘルンリ尾根を登ることに決った。

翌朝早く全員がテントを離れた。此処《ここ》ではテントキーパーは不要だった。不在中のテントが荒されるようなことはなかった。

ヘルンリの小屋までは二時間の道程だった。小屋の主人に天気を訊《き》くと、当分天気は続くだろうということだった。一行はその日一日をマッターホルン北壁取付点《とりつきてん》までの調査に当て、翌日早朝にヘルンリの小屋を出発して尾根登りをすることに決めた。ヘルンリ尾根の鞍部《コル》からマッターホルン氷河に出たとき、彼等は氷河が如何《いか》なるものであるかを知った。それは、いままで彼等が考えていた氷とは、異種のものだった。遠くで見ると白く輝いていたが、近くで見ると、岩石が混り合った薄汚ない氷の化石であった。その厚さは測り知れないし、足下に果てしもないほどの広さで展開しているマッターホルン氷河は、固く結合された一つの物体であって、そこに切目がないことが、異様な重圧感となって目に飛びこんで来た。

彼等は氷河に飲まれたように言葉を失い、そして無言でシュタイクアイゼンを靴の底につけた。

氷河が氷ではなく氷の化石であることは、氷河に向って一歩踏み出したときに、アイゼンを通して伝えられた。氷河はアイゼンの爪《つめ》を拒絶した。実際は、アイゼンの爪の先の何ミリかは氷河に食いこんだのだが、日本の山で氷壁を踏んだ時のような確かな応《こた》えがなかったから、氷河に拒絶されたように感じた。だが、彼等はすぐ氷河に馴れた。氷の化石ではなく、さりとて氷でもない――それは氷河以外のなにものでもないという、ごく当り前のことに気がつくまでには一時間以上もかかった。

氷河の中にいるということが彼等を昂奮《こうふん》させ、クレバスを覗《のぞ》き込んで声を揚げた。底も知れないような深い深い、割れ目というよりも断層に近いそれを見たとき、日本の山でクレバスと呼んでいたものがなんであったかを思い出して恥ずかしくなった。幅二メートルほどの断層となっているクレバスもあるし、雪にかくれて見えないようなものもあった。その断層は延々と続いていた。

遠くから見た氷河はまことにおだやかな表情をしていたが、その上に立つと、荒々しいほど粗暴な氷原だった。凹凸や断層が多いということだけではなく、段階状を為《な》した氷河の積層があり、それを接続する氷の滝に似た、ほとんど垂直の壁があった。北壁は覆いかぶさりかかるほどの間近さで目の前に迫っていたが、北壁登攀《とうはん》取付点は、「氷河の段」を幾つか乗り越したずっと上の方だった。

七人のパーティーは三つのザイルパーティーを組んで、氷河の段に向った。淑子と美佐子は、これから北壁登攀にでもかかるような慎重さでザイルを組んだ。慣例によって、美佐子がまず先に立った。右手にアイスバイル、左手にアイスステッチェル、靴底には二本の牙《きば》が飛び出しているシュタイクアイゼンをつけていた。

氷河の段はほとんど垂直に近い氷の壁だった。両手の得物を氷壁に突き刺し、両足のアイゼンの鉄の牙を氷壁に蹴《け》り込むことによって、身体を氷壁にとどめることができた。手足の四点のうち、三点で身体《からだ》を確保し、一点ずつ移動するという、ごく自然な登攀が行われていた。

両手の指先で岩壁の出っぱりをつかみ、登山靴の先端を岩の角にかけて岩壁上に立つという登攀ではなかった。手にしても、足にしても直接氷に触れることはなかった。特に両足は、鉄の牙を氷に蹴りこむことによって支えられているのだから、不安定だった。氷の滝で練習をしたことがこの場で役立った。

威勢のいい懸け声が氷河の段に響き渡っていた。三パーティーはそれぞれ別のコースを登った。氷河の段はそれほど高いものではなかった。だいたいザイルのワンピッチで終った。だから、途中で交替する必要もなかったが、練習のために敢えて交替する組もあった。氷河の段を越えるたびに高度が増し、北壁が迫って来た。北壁はまさしく巨大な一枚岩《スラブ》に氷が張りついたものだった。近づけば近づくほど、上部に向って延び上り、既に頂は見えなくなっていた。

取付点のラントクラフト（この場合は大氷壁の下に出来た氷河の割れ目）に来ると、その上に、垂直というよりも、いくらか、かぶさり気味の二〇メートルないし三〇メートルの氷壁があった。取付点の「固い氷壁の門」がこれであった。

「ワンピッチだけ登ってみましょうか」

と美佐子が、氷壁を叩《たた》きながら云《い》った。淑子はそれに頷《うなず》きながら佐久間博の顔を見た。

「やめろ、今日はこのまま帰ったほうがいい」

佐久間は氷壁から目を離さずに云った。そして、その理由《わけ》はと訊《き》きたそうな顔をしている隊員たちに聞えるような大きな声で、

「明朝早く全員でヘルンリ尾根を登らねばならないからな」

と云った。明日にそなえて無理な行動は控えようという佐久間の気持は全員に通じた。

「ではそうしましょう」

と淑子は佐久間の言葉に素直に従った。彼女は隊長であり、隊の責任者の立場にあったが、佐久間は隊の技術的な責任者であった。佐久間の言葉には従うべきだと思った。

一行は往路とは別にマッターホルンとマッターホルン氷河との境界線――つまりマッターホルンの裾《すそ》を廻ってヘルンリの小屋に帰った。途中、一、二カ所落石の多いところがあったが、それ以外は特に気を使うところはなかった。北壁登攀の折には、マッターホルン氷河に出て、氷河の段を登って行くよりも、比較的落石の少ない時間を

見計らって、裾廻りのコースを取ったほうが、有利のように思われた。ヘルンリの小屋は登山客でほぼ満員だった。七名は翌朝のヘルンリ尾根登山を期して早めに寝た。三段ベッドのスプリングはひどく固いし、どっちを向いても外国人ばっかりの山小屋の夜は、遠く日本からやって来た彼等には決して安眠を得られるところではなかった。

十二時を過ぎたころから騒々しくなった。登山組は寝室を出て階下の食堂へ移った。そこが出発する人たちのための準備の場であった。ほとんどの登山客にはガイドがついていた。生れて初めてザイルを結ぶという人がかなりいた。

七人の日本人は騒然とした雰囲気《ふんいき》に呑《の》まれながらも登山の準備を終了した。案内人は雇わずに、案内人をつれているパーティーの後をついて小屋を出た。満天に星が輝いていた。夜半に出発しないと日帰り登山はできないと知らされていたが、なにかだまされているような気がしてならなかった。

ヘルンリ尾根は一般登山者が登るからたいしたことはないだろうと思ったが、いざ取りついてみるとロッククライミングの技術を要するなかなかたいへんな尾根だった。一歩足を踏みちがえたら、あの世行きという場所がいたるところにあった。ザイルを組まねば登れなかった。

七人は三班に分れてザイルを組んだ。ヘッドランプをたよりに、登っても登ってもいっこうに登ったような感じのしない尾根が続いた。夜が明けても、岩の登りは続いた。赤ちゃけた、もろい岩だった。ヘルンリ尾根は東壁の方へかなり寄っていたので、この尾根を登りながら北壁を観察するというわけには行かなかった。危険を十分にはらんだこの岩尾根を、驚くばかりの軽装で登っている登山者がいた。案内人にたより切っている様子だった。それにしても、このヘルンリ尾根での事故が比較的少ないのは、やはり、ガイド制度がしっかりしていて、ずぶの素人《しろうと》はガイド無しでは登れないような仕組みになっているからであろうか。ガイドの声が尾根にそって、前後で聞えていた。

昼近くになってマッターホルンの七合目あたりに相当するソルベイの小屋に着いた。標高四、〇〇〇メートルである。それから頂上までは急な登りになった。危険な岩場に懸けてある長い固定ザイルにつかまって登った。頂上直下の雪渓に入った。風が強くなった。

マッターホルンの頂上は細長いナイフリッジになっていた。両端が高くなっていて、イタリア側の頂上には鉄の十字架が風に鳴っていた。

淑子は頂上から北壁を見おろした。北壁を登って来て、いまここに立ったとすればどんな気持だろうかと思った。

美佐子も同じような感慨にひたりながら北壁を見おろしていた。そこから見える北壁の部分はごく僅かでしかなかったが、その北壁の陰から黄色いヘルメットをかぶって這《は》い上って来る自分自身を待つような気持で眺めていると、目頭が熱くなった。美佐子は危うく涙を落すところをやっとこらえた。頂上は風が強くて長くは居られなかった。

登るときよりもはるかに神経を使う下りだった。東京に比較して、此処《ここ》では日が暮れるのが遅く九時にならないと暗くならない。登山にはうってつけの季節だった。夕刻を過ぎてヘルンリの小屋へ着くと、日本人の新聞記者が一行を待っていた。海外特派員だった。

「マッターホルン北壁には何時《いつ》登りますか」

というのが淑子に対する第一番目の質問だった。

「天気や、北壁の情況を見て、登りたいと思っていますが、何時と訊かれても御返事できません。なにしろ、ここには来たばかりですので」

淑子は答えた。

「登るとすれば、やはり、駒井淑子さんと若林美佐子さんがパーティーを組んで、女性パーティーとしては世界で初めてという記録を狙うのでしょうね」

と記者は重ねて訊《たず》ねた。

「そうできたらそうしたいと思いますが、いまのところ、どうなるか分りません」

淑子は他のパーティーの方を見ながら云った。

（七人でやって来たのだから、パーティーの組合せはどうなるか分らない）

と云いたいところを我慢した。

記者は、その他、二こと三こと、ごく当り前のことを質問してから、シュワルツゼーのホテルへ帰るガイドと共に小屋を出て行った。

「おれたちは明日北壁をやるぜ」

と佐久間博が突然云った。おれたちと云ったとき、白瀬と杉山の顔が緊張した。驚いた顔ではなく、既にその覚悟を決めたような顔だった。

「天気はまだまだ続くらしい。チャンスだと思うんだ。おれたち三人が登った直後にきみたち二人が登ったほうがいい。おれたち三人が偵察的登攀をやるという意味においても、先行すべきだと思う」

きみたちと云ったとき佐久間は淑子と美佐子の顔を見た。

「いつそう決めたの」

淑子は佐久間に反問した。

「今だ。あの新聞記者が去った直後に決めたのだ。今年のヨーロッパアルプスは十年ぶりの天気に恵まれているということだ。チャンスを見逃す手はない」

佐久間は、他の外国人の手前、大きな声を上げはしなかったが、言葉に熱がこもっていた。

「ほかの人たちの意見も聞かないと……」

淑子はそうは云いながらも、佐久間の突然の云い出し方が、ここでは決して不自然ではないと思った。ヘルンリ尾根から北壁は充分に観察はできなかったが、肌に感ずる山の空気を通して、北壁に挑戦すべきチャンスが到来しつつあることを充分に知っていた。

他の男たち二人は佐久間の意見に文句なく賛成だった。女たちも反対する者はなかった。

「明日は無理よ。昨夜はほとんど寝ていないから、今夜は充分休養を取らないといけないわ。明後日の未明に此処を出発することにしたらどうかしら」

淑子は隊長としての立場で云った。明日の朝と気負っていた男たちも淑子にそう云われて納得した。一行はヘルンリの小屋を後にしてそろそろ暗くなりかけた道をシュワルツゼーのテントに帰った。

テントに着いても淑子等には仕事が残っていた。彼等のパーティーの血液の検査、尿の検査、心電図による記録取り、などであった。淑子は、木谷正子と静川明子の二人にそれらの仕事を手伝って貰《もら》いながら、北壁登攀中には、血液や、尿を採取することはできない、するべきではないと考えていた。

*

黄色いバラを活《い》けた大きな壺《つぼ》が会議用のテーブルの中央に飾られていた。会議用テーブルとは別に、学長専用の椅子《いす》とテーブルが部屋の奥にあり、椅子を見おろすように、創立者の横岡夫妻の肖像画が掲げられていた。

学長の横岡浩太郎は会議用テーブルの中央に窓を背にして坐っていた。彼の顔は肖像画の横岡早苗とよく似ていた。おそらくその絵が描かれたときの年齢に彼自身が近づいているからであろう。東京帝国大学の医学部を卒業し、生涯医学者としての道を踏むべき彼が、両親の跡を継いで日本女子医科大学の学長になったその時から彼の相《そう》貌《ぼう》もまた、剛毅《ごうき》と温和を兼ねた彼の母に近づいて行ったのかもしれない。

会議用のテーブルには十名の教授が招かれていた。これは教授会ではなく、学長が日本女子医科大学ヨーロッパ遠征隊に、直接または間接に関係あると思われる教授たちの意見を聞くために開いたものだった。

「問題をもう一度整理してみましょう」

一応意見が出たあとで司会役の川原田教授がメモを覗きこみながら云った。当日の議題からかなりはずれたような発言があったからである。

「本日の新聞によりますと、駒井淑子を隊長とする本大学のヨーロッパ遠征隊は、いよいよマッターホルン北壁登攀を敢行しようとしておりますが、この北壁では既に多くの犠牲者が出ているという事実にかんがみ、大学側としても慎重に考え、この際、彼等に対して何等かの提言を行うべきだと思います」

川原田教授はそこで言葉を切って、倉島教授の方へ眼をやって、

「危険を伴うような登山はなるべくさしひかえるように電報を打つべきだという説と、ここまで来たら、なにも云うべきではない、もしどうしても提言の要があるとするならば、はげましの電報を打つべきだという二つの説に分れましたが……」

川原田教授は最後の方を久松教授のほうを見ながら云った。

「単なるはげましではありません。私は学長名で激励の電報を打つべきだと申しました」

久松教授はその場で川原田教授の言葉を訂正した。その後を追うように倉島教授が発言した。

「私は、マッターホルン北壁登攀は中止せよと学長名で電報を打つべきだと申しました。危険な登山は、なるべくさしひかえろなどという電報ならば、打つ必要はありません。マッターホルン北壁登攀計画は絶対に中止せよと強い態度に出るべきだと思います。さっきも申しましたとおり、彼女等は高所医学の研究という隠れ蓑《みの》を着て、ヨーロッパアルプスへ出掛け、実は女性だけのパーティーによる、マッターホルン初登攀という新記録を狙《ねら》っているのです。そのことはこの新聞を見れば、よく分ります。彼女等が個人の資格で出掛けたのならかまいませんが、この新聞にあるとおり、日本女子医科大学ヨーロッパ遠征隊として出掛けているのです。もしものことがあれば大学は、その責任を負わねばなりませんし、世間の批判にも答えねばなりません。彼女等が学長に出した登山計画予定表の中にもマッターホルン北壁登攀は入ってはいません。つまり彼女等は大学の目をごまかして出掛けているのです」

ちょっとお待ち下さい、と久松教授が云った。

「大学の目をごまかすという言葉はおだやかではありません、彼女等の計画には、ヴァリス山群において高所医学の研究を兼ねた登山を行うとちゃんと書いてあります。

ヨーロッパアルプスのうち、彼女等が今度出掛けたところの、スイス、フランス方面には、幾つかの山群がありますが、そのうち最も有名な山群は、マッターホルンを中心とするヴァリス山群、アイガーを中心とするベルナーオーバーランド山群、そして、フランスでは、モンブラン山群と、ドーフィネ山群です。倉島教授も少しはヨーロッパの地理のことをお調べになったらよいのではないかと思います」

その言葉の終らぬうちに倉島教授はすかさず反撃した。

「だからごまかしだと云っているのです。ヴァリス山群と書くことによって、マッターホルン北壁登攀を隠蔽《いんぺい》したのです」

「それは違います。彼女等がマッターホルン北壁を狙っていることは既に周知の事実です。その話は既に去年から出ていました。あちこちの新聞や雑誌にその記事は出ていました。ここにお集まりの皆様も御存知の筈《はず》です。だから、正式の手続の上でヴァリス山群と書けば、マッターホルン北壁登攀もやりますよと云っていることと同じです。いまになって彼女等の計画に水をかけるようなことはよくありません。もしそのことが危険であり、大学のためによくないと思ったら、なぜ出発前に云わなかったのです」

久松教授の言は鋭かったし、彼女がそこに持って来たスクラップブックには、彼女が云ったとおり、駒井淑子等がマッターホルン北壁登攀を狙っているという新聞記事の切り抜きが幾枚か貼《は》ってあった。

「駒井淑子の母の駒井貴代さんは、私の親しい同級生です。私は、淑子のことなら生れたときからよく知っています。淑子は本大学の創立者横岡早苗先生と非常によく似たところがあります。『横岡早苗伝』は先生が自らお話しになったことを活字にしたものですが、先生が子供のころ、女の子をいじめる男の子をとっちめて泣かしたという話が書いてあります。淑子もそうでした。悪い男の子に目をつけて腕力でいじめつけたあたりは横岡早苗先生の子供のころと同じです。時代は違っていても、淑子の心の中にはそのころから、早苗先生の云っておられる女権確保の精神が芽生えていたのです。淑子が登山に打ちこみ、登攀家《クライマー》として一流になったのも、女性が決して男性に劣ってはいないということを意識しての行動であり、即《すなわ》ち本大学創立以来の根本的理念に発したものだと思います」

久松教授の話はいささか演説口調になったが、彼女が駒井淑子を全身で庇護《ひご》しようとしている姿勢が心の底からにじみ出ていて、一種の迫力を感じさせた。

倉島教授は明らかに不快な感情を腕組みをすることによってこらえているようだった。

「明治四十一年に初めて本校の卒業生を出した当時のことが、『横岡早苗伝』の中にあります。その席で、ある知名人が立上って、女医だから手術はやらないというわけにはいかないだろう。血が流れる手術をしてもなんとも思わないような殺伐な女がつぎつぎと出て来るならば、やがて日本は亡《ほろ》びるだろう――そう云ったのです」

そこで久松教授は学長横岡浩太郎に向って云った。

「明治四十一年というと学長が六歳の年に当られます。早苗先生は、祝福せらるべき卒業式場でのその悪口を耐え忍んでいたのです。それ以後も世の中の偏見と戦いながら、ひたすらに女権の確立を実《じつ》を持って示そうとなされて来たのです。今もし、海外にいるわが大学の山岳部宛《あて》に、マッターホルン北壁登攀《とうはん》中止の電報を打ったとすれば、それは、血を流すかもしれない岩壁登攀のような殺伐なことをする女がつぎつぎと出たら、日本は亡びるだろう、と云ったのと同じことになります。つまり本大学は明治四十一年の状態に返ったことになります。学長、お考えになって下さい。若い者たちの心を裏切り、本大学創立の趣旨に反するようなことはしないで頂きたいのです。学長……」

久松勝子教授はそこで声をつまらせた。学生たちから鬼の久松と云われている彼女が目に涙を浮べたのである。

久松教授は突然立上って身体《からだ》を会議用テーブルに乗り出すようにして云《い》った。

「学長、私は淑子を信じます。彼女はほって置いても大丈夫です。中止の電報など打たないようにお願いします」

倉島教授もまた立上って云った。

「ここは感傷でものをいう場ではない。学生が危険な場に臨もうとしているときは、大学として注意を喚起してやるのは当然のことです。この際、断乎《だんこ》として中止の電報を打つべきです」

学長の口が動いた。しかし言葉にはならず、彼はさらに熟考の時間を要求するかのように目をつぶった。

＊

佐久間博、白瀬達也、杉山文男の三人がマッターホルン北壁に向った日もその翌日も天気はよかった。シュワルツゼーのテントの中の四人は、時々外へ出て双眼鏡を目に当てて見たが三人の姿を見ることはできなかった。もっと性能のいいのを持って来ればよかったなどと云いながらも彼女たちは、おそらく三人のベテラン登攀家《クライマー》たちは二日目の午後にはマッターホルン北壁を完登して頂上に立つだろうと話し合っていた。

って来て、

二日目の午後おそくになってシュワルツゼーホテルに働いている少年がテントにや

「マッターホルン北壁を登っていた三人が間も無く頂上に着くところだ。三人はあなたがたのパーティーの男たちだろう」

と云った。アルバイトの少年は、暇をみてはテントに遊びに来ていた。ドイツ語しか話さないが、どうやら意味は通じた。ホテルには精巧な望遠鏡があるから、それによって北壁登攀隊の姿をとらえたのであろう。テント内の四人は喚声を上げた。それは佐久間等三人に間違いないと喜び合ったものの、他にも北壁を目ざしているパーティーがヘルンリの小屋にいたのを知っている彼女等はやがて、自信なさそうな顔になると、きっと私たちの仲間だわねなどと云い合って、お互いに不安な気持を落ちつけようとした。

彼等が頂上に立つことができたとしても、時間的にみてその日のうちにヘルンリの小屋まで降りることは困難であり、おそらくソルベイの小屋に泊って、此処へ帰って来るのは明日の昼過ぎになるだろうと予測された。

「あなたがたは何時北壁《ノールドワンド》に登るのか」

と少年は彼女等に訊《き》いた。

「多分、明後日になるだろう」

と淑子は答えながら、そうだ、その準備をしなければならないと思った。美佐子の顔を見ると、彼女もそのことを考えているらしくゆっくりと頷いていた。

彼女等は登攀の準備にかかった。あらかじめ懐中ノートに書きこんで置いたとおりの用具や食料、燃料などを取り揃《そろ》えて、各自のルックザックに入れて見たが、なにか大きな忘れ物でもしたようで不安だった。

彼女等は翌朝テント場を出た。下山して来る三人をヘルンリの小屋まで迎えるためだった。ヘルンリの小屋の主人は三人が北壁登攀に成功したことは間違いないと云った。三人が危険な場所を通り過ぎて、ひたすら頂上に向っているのをヘルンリ尾根を下山中の登山者が見ていたのである。

三人は一段と日に焼けた顔で下山して来た。マッターホルン北壁を完全登攀した何人目かの栄誉を担《にな》いながらも、別にたいして嬉《うれ》しそうでもないし、さりとて、疲労困《こん》憊《ぱい》しているふうでもなかった。

栄光に輝く三人は謙虚を装《よそお》っているふうに見えた。シュワルツゼーのテントまでの道を歩きながら三人はこもごも語った。

「つらいと思ったのは取付点の三〇メートルほどだった」

「登りの氷壁は長かったな、眠くなってしようがなかった」

「大クーロアール（大岩溝）に二、三カ所いやなところがあったが、別にどうってことはなかった」

「落石はいやだ。あれにやられたら一巻の終りだ。一番おっかねえのはそれだな」

三人は、こういうところに注意して登りさえすればよいのだと云った。

テントに着いて、彼等が登ったルート図を前にしての話でも、さほど耳新しいことはなかった。

「なあ、そうだったな」

というような言葉を佐久間はしばしば使って、白瀬や杉山に同意を求めた。その佐久間を見ながら淑子は、

（この男たちは、後で登る私たちにいたずらに恐怖心を与えないために、わざとあんなふうに云っているのではないだろうか。ほんとうはもっときびしい登山であったのではなかろうか）

と思った。彼等の思い遣《や》りはありがたいが、それだけでは、これから登ろうとする者に、特に参考となるものはなかった。

「ひとことでいいから、これだけはというようなことがあったら云ってください」

淑子が云った。

「時間に勝つことだ。北壁は想像以上に大きい。日本の岩壁のスケールで考えてはいけない」

佐久間が云った。

「一歩々々が緊張の連続だ。それに耐え得るかどうかで勝負は決る」

白瀬が云った。

「できるかぎり荷物を少くすることだ。紙一枚と云えども余計なものは持って行かないことだ」

杉山が云った。三人のことばに対して、

「天気がこのまま続くようでしたら、私たちは明日の夜、ここを発《た》ちたいと思っています」

淑子は美佐子と話し合ったことをそのまま云った。ヘルンリの小屋に泊っても、十二時に起されてしまうし、大部屋の三段ベッドではよく眠れない。ヘルンリの小屋に泊るよりも、ここから出発したほうがいい。ヘルンリの小屋までの二時間はもったいないが、体力の損失は気にするほどのことはない。

「そういうことになったら、私たちは二人の荷物を背負って取付点まで送って行くわよねえ」

　と、木谷正子は静川明子をふり返って云った。

　男たちはその案に賛成した。

「それなら明日とは云わず、今夜出発したほうがいい。ヘルンリの小屋のおやじの話では、この天気はあと二、三日は続くが、その後のことはどうなるか分らないそうだ。あと二、三日ということになれば、今夜出発すべきだ」

　白瀬が云った。

「なにも、そう急ぐことはないだろう」

　という佐久間に対して白瀬は、ヨーロッパの気象について調べ上げた彼の知識を披《ひ》瀝《れき》した。

「ヨーロッパの天気は愚図つき出したら、どうにもしようがない。そうなった場合は登攀をあきらめて日本へ帰らねばならなくなる」

　彼は、過去の記録を書きこんだノートを出して、何年には夏の前半がよかったが、後半が悪かったとか、何年は一夏だめだったというような例を示した。

「では今夜出発しましょうか」

　淑子は美佐子に同意を求めた。

「そうしましょう。そのほうがいいわ、きっと」

美佐子は確信するような口ぶりで云った。

人の声がするので、テントの外に出ると、シュワルツゼーのホテルの少年がなにか叫びながら走って来るのが見えた。少年はシュワルツゼーのホテル気付《きつけ》で駒井淑子宛《あて》に打電されて来た電報を持って来たのである。電報はローマ字でつづられていた。

学長許可の範囲内で行動せられんことを切に希望する」日本女子医科大学学長横
岡浩太郎
「いったいこれはどういうことでしょうか」

淑子は電報を一読すると、それを木谷正子に渡した。静川明子が顔を寄せ、うしろから三人の男たちが覗《のぞ》きこんだ。

「マッターホルン北壁登攀を止《や》めろってことよ」

静川明子が云った。

「そうね、そんな感じだわ、きっと駒井さんと若林さんのことが、でかでかと日本の新聞に出たのだわ」

木谷正子が云った。

「あいつだよ、きっと、ほら、ヘルンリ尾根から降りて来たとき待っていたあの新聞記者が書いたに違いない」

と杉山が云った。

「マッターホルン北壁登攀は学長許可の範囲内に入らないというのでしょうか――」

淑子は自分自身に問うてみた。学長は登山計画書を提出させて、それに許可を与えた。計画書は遠征計画の概要であって、マッターホルン北壁登攀というような具体的な事項は書いてなかった。しかし、ヴァリス山群という固有名詞は計画書の中にちゃんと書き入れてあった。淑子はそれについて一応理屈は云ってみたものの、電報の内容そのものから来る響きはマッターホルン北壁登攀を遠まわしに拒否している姿勢に受取れた。

淑子と木谷正子と静川明子の三人は電報についてそれぞれの意見を述べた。はじめのうちは黙っていた男たちも、間も無くその話に加わり、電報に対する解釈は、やがて、北壁登攀を実行するかどうかの議論にまで発展した。

「学長許可の範囲内のことだと信じてやればよい。それ以上のことは考える必要はないだろう」

佐久間が云った。

「でも学長は切に希望するとまで云っているでしょう。それなのに駒井さんたちが敢《あ》えて北壁登攀をやったら、どういうことになるのでしょうか」

木谷正子は心配そうな顔で云った。

美佐子はその議論には加わらずに一人で山を見ていた。美佐子は、淑子が学長の電報を手にしたとき顔色が変ったのを知っていた。だめかもしれないと美佐子は思った。結局淑子は学長の電報の前に屈して北壁登攀を思い止《とど》まるかもしれない。そうなった場合、彼女とパーティーを組んで登るために出掛けて来た私は、やはりあきらめねばならない。美佐子はみんなに背を向けた。

淑子は、美佐子がこちらに背を向けて、俯《うつむ》いた瞬間、彼女の涙を見たような気がした。

(美佐子さんは高所医学の研究に来たのではない。私とザイルを組んでマッターホルン北壁を登るためにここまでやって来たのだ。もしこの計画を中止すれば、私は彼女を裏切ったことになる)

淑子はそう考えた。美佐子を裏切ることは自分自身も裏切ることになる。淑子は口をつぐんだ。北壁登攀をやるべきだという男たちの意見と、学長の電報の手前、やめたほうがいいと主張する女たちの意見の間に立って、淑子は、この問題は結局自分自身が決めねばならないことだと思った。

「私は予定どおり今夜、出発します。大学に対しての責任のすべては私が負います。たとえこの行動が大学の方針に反する結果であったとしても、私はパートナーの信頼を裏切ることはできません、私は美佐子さんとザイルを組んで、きっとあの北壁を完登します」

大学の方針に反する結果と云ったとき彼女は、大学を辞めねばならなくなったときの自分を想像した。医師の国家試験に合格したばかりだった。大学に助手として残ることは決定していたが、そのポストはまだはっきりしていなかった。それほどあわただしい出発だった。大学を辞めて、見ず知らずの病院で白衣を着た自分の姿を考えたことはなかった。それは好ましいことではなかったが、やむを得ないことだった。

「駒井さん、あなたはこの遠征隊の隊長だってことを忘れないでください。あなた一人が責任を負うと云ったところで、それですべてが解決するでしょうか」

木谷正子が云った。

「きみは少々考え過ぎているんじゃあないのかな」

白瀬が木谷正子に向ってなだめるように話しかけた。

「第三者のおれから見ると、この電報は大騒ぎするほどのことではないと思うんだ。大学側は誇大に書かれた新聞記事を見たり、学内及び学外からのやじ馬の声を気にしたりして、いささか神経質になり、無理をしないでくれ、予定どおりの計画を終えて無事帰国することを切に希望するという意味の電報を打ってよこしたのだ。これはつまり、日本女子医科大学が女性を主体とする医科大学であることを如実《にょじつ》に証明したものであり、女子医科大学的老婆心《ろうばしん》の表現以外のなにものでもないと思う。老婆心とは文字通り、老婆が若者たちに必要以上に世話を焼きたがる生理的現象である。ぼくはコーチとしてこの隊に加わった以上、まぎれもない隊員である。その隊員の一人として、この老婆心のこもった電報に対しては、ありがとうございますと心からお礼を云いたい。そして、今後の行動をできるかぎり慎重にしたいと思っている。この電報の中にはマッターホルン北壁という言葉はない。無いのに、あるかのごとく想像し、これを大学側の中止の電報と受取るのは――」

白瀬は、そこで静川明子と木谷正子の顔を見較《みくら》べながら云った。

「まことに失礼ながら、きみたちもまた老婆でもないのに老婆心を出したとしか考えられない」

男たちは声を上げて笑った。明子と正子は白瀬に対して猛然と反発したが、それはほんのしばらくの間で、老婆心という言葉が出るたびに、大学側に立って弁じていた彼女たちの火は消えて行った。

そして二人が顔を見合せて、

「私たち老婆かしら」

と云《い》ったときにこの問題には終止符が打たれた。

彼等七人は暮れなずむマッターホルンに向って立上り、一斉に声を上げた。日は西に廻り、北壁の一部がバラ色に輝いていた。

＊

星の瞬《また》きが気になった。天気が変らねばよいがと願う気持をマッターホルンへ向けると、その星の夜の一角に幕をおろしたように黒い岩壁が立っていた。

ヘルンリの小屋に着いたのは十二時過ぎだった。既に食堂には早立ちの登山者が一組、二組、出発の用意をしていた。

淑子と美佐子はそこでもう一度装具類を点検した。

「ハーケンはそんなにたくさん持って行く必要はない」

と佐久間が云った。ハーケン一枚でも目方が少なくなることはありがたかった。佐久間等の経験はこの場でちゃんと生かされていた。シュワルツゼーのテントから此処《ここ》まで淑子と美佐子はなにも持たずにやって来た。ここでもう一度準備を整えて、北壁の取付点まではどうしても送って行くという仲間たちに、二人は、強いて帰ってくれとも云えずに黙っていた。

美佐子は彼女の荷物の中から鎌倉彫の手鏡を取出して、ハンカチに包んで木谷正子に渡した。紙一枚と云えども余計な物は持って行くなと云った杉山の忠告を素直に実行したのである。手鏡は彼女とともにヘルンリ尾根を経てマッターホルンの頂上に行っている。今回は持つべきでないと判断した。

ヘルンリの小屋の主人が起きて来て、二人が北壁に登ることを確かめてから、風が強いから、明日は天気がいい、多分明後日もよいだろうと云った。彼は念のために壁にかけてある古びた晴雨計を確かめて同じことを云った。

七人はヘルンリの小屋を出た。鞍部《コル》には猛烈な風が吹いていて、とても立っては歩けなかった。身を隠すようなところもなかった。七人はそれぞれウインドヤッケを身につけた。

コルを降りて、いくらか風当りが少なくなったところで淑子は送って来てくれた五人に云った。

「これから先は二人だけで行きます。ここはすでに北壁の一部です。マッターホルン北壁を完全登攀するためには二人だけにならねばならないのです」

その声の一部は風に千切《ちぎ》れて飛んだ。

彼等はそこで停止し、二人を囲んで円陣を作り、ヘッドランプを二人の足下に向けた。ものを云う者はいなかった。

二人の前に装具のすべてが置かれた。二人は、隊員たちが向けるヘッドランプの光のもとで、まずシュタイクアイゼンを靴底につけた。馴《な》れた手つきで次々と登攀用具を身につけ、ルックザックを背負い、最後にザイルの束を肩にかついだ。風の音が寒々と耳にこたえて来る中で二人はもう一度お互いに装備を確かめ合うように、見合ってから、

「お先に……」

と美佐子が云った。淑子がそれに対して大きく頷《うなず》くことによってスタートにおける順序は決った。

「では皆さん、行ってまいります」

と淑子が云った。その言葉は、異様に思われるほど此処では固い響きを持っていた。淑子が親しい仲間にこんな他所《よそ》行きの言葉を使ったのはいままで一度もなかった。じ

ゃあねとか、行って来るわ、というたぐいの挨拶《あいさつ》がせいぜいで、なんにも云わずに手を振りながら出て行くことだってある。しかし、見送るほうもまた見送られるほうに負けずに少なからず緊張していた。淑子が行ってまいりますと云うと、それに答えるように佐久間博が一歩前に出て、

「無理しないでくださいよ。天気はずっと続くようだから、のんびりやって来てください」

と他人行儀の挨拶をした。佐久間がこんな丁寧な言葉を使ったことなど一度もなかった。無理するな。のんびりやれ。その程度ですむところを、くださいなどという言葉を使ったのだから、あたり前ならば居合せた者は爆笑するところだったが、笑いは起らず、佐久間の後に続いて、それぞれが、別れの言葉を口にした。そのすべてが固苦しい調子だったが、杉山ひとりだけは、

「ツェルマットのホテルの屋上には超大型の望遠鏡が備えつけられていて北壁登攀《とうはん》が始まったら、最後の最後まで監視を続けるそうですから、うっかりキジウチなんかできませんね」

と云った。キジウチとは用便の意である。小用の場合はミズキジを打つと云う。山ことばであった。

杉山の発言によって送られる方も送るほうも笑った。

美佐子が五つのヘッドランプに向っていちいちお辞儀をした。そして、美佐子自身のヘッドランプが、マッターホルンに向きを変えたとき、女性だけのパーティーによるマッターホルン北壁登攀は開始されたのである。

二人は佐久間等パーティーの歩いた道をたどった。マッターホルンの氷河へは降りずに、マッターホルンの裾《すそ》を横断して行くコースだった。

二人のヘッドランプの光は次第に遠ざかり、やがて見えなくなった。

星が出ていることは二人にとってありがたいことだった。暗いには暗いけれど真暗《まつくら》闇《やみ》ではなかった。ヘッドランプを消して、闇をすかして見ると、マッターホルンの北壁の形は見えた。だがランプをつけて足もとを見ながら歩き出すと、予期していなかった氷の割れ目に出合ったり、氷の滝の付近で、明らかに水の音を聞いたりすると、身の毛がよだつ思いがした。足もとが常に不確かだった。突然、クレバスが前途を横切ったり、「氷河の段」とおぼしきものが現われたりすると、コースを間違えたのではないかと、思った。星空が突然消えた。霧が出た。

二人は、ヘッドランプの明るさだけを頼りに前進した。そして、彼女等の前に、氷の壁が現われたときには、いよいよ取付点に来たのだと思った。時間的にいささかはや過ぎるように思われたが、彼女等の前にあるものが氷壁である限りはそれに取付かねばならなかった。

二人は氷壁を叩《たた》いた。そこが取付点であるか、或《ある》いはそれが「氷河の段」であるか、はっきりしなかった。とにかく登ってみなければどうにも判断のしようがなかった。

「ではお先に」

とここでも美佐子は先行した。シュタイクアイゼンの牙《きば》を氷壁に蹴《け》りこむ音や、アイスバイルを氷に打ち込む音や、そしてアイスステッチェルを氷壁に突き刺す音が交互に聞えた。その度に細氷が落ちて来て淑子のヘルメットにそそいだ。

長い時間、冷たい霧の中で待った。ヘッドランプの光だけが頼りだった。霧を通して目の前を動いて行くザイルが美佐子自身の動きに見えた。ザイルは時々動きを止めた。美佐子が、アイスバイルでステップを切っているか、氷壁上に行きづまっているか、そのいずれにしても、その下で確保している淑子に取っては緊張する瞬間だった。ザイルはかなり延びたところで停止した。しばらくは動かなかった。耳をすましたが、美佐子の声は聞えなかった。たとえ叫んだとしても、声は風に吹きとばされて聞える筈《はず》はなかった。またザイルが動き出した。延び具合から判断すると、美佐子は登っているのではなく、手でそれをたぐり寄せていることが分る。美佐子は淑子に登って来いと云っているのだ。

ザイルの動きが止ったところで淑子は登攀にかかった。暗闇の霧の中で、声も掛け合わずに、心と心を通じながら、二人のザイルの間隔は縮められて行った。

「もうすぐ氷河の段の上に出るわ」

その美佐子の声で淑子は、マッターホルンの北壁の取付点を登っているのではなく、氷河の段の壁を登っていたことを知った。

「氷河の段」の上は氷原になっていた。それがどれだけ広いのかも分らなかった。二人はコースを間違えていたことを知った。だがその広い氷河の段を歩きながら、時間的に見て、この上にマッターホルン北壁の「長い長い登りの氷壁」があるのは間違いないと思われた。

霧が霽《は》れるとともに二人の前に黒い壁とその上に星の輝きを見た。

二人は、黒い壁に向って進んだ。急に傾斜が急になり、そこに二メートルほどの割れ目があった。その上に垂直の壁がそそり立っていた。割れ目は間違いなくラントクラフトであった。

二人はそこで呼吸を整えた。取付点に到着したことは間違いなかった。二人は無言で装備を確かめた。なに一つとして手落ちはなかった。

そこからは北壁の下部の一部しか見えなかった。氷壁の固さと、ほとんど垂直に近いその壁は、氷壁ではなく鉄の壁に見えた。取付点から三〇メートルほどが一番つらかったと云った先行パーティーの言葉が思い出された。

氷壁に取り付くにはまずラントクラフトを越えねばならなかった。ぱっくりと口を開いた割れ目の奥は見えないほど深かった。二人はラントクラフトの縁に沿って歩いた。氷壁から垂れ下った滝状の氷が、ラントクラフトに覆《おお》いかぶさっていた。いくぶんオーバーハング気味になっていた。それは大氷河と大氷壁にかけた橋であった。

二人はその場で顔を見合せた。相談する必要もないほど、方法ははっきりしていた。オーバーハング気味の氷の滝にアイスハーケンを打ちこみ、アブミを利用して乗り越えるしか手はなかった。

淑子は美佐子の肩に軽く手を置いて、

「さあ……」

と云った。美佐子は自信をこめた微笑を浮べながら、

「お先にね」

と云った。美佐子の方がいくらか背が高かった。こういう場所は一センチでも高くアイスハーケンを打ちこんだほうが有利だった。

美佐子が氷の滝にアイスハーケンを打ちこんだことによって、本格的登攀が開始された。美佐子はたちまち、その氷の滝を乗り越えた。彼女のヘッドランプの光は見えなくなり、氷を踏む足音が聞えなくなった。淑子の手元のザイルが延び切ったときが登攀開始のときだった。淑子は美佐子の足跡を追いながら、美佐子が氷壁に打ちこんだハーケンを抜いて行った。シュタイクアイゼンの牙を力いっぱい蹴りこんでもはね返されそうな固い氷のところに来ると、登攀ルートの方向が変っていた。

氷壁上に足場を作り、アイスバイルを氷壁に打ちこんで確保している美佐子の姿が影絵のように見えて来た。淑子はその傍を声を掛けて通り越した。そこからはザイルの長さいっぱい淑子がトップを登ることになり、美佐子はその間、確保を続けることになるのだった。この登攀方法はこういう場合はすこぶる能率的だった。

淑子は、美佐子が注意深く繰り出しているザイルを意識しながら、氷壁に取り付いて行った。氷は固かったが、アイゼンの牙も、アイスステッチェルの針先も、アイスバイルのピックもよく刺さった。彼女は、この北壁に対して厳冬期に挑戦した登山家の記録を読んだことがあった。氷が大理石のように固いので、アイゼンの爪《つめ》も立たないし、手に持っているアイスステッチェルもアイスバイルも、その先がせいぜい二ミリか三ミリしか氷に刺さらないので、ゆっくり登ることはできず、やむなく氷の絶壁を駈《か》け登ったと書いてあった。

それほどではなかったが、いま彼女が直面している氷壁の固さは尋常ではなかった。そのように固い氷壁に鉄の爪を立てようとしている自分に気がついて、はっとすることがあった。

淑子はほどよいところで、ステップを切り、まず足場を決め、アイスハーケンで自己確保してから、アイスバイルを氷壁に突き刺し、それにザイルをかけて後続者の確保の姿勢に移った。彼女は声を上げて美佐子を呼んだ。

やがて美佐子のヘッドランプが氷壁の陰から浮き出して来て、淑子の傍を通り抜けて上部に消えた。規則正しい登攀が続いた。

それぞれが三ピッチほど登ったところに、二人がかろうじて立てるほどの足場をこしらえて美佐子が待っていた。腰をおろして休みたかったが、それほどの広さはなかった。

＊

二人はそこで朝を迎えた。ネジ込み式アイスハーケンによって確保された二人は、北壁を背にして、遠く空間をへだてて南側にそびえ立っているオーバーガーベルホルンの山巓《さんてん》に点ぜられた赤い火を見詰めた。火は時間とともに燃え拡《ひろ》がるといったふうではなく、静かに静かにふくらんで行った。ふくらみながら、輝きを増し、その色も変えて行った。その神の火のごとく清らかな火は山巓をバラ色に焼き、その炎が燃え上った瞬間、あらゆる空間に火矢が飛び交い、皓然《こうぜん》と朝が輝いた。

淑子はその火矢に打たれて、目まいを感じた。顔がバラ色に染まったようなさわやかな気持だった。

朝が来たと大声で叫びたい朝だったが、ツェルマットの谷はまだ眠りから覚めてはいないようだった。

「なんて云ったらいいでしょうか」

淑子は美佐子にこのすばらしい朝を形容すべき言葉を求めたが返事はなかった。

美佐子は小型な懐中ノートを拡げてガーベルホルンの朝の火を写し取っていた。その懐中ノートには紐《ひも》がつけられ首にかけられていた。淑子は美佐子の用意のよさと、このような切羽《せっぱ》つまった登攀の過程においても尚且《なおか》つ絵心を忘れていない彼女の心の置き方に感銘を覚えた。

淑子は北壁登攀にすべてを懸けていた。成功するためには、高所医学の研究もひとまず忘れようと思っていた。その自分に比較して、美佐子の余裕ある態度はどうであろうか。淑子は緊張し過ぎている自分をいささか反省した。北壁は大きい。気を静めてかからないといけないと思った。

美佐子は懐中ノートをしまいこんで北壁に向きを変え、淑子が同じように向きを変えるのを待って云った。

「光とともに登りましょう」

マッターホルンの北壁は、太陽が地表線に近い時刻、つまり、日の出時と日没時のごく短い間だけ、太陽の光を受けることができた。

美佐子が云ったように光とともに登ることのできる時間は短かった。

日の光が北壁にさしかけると、北壁はにわかに騒々しくなった。落石、落氷が始まったのである。雪や氷のかけらは朝日を受けて宝石のように輝き、五彩の滝となって氷壁を滑り落ちて行った。

二人が交互にトップに立つ登攀法はそれからも続けられた。日がちょっとさしかけただけで氷の状態は変った。両手の得物も、アイゼンの牙も、氷によく刺さるように思われた。しかしそれは気のせいで、朝と共に視野が拡がり、自由に登攀ルートを選ぶことができたから、登攀速度も順調に伸びたのであった。

「長い長い登りの氷壁」は文字通り、その限りを知らぬように続いた。マッターホルンの北壁は大体三部に分れている。下部が「長い長い登りの氷壁」であり、中部「大クーロアール」、そして上部は「大岩壁」であった。

氷壁の部分がもっとも危険であることは多くの人によって指摘されていた。ここでもし一人が滑落した場合、もう一人が完全に確保できるかどうかはきわめて疑問であった。アイスハーケンは、岩壁に叩きこんだ埋め込みボルトやハーケンほど信用が置けるものではなかった。ネジ込み式アイスハーケンにしても、対象となる氷の組成《そせい》如何《いかん》によっては、あぶなっかしいものであった。マッターホルン北壁登攀史においても、「長い長い登りの氷壁」で起った事故はすべて悲惨な結果を招いていた。

（一歩々々に、そして一手々々の動きに生命がかかっているのよ）

淑子はそのように、自分に云《い》い聞かせながら登って行った。

氷壁と云っても、平滑に研磨された一枚の氷の板ではなかった。氷壁の表面には凹面もあるし凸面もあり、ツルピカ氷があるかと思うとザラザラ氷もあった。

（もうそろそろ、氷壁の部は終って、岩の部分、即《すなわ》ち、大クーロアールに出てもよさそうなものだ）

淑子はそう思いながら登った。

日が昇ると北壁は日かげになった。朝のうちしばらく見せたような、光の饗宴《きょうえん》はなかったが、落石や落氷は時間経過とともに次第に数を増した。

黒い岩が見えて来たが、まだまだ氷壁は続いていた。

午前九時二十分、二人は「長い長い登りの氷壁」を終った。大クーロアールの末端を示すような、氷に覆われた岩壁が上部に光っていた。

二人は、岩にハーケンを打って身体《からだ》を確保してから、狭い岩棚《テラス》で立ったまま朝食と昼食ともつかない食事を取った。

マッターホルン北壁の三分の一を登ったという感激よりも、足のしびれがはやいこと平常に復してくれることを祈っていた。

アイゼンの牙を氷壁に蹴りこむという動作が数時間も続いたので、足の爪先《つまさき》の感覚はほとんど麻痺《まひ》していた。足だけではなく、両腕の芯《しん》がジーンと鳴り続けていた。

＊

氷壁の最後の部から、大トラバースのコースに入った。

登攀を始めると間もなく霧が出たが、そう長いことは続かなかった。霧が出ると視界が閉ざされ、落石の音だけが耳についた。

淑子は大クーロアールに出たら、その名のとおり、幅の広い岩溝《ルンゼ》がいく条ともなく並んでいて、そこではいよいよ本格的なロッククライミングができるだろうと考えていた。しかし、その岩溝の岩には氷がついていた。薄氷が張りついている岩もあるし、厚い氷の張りついている岩もあった。岩と岩の間には隙間《すきま》なく氷があった。アイゼンをはずすわけにはいかなかった。それは氷の厚いところでは有効だったが、氷の薄いところでは用をなさず、アイゼンと岩との間に発する悲劇的な摩擦音が、かえって神経を疲労させた。「長い長い登りの氷壁」のほうが、むしろ登りやすかった。クーロアール地帯に入ってからは登攀《とうはん》速度は落ちた。悪場が前途をさえぎるために、右に逃げ、左に回避した。ところどころに残置ハーケンを見掛けたが、それが真の登攀ルートを示すものかどうか、はっきりしてはいなかった。それほど北壁は広々としていた。オーバーハング気味の岩がところどころにあった。あの岩を越せば、その上には、氷の付着していない快適な岩壁があるに違いないと期待しながら越えてみると、そこには、氷をかぶった更に悪い岩があった。彼女等は期待を裏切られつつ登った。

落石は無警告にやって来た。落石の流れからそれるように登るのも大事なことだった。二人は交互にトップに立って、登りやすい方向を選んで高度を稼《かせ》ぎ取って行った。

時間の経過が早かった。その割に登ってはいないように思われた。苦しい登攀が連続していて一呼吸つく暇もなかった。

二人は、午後七時になって、ビバークに恰好《かっこう》な岩棚《テラス》に到着した。暗くなるまでにはまだ二時間あった。日本の山ではこんなに遅くまで登攀は続けられなかった。ヨーロッパアルプスの地理的日没時間を考慮に入れての予定行動だった。狭いけれども、腰をおろして眠れるだけの広さがあった。彼女達は疲労の極に達していた。それ以上前進する気力はなかった。

何枚かのハーケンを背後の岩壁に自分でもあきれるほど慎重に打って、装具類をすべてそれに結びつけた。なに一つとして落してはならないものばかりだった。落せば、そのまま音も立てずにマッターホルン氷河に落ちて行くことは間違いなかった。

彼女等もまたザイルで岩壁に繋《つな》がれたまま、夜の準備を急いだ。ブタンガスのコンロで湯を沸かす準備ができたときは二人の気持は落着いていた。氷はコッヘルの中で湯になりスープになった。過度の疲労のためか、二人とも食欲がなかった。サラミソーセイジとビスケットと乾しアンズをほんの少々口にしただけだった。

防寒用の羽毛服を着こみ、足をルックザックに入れ、眠りにつこうとしたとき、その日の名残りのように、バラ色の夕映えがオーバーガーベルホルンの頂に輝いた。夜明けに見たあの覇気《はき》に満ちた朝焼けではなく、薄い靄《もや》を通して投げかけているやわらかい静かな夕焼けだった。

美佐子は、懐中ノートにそれを写し取りながら、

「明日もきっと天気よ、ね」

と淑子に云った。

「天気よ、天気でなかったらたいへんよ」

淑子は、天気に恵まれたからこそ、ここまで登ることができたのだ、そして、天気に恵まれてこそ完登できるのだと思った。こんなところで嵐に遭《あ》ったらどうしようもないのだ。

二人は祈りたいような気持で空を見た。疲労が刺戟《しげき》になってなかなか眠れなかった。午後九時になると足下の谷や丘は急速に漆黒《しっこく》に塗りつぶされ、そして、その暗さへの進行とは逆比例してツェルマットの村の火があかあかと輝き出した。ツェルマットの灯を見たとき淑子は、自分たちの位置の高さを知らされたような気がした。登っても登ってもさっぱり登ってはいないように感じてはいたが、実際は、マッターホルンの丁度中腹あたりにビバークしていることが、このときになってはっきりと自覚できた。

美佐子が口笛を吹いた。ただの一声だけであった。

「どうしたの」

「うちにチビっていう可愛《かわい》い犬がいるの、そのチビのことを考えていたのよ、ごめん

なさいね」

美佐子はそういうと、少しばかり身体をゆすぶった。

「いいのよ、べつに――」

胸がせまった。淑子は家族のことを思い出したのである。全く予期していないことだった。このような気持になったことはいままで曾《かつ》て経験したことはなかった。彼女のことを心配している家族のひとりひとりの顔が見えた。淑子は目をつぶった。感傷に落入ってはいけない。まず眠ることだ。だが眠れなかった。なんとなく呼吸《いき》苦しくそして、身体中がだるかった。

自分の脈搏《みゃくはく》を取ってみるとかなり速かった。淑子はヘッドランプをつけて、腕時計を見ながら、脈搏を測って懐中ノートに記入した。美佐子が黙って手を出した。進んで協力しようとしている美佐子に淑子は、

「ごめんなさいね」

と云いながら彼女の手を持った。冷たい手だった。脈搏は出発前と比較してかなり速くはなっていたが、二人の間にはほとんど差がなかった。二人が、脈搏に関する限り、同位にあると分ると、淑子の気持は急に落着いた。私だけが疲労しているのではないのだ。

淑子はふたたび目をつぶった。ごめんなさいねということばを二人が一度ずつ使ったことがおかしかった。

（こんなところで、ごめんなさいもないのに）

そんなことを考えていると眠くなった。

淑子が眠っても、美佐子はまだ眠れずにいた。夜になっても、いっこうに静かにならない落石の音が気になった。

（もし大きな落石があったら）

ビバーク中に落石にやられたという例は稀《まれ》にあった。そうなったらそうなったで、そのときのことだと度胸を決めて眠ればいいのだが、そのことが気になるとどうしても寝つかれなかった。

（落石があって、装具を繫《つな》ぎ止めてある紐が切れたらどうしよう）

そう考えた瞬間、岩壁から離れて、暗い谷間に落ちて行く、自分の登山靴を見たような気がした。

美佐子はヘッドランプをつけ、靴を履き終ってから、その靴を確保するために岩壁に打ちこんだハーケンに繫いである紐をほどいた。ほっとして淑子の方を見たが、よく眠っているので、彼女の靴を念のため別のハーケンに二重に固定してやった。登攀中に靴を失うことは死を意味した。起り得る可能性に対してはすべて手を打って置くべきだった。

美佐子はその仕事が終るとすぐ眠りについた。苦しい眠りだった。岩壁にザイルで繋がれている身体は自由にはならなかった。

＊

翌朝二人が目を覚ましたときは、北壁に日が当っていた。六時を過ぎていた。二人は注意深く装具を身につけた。今日中に登攀しなければならない岩壁の高さを思うと落着いて食事をしてもおられなかった。昨夜、こしらえておいた水と共に食べ物を飲みこんだ。食欲は依然としてなかった。

淑子は北壁の半分は終ったが、あとの半分がほんとうのマッターホルン北壁だということを何度も何度も自分に云い聞かせた。朝霧がしばしば二人を包みかくした。その中で二人は出発の準備を終った。

岩と氷は不自然に抱き合っていた。どちらも離れたがっているのに、見掛け上は密着しているように見えていた。だから、岩と氷を一つの物体と見做《みな》して力を加えるとたちまち二つに分れて、危うく足がさらわれそうになることがあった。岩は赤ちゃけたもろ岩（脆い岩）だった。手を触れただけで崩れ落ちそうな岩さえあった。岩の隙間があっても、ハーケンは利《き》きそうもないし、大丈夫だと思って、手を懸けたそれが浮石だったりした。

大クーロアールの名のとおり、岩溝の底に入ると暗くて陰湿だった。しずくが音を立てていた。右足のアイゼンが悲鳴を上げながら岩根を踏み、左足のアイゼンの牙《きば》が、氷板を蹴《け》るような悪場所が続いた。

日本の岩壁で鍛えに鍛え抜いた、岩壁登攀技術はほとんど用をなさなかった。一歩々々が死につながるような悪場所の連続だった。特殊技術は不要で、細心の注意だけが要求された。神経が疲労し、時間ばかり食った。

日本の岩壁では挑戦の技術を覚えた。が、マッターホルンの北壁では逃げの一点ばりであった。悪場所に挑んで行って、それを乗り越えたら、その上に快適な岩場があるという保証はなかった。多くの場合、苦労して悪場所を突破しても、その上には更に悪い岩場があった。だから、目と勘を働かせて、上手に逃げながら登るのが、北壁登攀の技術だった。

(あの人たちはなぜこのことを教えてくれなかったのだろうか)

帰ったら仲間の男たちに文句を云ってやろうと淑子は思った。しかし、よくよく考えてみると、登攀を前にして、ほんとうのことを云われたら登る意欲を失ったかもしれない。

(私は長いことマッターホルン北壁にだまされていた)

淑子はそう思った。彼女が頭の中に描いていたマッターホルン北壁は、しゃんとしていた。叩《たた》けば、かんかん響くような固い岩壁の筈だった。それがどうだろう、北壁は赤くただれた、ぼろぼろの岩だった。老醜《ろうしゅう》を思う存分にさらけ出したような巨人の岩壁は、ただ大きく、高く、つめたく続いているに過ぎなかった。

(もう少し登ったら、岩らしい岩があるだろう。少なくともロッククライミングらしい登り方ができるところがあるだろう)

そう思いつつ登っても、そのようなところはさっぱり見つからなかった。一口に云えば意地悪な岩壁だった。底知れないほどの悪意に満ちた傲慢《ごうまん》な岩壁だった。

二人の上には常にオーバーハング気味の岩壁があり、その上には青空があった。その岩を乗りこせば、頂上まで見とおしがきくような岩稜《がんりょう》に出られるかもしれないと思いながら、やっとのこと這《は》い上って見ると、その上にはまた同じような岩壁がひかえていた。

登っても登っても岩と氷が混合した壁からの離脱はできなかった。緊張の連続で頭がどうかなりそうになったとき、大氷瀑《ひょうばく》が上部に見えた。本で読んだとおりだった。ルートを間違えてはいなかった。

二人は大氷瀑を大きく迂回《うかい》してその上に出た。そのあたりから、傾斜がややゆるやかになり、雪田になったが、それは長くは続かず、今度こそ、登れるかどうか分らないようなもろ岩の岩壁に直面した。どっちにコースを変えようとしても、落石の滝から逃れることはできなかった。

二人は交互にトップに立って登攀する方法を続けていた。擦れ違うときに言葉を交わしたが、悪場所についての泣きごとはお互いにひとことも云わなかった。二人は憑《つ》かれたように登った。登ることしか考えなかった。

あたりがそれまでよりも明るくなって来たように感じた。ということは、大クーロアールを突破して、上部の大岩壁に取りついたことを意味していた。午後二時に二人は昼食を取った。それまでよく晴れていた空が薄曇りになった。

(天気が変らないうちに頂上に出なければならない)

二人はそう思ったが言葉には出さなかった。マッターホルン北壁の三分の二はようやく終ったが、あとの三分の一があった。それがもっとも困難なところなのだ。二人は赤いもろ岩を見ながらそう考えていた。

上部の大岩壁も名前だけで、岩壁そのものは決して期待できるものではなかった。連日の好天気続きで、岩の隙間につまっていた氷が溶けたために、岩壁全体が脆弱《ぜいじゃく》になった。岩稜が信用できないとすれば、氷の部分に逃げねばならなかった。岩と触れ合う、アイゼンの嘆きを聞きながら雪と氷と岩の壁を這い上りながら、淑子は、これが岩壁登攀というものだろうかと考えることがあった。そんなことを考えたり、岩壁に対して不信感を持ったときは、きまって落石の雨が降った。拳大《こぶし》の落石がヘルメットに当ったときは思わず首をすくめた。

(マッターホルンの北壁登攀には技術は要らない。体力と精神力だけですべてはきまる)

そんな言葉が淑子の頭に浮んだとき、彼女は薄日を浴びた。だがそれもほんのひとときで、上層の雲の厚さが増すに従ってあたりは次第に暗くなって行った。二人は夜と競争しているような気持だった。暗くなるのは九時である。それまでに頂上に立たねばならなかった。

ほとんど夢中だった。気の遠くなりそうな登攀が続いたが、休むことはできなかった。義務的に確保し、自分がトップに立つ番になると義務的に前進した。気圧のためか、疲労のためか、一瞬頭がぼうっとすることがあった。

「気をつけて、頂上はすぐそこよ」

淑子は力いっぱい叫んだ。美佐子に云《い》っているのではなく、自分自身に云っているのだった。

なにか上部に見えた。それは岩壁にはそぐわない異様な形をしていた。すぐそれが頂上に立っている十字架であることに気がついたとき、淑子はしばらく自分の目を疑った。

急に傾斜がゆるやかになり、突然登攀は終った。両足で立って歩けるところに来たのだ。一、二〇〇メートルの氷壁を登攀して、四、四七八メートルのマッターホルンの頂上に着いたのだ。二人はそこで肩を並べて、足取りを合わせるようにして、スイス側の山頂に歩いて行った。

二人は黙ったまま手を握り合った。美佐子の両眼に涙が光っていた。

「最後まで長い長い登りの氷壁だったわね」

淑子はそう云いながら、この瞬間にいたるまで歩いて来た道が、長い長い登りの氷壁だったことを回顧していた。

*

午後の七時を過ぎていたし、上空の厚い雲が頭上に迫っていた。長居はできなかった。明らかに嵐の到来を告げる疾風性の風が吹き始めていた。

二人はザイルを組んだまま、ヘルンリ尾根を降りて行った。勝利の愉悦《ゆえつ》に酔っている暇はなかった。嵐に追いつかれたらどうしようかという不安だけが二人を急がせた。周囲が暗転して二人は霧の中に入った。風速はいよいよ増し、身をかがめて、岩から岩へ伝い歩きしないと吹きとばされそうだった。

ヘルンリの尾根は一般ルートであるが、一歩それたら、生命の保障はなかった。絶壁が霧の中で口を開けていた。霧はなんにでも取りついた。その瞬間、氷に形を変えた。彼女等の着ているものはすべて氷に覆《おお》われ、動くとばりばりと音を立てた。

夜のように暗くなった。岩尾根に固定されたザイルは霧氷が付着して、太い棒になった。それにたよることは、かえって危険だった。

(嵐に追い落されるか、それより先にソルベイの小屋に逃げこむか)

二人はその局面に立たされていた。ヘッドランプを頼らないと歩けなかった。晴れていたらまだ残照が峰々に輝いている時刻だったが嵐のマッターホルンは、なにもかも闇《やみ》の中に溶かしこんで押し流そうとしていた。

ひどい寒さだった。手足の感覚が麻痺《まひ》して行った。防寒具も防風衣もまるで役には立ってはいないようだった。吹雪になった。風はいよいよ激しくなって立ってはおられなかった。一人が確保している間に、一人がほとんど、岩の上を這うようにしながら降りた。確保の姿勢でじっとしていると、そのまま凍結してしまいそうだった。声を掛け合ったがそれも途絶えた。声が出せるような状態ではなかった。

寒さで唇が自由に動かなかった。

ソルベイの小屋を見過してはならないと、そればかりを気に掛けているけれども、その一番大事なことさえ頭から抜けて行きそうだった。激烈な寒さの次に痛さが来て、それから頭のどこかに混濁が始まり、全身に拡《ひろ》がって行った。

(眠ってはだめよ、それは死ぬことだわ)

淑子は自分を叱咤《しった》した。そのときだけは、自分を取りかえすけれど、すぐまた眠くなった。同じようなことが美佐子にも起きていた。

二人の下降速度はいちじるしく落ちた。しかし彼女等は本能的に確保と下降、下降と確保を繰り返していた。

闇の中に一点の火が見えた。それが揺れながら近づいて来るのを淑子は夢を見るような気持で眺めていた。

幻視、幻聴という言葉が頭の中に浮び上った。自分はいまそれを見ているのかもしれないと思って立止ると、美佐子が倒れかかるように寄って来て耳もとでなにか云った。

「人よ……」

と云ったように聞えたが、はっきり聞き取ることはできなかった。

「おうい、しっかりしろ」

という声がした。幻聴ではなく、それはまぎれもなく白瀬の声だった。

白瀬は二人の前に立つと、二人の首を抱きかかえるようにして叫んだ。

「すぐそこがソルベイの小屋だ。頑張れ」

白瀬の出現はあまりにも唐突に思われたがそれを穿鑿《せんさく》している余裕もなかった。二人は白瀬の跡について、岩稜を降りた。大きな岩の陰を廻ったところに、ソルベイの小屋があった。

白瀬は外側に開く扉を開け、内側の扉は身体《からだ》で押して開けると、外に立っている二人を中に引きずり込んだ。

扉を閉めると嵐は去った。

呆然《ぼうぜん》と立っている二人の傍で白瀬一人がいそがしく動いていた。彼はまずローソクに火を点じてテーブルの上に置き、そしてブタンガスのコンロに火をつけて湯を沸かしに掛った。

淑子はまだ夢を見ているような気持でローソクの火を見詰めていた。テーブルの両側に木のベンチが一つずつあった。奥は二段ベッドになっていて、青い色の毛布がそれぞれのベッドの上に畳んであった。木造のしっかりした小屋だった。外はひどい嵐なのに、小屋はマッターホルン北壁とは無関係のように静まりかえっていた。

二人は震えながら、ルックザックをおろし、腰のゼルプストバンドを取り、靴のアイゼンをはずして、ようやく人心地がついたような顔になったが、まだ口がよくきけなかった。

二人はかちかちに凍った手袋をはずした。

白瀬はスープを作ると、それを二つのコップに入れて二人にすすめた。

「ありがとう……」

二杯目のスープを飲んだあとで淑子が云った。

小屋の外で轟々《ごうごう》と鳴っている嵐の音を聞きながら、彼女等は助かった実感を味わっていた。

白瀬は馴《な》れた手つきで食事の支度をした。下から背負い上げて来たにぎりめしをほぐしてバターでいためた。

「あなたひとりで登って来たの」

と淑子は白瀬に訊《き》いた。

「そうだ、おれ一人でやって来たのだ」

白瀬は遠征隊の中で気象を担当していた。毎朝ホテルへ行って天気予報を聞いたり、印刷天気図を引くようなことはできないから、彼がもっとも頼りにしているのは、携帯用の晴雨計であった。ラジオを聞いて天気図を見せて貰《もら》っていた。彼がもっとも頼りにしているのは、携帯用の晴雨計であった。


それは空盒《くうごう》式気圧計の日盛盤の高気圧部分を青く、低気圧部分を赤く塗ったものであった。ヘルンリの小屋の壁に掛けてあるものとほとんど同じ構造のものだった。

白瀬はその朝、携帯用晴雨計の針が赤い部分に移動したことを知った。

彼は二人のことを心配した。

（おそらく二人は今日遅く頂上に着くだろう。しかし、ソルベイの小屋へ降りて来る途中で嵐に会ったら、大変なことになる）

彼はしきりにその危険性を強調しようとした。しかし、晴雨計の針は赤の部分を指すには指したが、それ以上気圧の低下はないようだし、昨日に続いて、いささかも変りのない青空を見ると、急に天気が悪くなるとは考えられなかった。

それでも、留守を取りしきる佐久間はそのことを気にして、白瀬を同道してシュワルツゼーのホテルへ行って、天気のことを聞いた。ホテルのマネージャーは彼等のために、二、三カ所に電話を掛けて、その結果を、

(今日遅くなって弱い低気圧が近くを通過するけれど、特に天気が悪くなることはなさそうだ。せいぜい雲が出る程度だろう)

と教えてくれた。

白瀬の天気急変説は否定されたが、白瀬はなぜか、その晴雨計の指示にこだわっていた。

(とにかくおれはソルベイの小屋まで迎えに行くことにする。どっちみち暇な身体なんだから)

白瀬は云い出した手前、引込みがつかなくなったようだったし、別な目で見ればソルベイの小屋へ迎えに行く口実を探し出したようにも思われた。

白瀬がソルベイの小屋へ行くことに反対する者はなかったし、同行しようという者もなかった。

「そうだったの、すると嵐の到来を知ったのは、あなたの勘だったというわけね」

淑子は、勘ていったいなんだろうと考えながら靴を脱いでベッドに入った。

嵐は夜になると、いよいよ荒れ狂った。この嵐が一日早くやって来た場合を想像す

るとぞっとした。吹き曝《さら》しの狭い岩棚《テラス》ではどう戦ったところで、この嵐に勝てそうもなかった。

（私たちは運がよかったのだわ）

淑子はそう考えた。運ばかりではなく、友人にも恵まれていた。白瀬が迎えに来てくれなかったら、ほんとうに危ないところだった。

（それにしても、ここまで迎えに来てくれた白瀬の好意は、いささか度が過ぎているのではなかろうか）

その好意以上のことをなぜ白瀬が実行したのだろうかと考えたとき、美佐子の姿が大きく浮び上った。無口で、おとなしくて、泣き虫で、そして美人で、登攀《とうはん》技術にかけては男顔負けの、若林美佐子はジャグ山岳会の男たちのあこがれの的であった。ひょっとすると白瀬は美佐子の安否を気づかって、わざわざ此処《ここ》まで来たのかもしれない。

（そうだわ、きっとそうよ）

白瀬という男はなんと一途《いちず》なものの考え方をする男だろうか。

一夜が明けた。嵐は去り、外は濃霧だった。

「二人の歓迎の準備のため、先に下山します。ゆっくりどうぞ」

と白瀬の置手紙があった。

ゆっくりどうぞと云われても、ゆっくりすることなんか、なにもなかった。

二人は食事をすませて、後かたづけをした。小屋の中には塵《ちり》一つないようにしてから、外に出た。

濃霧だったが風はなかった。天気がよければ続々と登って来る筈《はず》の登山者もいなかった。二人は、女性パーティーによる、世界初めてのマッターホルン北壁完全登攀という実績をかみしめながら、一歩々々麓《ふもと》に向って降りて行った。

(下巻につづく)

銀《ぎん》嶺《れい》の人《ひと》(上)

新潮文庫　に-2-17

昭和五十四年五月二十五日　発行
平成十六年三月二十五日　三十二刷改版
令和三年十二月十五日　四十二刷

著者　新《にっ》田《た》次《じ》郎《ろう》

発行者　佐藤隆信

発行所　株式会社新潮社
郵便番号　一六二―八七一一
東京都新宿区矢来町七一
電話　編集部(〇三)三二六六―五四四〇
読者係(〇三)三二六六―五一一一
https://www.shinchosha.co.jp

価格はカバーに表示してあります。

乱丁・落丁本は、ご面倒ですが小社読者係宛ご送付ください。送料小社負担にてお取替えいたします。

印刷・錦明印刷株式会社　製本・株式会社植木製本所

ISBN978-4-10-112217-5 C0193